Les organisations internationales

Collection Cursus, série « Science politique »
sous la direction de Guy Hermet

Marie-Claude Smouts

Les organisations internationales

ISBN : 2-200-21610-6

Armand Colin Éditeur – 5, rue Laromiguière – 75241 Paris Cedex 05

Introduction

Jamais le système international n'a comporté autant d'organisations qu'en cette fin de siècle. Jamais les instances de concertation multilatérale n'ont été aussi nombreuses. Jamais les formes de coopération n'ont été aussi diverses. Dans un monde bouleversé par la libéralisation des échanges et la mondialisation de l'information, aucun domaine de l'activité humaine n'échappe désormais au besoin de discussion à l'échelle planétaire. L'amour lui-même est devenu un objet de coopération politique : Sida, croissance démographique, etc. Et pourtant, l'idéal d'un ordre mondial permettant de comprendre, de contrôler et de prévoir l'évolution des rapports internationaux semble reculer toujours plus loin.

La fin de la guerre froide et du bipolarisme a relancé une fois encore les grandes questions déjà posées à la fin de la guerre de Trente Ans (1648), des guerres napoléoniennes (1815), de la Grande Guerre (1919) et dans les dernières années de la Seconde Guerre mondiale (1944-1945) : comment construire et faire respecter un minimum de règles assurant la sécurité des rapports internationaux? Entre quels partenaires? Autour de quels principes? En bref, quel type d'organisation serait pertinent pour affronter les problèmes résultant de la nouvelle configuration du monde?

À ces questions éminemment politiques, la science politique, en France, s'est curieusement peu intéressée jusqu'à une période récente. Elle en a abandonné le soin aux philosophes et aux chroniqueurs et laissé l'enseignement des organisations internationales à la compétence quasi exclusive des juristes qui, tout naturellement, lui ont imprimé leur marque et donné ses caractéristiques. À la différence de l'approche anglo-saxonne, les manuels français traitant des organisations internationales portent essentiellement sur les structures formelles et la répartition des compétences. En outre, la prédominance des préoccupations juridiques conduit à analyser toute tentative d'organisation des rapports internationaux en priorité par rapport au sujet majeur du droit international public, l'État. L'apparition de nouvelles formes institutionnelles sur la scène internationale est le plus souvent étudiée par référence à des modes d'arrangements interétatiques connus et répertoriés : supranationalité, confédérations, fédérations. L'hypothèse que puisse se construire un nouveau système de relations politiques ne ressemblant à rien de connu dans l'histoire interétatique est rarement envisagée. La question théorique posée est toujours celle de savoir comment se font d'éventuels partages ou délégations de compétence entre les États et les organisations internationales et comment évolue le sacro-saint principe de souveraineté.

Nous disposons ainsi de monographies nombreuses et de qualité sur les différentes organisations internationales. Nous disposons aussi d'analyses très complètes sur tous les modes possibles de négociation, de coopération, de règlement des différends entre États dans les domaines d'activité les plus divers. Mais ces études sont peu cumulatives. Chaque organisation est étudiée pour elle-même, pour ses mécanismes institutionnels, et non pour ce qu'elle peut révéler du fonctionnement global de la politique internationale. La conceptualisation du phénomène « organisation internationale » et de ses effets sur la scène politique mondiale reste encore peu développée.

Ce désintérêt des politologues à l'égard de l'étude des organisations internationales est dû pour une large part à la domination prolongée de l'école « réaliste » sur l'étude des relations internationales en France. Cette vision se fonde sur trois postulats, bien exprimés dans l'œuvre de Raymond Aron :

– l'État est l'acteur principal, voire exclusif, de la vie internationale ;

– l'État dispose du monopole de la violence légitime et ce fait introduit une différence de nature essentielle entre la sphère politique interne et la sphère politique internationale ;

– la vie internationale est une compétition permanente dont l'enjeu principal est la guerre ou la paix.

Dans cette vision, l'organisation internationale ne fait que reproduire les rapports de force. Elle n'est pas un acteur ayant une dynamique propre, mais un instrument au service des États. Elle est une aide à la diplomatie et ne modifie pas au fond les relations internationales. Elle ressortit au droit, non à la sociologie politique.

Divers facteurs viennent remettre en cause cette façon de concevoir l'organisation de la vie internationale. La mondialisation des échanges, l'essor des flux transnationaux, l'effondrement des structures politiques dans de nombreux pays, le rôle accru des acteurs privés sur la scène mondiale ont ébranlé le cadre institutionnel structurant la scène internationale depuis 1945. Plusieurs des grandes organisations créées dans l'après-guerre semblent tourner à vide, sans prise sur la réalité (UNESCO, OIT, FAO, et, bien souvent, ONU). D'autres, au contraire, interviennent si profondément dans la vie économique et sociale qu'elles en arrivent à supplanter l'État (FMI, Banque mondiale). De nouvelles institutions, enfin, se sont développées sur une base fonctionnelle, souple, peu formalisée et forment à présent un réseau influent et de plus en plus dense (G7, clubs de créanciers, club des Dix...). Mais surtout, la distinction entre action publique et action privée a tendance à se brouiller. Qu'il s'agisse des transferts financiers ou de l'intervention humanitaire, du problème des droits de l'homme ou des questions d'environnement, acteurs privés et organisations intergouvernementales coexistent, s'épaulent, se chevauchent ou se font concurrence sans qu'il soit toujours possible de distinguer qui fait quoi et qui contrôle qui.

Le jeu international ne se résume plus en un jeu interétatique entre un nombre d'acteurs définis et identifiables parce que reconnus par l'ONU. Il est devenu un jeu ouvert auquel participent un nombre illimité d'acteurs de nature très hétérogène : ONG, firmes multinationales, financiers, réseaux d'entreprises, régions, groupes identitaires, etc. La mondialisation des échanges a estompé la séparation classique entre la sphère interne et la sphère internationale, entre l'organisation interne et l'organisation internationale des rapports sociaux. Et cela change complètement la perspective. À la fin du XXe siècle, le problème de l'organisation internationale n'est plus seulement celui de l'aménagement des rapports entre États, mais également celui de savoir comment introduire de la cohérence et de la prévisibilité dans un monde où prolifèrent des acteurs et des flux transnationaux échappant plus ou moins au contrôle d'un système interétatique lui-même loin d'être harmonieux.

La difficulté de « théoriser » l'organisation internationale tient à la difficulté de penser la relation entre la partie et le tout dans un système devenu aussi complexe. Pour construire un « paradigme », un savoir scientifique reconnu sur le phénomène « organisation internationale », il faudrait rendre compte en même temps des particularités institutionnelles de chacune des organisations existantes et du comportement de chacun des acteurs évoluant à l'intérieur de l'organisation. Il faudrait rendre compte également de la façon dont le comportement de ces acteurs est relié à l'évolution de la situation internationale et à l'ensemble des autres jeux se déroulant à l'extérieur de l'organisation. Non seulement un ensemble aussi vaste est impossible à appréhender en un seul regard, mais ce type de relations — environnement/acteur/organisation — est de nature essentiellement qualitative. Il se prête mal aux généralisations.

Malgré cette difficulté réelle, la période nous semble propice pour aller au-delà de la simple description des différentes organisations et tenter de proposer une problématique générale. D'une part, l'étude politique des organisations internationales connaît un regain de faveur depuis quelques années aux États-Unis, en Grande-Bretagne, en Suisse, dans les pays nordiques. En témoigne le succès inattendu de l'*Academic Council on the United Nations System* (ACUNS), petite association fondée en 1987 par une poignée d'universitaires américains et dont la réunion annuelle draine à présent plusieurs centaines de politologues venus du monde entier pour tenter de préciser et de renouveler l'approche des organisations internationales. De son côté, la revue américaine *International Organization* a repris depuis quelques années la réflexion sur l'objet qui lui donnait son titre mais qu'elle avait progressivement délaissé au profit d'une glose interminable autour de la notion de « régime ». Un peu partout, le cinquantième anniversaire de l'énorme dispositif institutionnel mis en place dans l'après-guerre a été l'occasion de dresser un bilan des organisations internationales existantes et d'examiner les possibilités de réforme pour en améliorer le fonctionnement. Colloques, articles et livres collectifs ont proliféré pour la circonstance. De cette somme de travaux, principalement anglo-saxons, commencent à se dégager quelques grandes lignes permettant de penser l'organisation internationale.

Ce regain d'intérêt ne relève pas seulement de stratégies éditoriales et académiques. Il correspond à des interrogations fondamentales et largement répandues sur l'évolution du monde. L'impuissance de la communauté internationale à empêcher le retour de génocides (Rwanda) et « nettoyage ethnique » (ex-Yougoslavie) amène, une nouvelle fois, à s'interroger sur les notions mêmes de «communauté» et d'«institution» mondiales alors que, dans le même temps, le triomphe quasi absolu du marché et les effets de la mondialisation laissent entrevoir l'émergence d'une «société civile globale» (*global civil society*). L'incertitude sur la façon dont les sociétés pourront résoudre les nouveaux problèmes auxquels l'humanité est confrontée (migrations internationales, instrumentalisation politique des différences culturelles, revendications identitaires, explosion démographique, risques écologiques) conduit à poser au niveau international les grandes questions classiques de la sociologie : comment, en dépit de l'hétérogénéité des acteurs et de leur inégalité, se construit un minimum d'ordre social? Quels sont les mécanismes de la régulation? Comment fonctionnent les organisations et quel est leur rôle dans une société complexe? Sur toutes ces questions, le développement de la sociologie des organisations et le débat sur le «nouvel institutionnalisme» qui agite depuis quelques années économistes et politologues autour du rôle spécifique des institutions offrent à l'internationaliste des ressources utiles, trop souvent négligées dans l'étude des organisations internationales.

Dans un premier temps, cet ouvrage présentera un cadre d'analyse théorique de l'organisation internationale rendant compte de ces différents apports. Il ne s'agit évidemment pas de prétendre dégager des lois générales qui seraient fondées sur des hypothèses et vérifiées par l'expérience. Dans les relations internationales, comme dans l'ensemble des sciences sociales, la théorie n'a pas le sens rigoureux que lui donnent les sciences physiques. La réalité est trop fluide, les définitions sont trop imprécises, les variables trop nombreuses pour autoriser une si grande ambition. La «théorie» n'a ici qu'une signification modeste, celle que lui donne le langage profane : elle vise une présentation ordonnée des principaux concepts utilisés et des hypothèses émises par les observateurs de l'organisation internationale.

Dans un second temps, l'ouvrage retracera l'histoire des organisations internationales et les transformations du système de coopération multilatérale mis en place depuis la Seconde Guerre mondiale. Il montrera comment les différentes phases de cette évolution sont liées aux changements des acteurs et des stratégies sur la scène mondiale et comment l'organisation du monde évolue avec les mutations du système international.

Il envisagera, enfin, les possibilités d'organisation des rapports internationaux de l'après-guerre froide dans quelques domaines particulièrement sensibles — sécurité, commerce, environnement, rapports entre pays inégaux —, en montrant les efforts entrepris et en faisant le bilan des principales réalisations, de leur portée et de leurs limites.

[*N.B.* : L'ouvrage de Philippe Moreau Defarges *Les institutions européennes,* paru dans la même collection, nous dispense de longs développements sur les organisations communautaires européennes. Celles-là ne seront évoquées que pour ce qu'elles nous apprennent sur le fonctionnement général des organisations et sur l'état du système international.]

PREMIÈRE PARTIE

La théorie des organisations internationales

1 *Le concept d'organisation internationale*

DÉFINITION DE L'ORGANISATION

L'apparition des premières organisations internationales a coïncidé avec celle de la notion d'organisation à l'intérieur des sociétés industrielles. Ces deux formes d'arrangement des relations humaines sont nées en même temps. Elles répondaient, chacune à leur façon, aux nouveaux besoins de la société industrielle, à l'expansion économique et à la multiplication des échanges.

Sur le plan interne, l'augmentation considérable du volume des opérations industrielles et des transactions commerciales à la fin du XIXe siècle avait entraîné le passage de la fabrique à l'usine, des petites unités aux grandes entreprises. Un nouveau type de structure était apparu regroupant les activités humaines dans des ensembles d'interaction complexe que l'on allait appeler « organisations ». Dans le même temps, l'activité de l'État connaissait une extension considérable. Les administrations s'étoffaient, les échelons administratifs se diversifiaient, les services publics se voyaient de plus en plus sollicités, les marchés publics se développaient, les interventions de l'État se multipliaient.

Il n'est donc pas surprenant que les premières expériences d'organisation internationale se soient produites dans des domaines où des technologies nouvelles liées à l'extension des échanges faisaient intervenir la puissance publique. Elles correspondaient à des besoins de rationalisation et de gestion que l'exercice traditionnel des relations diplomatiques ne parvenait plus à remplir. L'histoire de la première organisation internationale, l'Union télégraphique internationale (1865), résume bien la logique de ce mode d'arrangement.

Jusque dans les années 1840 existait la télégraphie aérienne optique, intéressante mais de portée limitée. Lorsque la télégraphie électrique apparut et permit de communiquer sur des distances allant au-delà du territoire national, il fallut trouver les moyens de régler les nouveaux problèmes de compétence posés par la technique. Dans un premier temps, des conventions furent signées de façon bilatérale entre États voisins pour définir les conditions dans lesquelles les transmissions seraient effectuées. Des regroupements régionaux commencèrent à se former : Union télégraphique austro-allemande pour l'Europe du Nord, Union télégraphique de l'Europe occidentale pour l'Europe du Sud. Quantité de systèmes différents de procédures, de services, de tarification étaient sur le point de se mettre en place et de se superposer, freinant d'autant l'efficacité du nouvel instrument. Le système d'arrangement d'État à État, le seul connu jusqu'alors, s'avérait inadéquat. Il fallut inventer un système « international ». À l'initiative du gouvernement français, les gouvernements européens se réunirent dans une conférence télégraphique, créèrent une Union internationale, bientôt dotée d'un bureau chargé d'instruire les demandes, de réunir et publier les renseignements, d'harmoniser les règles et les tarifs. Lorsque naquit la télégraphie sans fil, le même processus se répéta et conduisit à la création d'une Union radiotélégraphique internationale au début du siècle (1906). Ces deux unions fusionnèrent en 1932 pour donner naissance à l'Union internationale des télécommunications qui a survécu à toutes les guerres, s'est adaptée à toutes les évolutions techniques (téléphone, télécopie, satellites géostationnaires, réseaux d'ordinateurs, etc.) et joue à l'heure actuelle un rôle important dans l'attribution des fréquences et la gestion des rivalités en matière d'utilisation de l'espace.

Deux définitions proposées par la sociologie résument les éléments principaux de toute organisation, qu'elle soit interne ou internationale, publique ou privée :

– l'une d'une élégante simplicité : « Ensemble structuré de participants coordonnant leurs ressources en vue d'atteindre des objectifs » (Claude Ménard) ;

– l'autre plus détaillée : « On appelle organisation une unité de coordination ayant des frontières identifiables et fonctionnant de façon relativement continue, en vue d'atteindre un objectif ou un ensemble d'objectifs partagés par les membres participants » (S.P. Robbins).

L'organisation internationale regroupe, par définition, des membres appartenant à des pays différents. Elle caractérise une forme particulière d'agencement des rapports internationaux qui se distingue par trois traits spécifiques :

– L'organisation internationale résulte d'un acte volontaire manifeste. Elle procède d'un acte fondateur : « acte constitutif » pour les organisations intergouvernementales (traité, charte, convention), dépôt de statuts pour les organisations non gouvernementales.

– L'organisation internationale a une *matérialité*. Elle a un siège permanent, une adresse, un financement, du personnel.

– L'organisation internationale est un mécanisme de *coordination*.

Alors que toute institution naît des exigences de l'échange, mais n'assure pas nécessairement la coordination, l'organisation est créée, volontairement, pour assurer une coordination des ressources et des actions en vue d'atteindre certains objectifs.

Une organisation internationale peut donc se définir comme un ensemble structuré de participants appartenants à des pays différents coordonnant leur action en vue d'atteindre des objectifs communs.

Une typologie impossible

Les organisations internationales sont si nombreuses et si disparates que leur typologie est difficile à établir. Aucune catégorie n'est vraiment significative. Pour être utile à l'analyse une véritable classification supposerait, en effet, que des critères bien définis fussent identifiés et qu'à chacun de ces critères fussent associés des modes d'interaction bien particuliers entre les participants d'une part, entre l'organisation et son environnement d'autre part. Cette classification n'a jamais été établie ; elle est probablement impossible : aucun critère simple, isolé, n'est satisfaisant, et la façon dont des critères multiples pourraient se combiner n'est pas vraiment connue. Mais comme il faut bien trouver un ordre pour décrire les organisations les unes après les autres, des classifications ont été proposées par commodité à partir de quelques critères rudimentaires :

– La nature des participants : organisations intergouvernementales lorsque les membres sont des États, organisations non gouvernementales (ONG) lorsque les participants sont des personnes ou des associations privées. La littérature de langue anglaise distingue parmi les ONG une catégorie spéciale constituée par les organisations privées économiques (*Business International Non Governmental Organizations* ou BINGOS).

– La composition : universelle lorsque l'organisation a vocation d'accueillir tous les États existants au sens du droit international (ex. : ONU) ; régionale lorsqu'elle est composée d'un nombre limité d'États dans un espace géographique déterminé (ex. : OEA, ANSEA) ; restreinte lorsqu'elle ne réunit qu'un petit nombre d'États partageant les mêmes caractéristiques (ex. : OCDE).

– L'étendue des activités : générale lorsque l'organisation exerce une compétence non spécialisée ; sectorielle lorsque l'organisation a pour vocation de faciliter la coopération dans un secteur technique particulier. Les premières seraient plutôt politiques (ONU), les secondes plutôt techniques (institutions spécialisées : OMS, FAO, etc.).

– La nature des activités : normative ou opérationnelle, d'intégration ou de coopération. Certaines organisations se bornent à faciliter l'harmonisation des comportements en fournissant un cadre de discussion et des moyens pour négocier un accord sur des normes communes (ex. : CNUCED, OCDE). D'autres engagent des actions qu'elles décident elles-mêmes, selon leurs propres modalités, avec leurs propres moyens (ex. : FMI, Banque mondiale). Certaines organisations visent à l'« intégration » des politiques dans la mesure où les États membres abandonnent une partie de leurs compétences au profit d'institutions communes dotées de pouvoirs propres dont les décisions s'appliquent directement dans les États membres (ex. : Union européenne) ; d'autres se contentent d'organiser les échanges sans prétendre éroder les souverainetés (ex. : ASEAN).

Le seul énoncé de ces classifications montre bien leur caractère incertain. D'une part, elles construisent des sous-ensembles composés d'objets hétéroclites sommairement regroupés que l'on peut indifféremment faire passer d'une catégorie à l'autre suivant la période, les sujets à l'ordre du jour, l'équilibre des forces en présence : où classer le FMI (Fonds monétaire international), l'Union européenne, la CSCE (Conférence sur la sécurité et la coopération européenne)? D'autre part, elles introduisent des distinctions artificielles entre le politique et le technique, le privé et le public, le normatif et l'opérationnel qui ne correspondent pas à la réalité vécue par les organisations où tout se mêle en permanence. Quant à la distinction entre « intégration » et

« coopération », elle est, de toutes, la plus difficile à cerner. Par exemple, la construction européenne montre une intégration fonctionnelle donnant indéniablement à l'Union européenne certains traits supranationaux, mais elle suscite en même temps la résistance permanente des gouvernements et des peuples face aux effets de cette intégration. À l'inverse, les accords de l'ALENA (Accord de libre-échange nord-américain plus connu sous son sigle anglais NAFTA), officiellement, ne visent pas une intégration des politiques. En réalité, ils vont si loin dans le domaine du droit du travail et de l'environnement qu'ils restreignent fortement la marge de manœuvre du Mexique et du Canada, obligés d'aligner leur législation sur les normes voulues par le Congrès américain et d'accepter un mécanisme de sanctions imposé par leur puissant voisin.

Organisation et institution

Toute réflexion sur l'organisation des rapports internationaux conduit à s'interroger sur la façon dont se construisent les règles qui vont permettre le minimum de régularité et de prévisibilité dans les relations humaines sans lequel aucun ordre n'est possible. Cette construction se fait à travers un phénomène d'« institutionnalisation ».

Dans les manuels français consacrés aux organisations internationales, la définition des institutions est souvent très vague. On y voit « toute une série de principes et de solutions qui sont destinés à assurer les relations internationales de la manière la plus satisfaisante possible » (C.A. Colliard) ou « les organisations, les traditions et les règles fondamentales qui caractérisent la société internationale » (P. Reuter). Dans la mesure où l'on attend des organisations internationales qu'elles « institutionnalisent » des principes et des comportements, il convient de s'attarder davantage sur cet élément constitutif de tout ordre politique.

• *Au sens classique, en Occident, l'institution se confond avec le droit.* Inspirée du droit romain, la science des institutions est, jusqu'au XVIIIe siècle, la science des dispositions juridiques régissant la cité : répartition des pouvoirs, mécanisme des sanctions et de leur exercice régulier. La discussion théorique porte alors sur le point de savoir si les institutions traduisent un ordre naturel, universel, fondé sur la raison et « la nature des choses ». Elle porte aussi sur les raisons pouvant expliquer la régularité des conduites et la transmission « des mœurs et des manières » de génération en génération qui se pérennisent en dépit des divergences d'opinion et d'intérêts (Montesquieu). De nos jours encore, les institutions de la société internationale considérées comme les plus fortes sont les constructions juridiques héritées d'un droit né avec l'État et progressivement construit autour des notions de territoire et de souveraineté : responsabilité internationale, réciprocité, égalité devant le droit, protection diplomatique, etc.

La perspective commence à se modifier au XVIIIe siècle. L'expansion vers des mondes nouveaux, peuplés de « sauvages » aux mœurs étranges, a fait découvrir des institutions et des mécanismes de fonctionnement de la société inconnus en Europe. Les effets combinés de la Révolution française et des débuts de l'ère industrielle achèvent de bouleverser la perception classique du phénomène institutionnel. Les modes d'organisation traditionnels ont été bousculés, les institutions ne peuvent plus être analysées uniquement à partir de l'héritage romano-chrétien et de l'expérience quasi exclusive des monarchies de droit divin. Une rupture s'opère par rapport au sens reçu, accentuée par une réflexion nouvelle sur le progrès. Une sorte de vide s'installe que viendront combler les débuts de la sociologie et de l'ethnologie au XIXe siècle.

• *La vision sociologique pose en termes tout différents le problème des institutions.* Elle part d'une constatation : dans toute collectivité, il existe des manières d'agir et de penser socialement sanctionnées. Tout groupe connaît dans son fonctionnement une multitude de règles rigoureusement obligatoires : « la plupart des individus y obéissent ; même ceux qui les violent savent qu'ils manquent à une obligation ; et, en tout cas, la société leur rappelle le caractère obligatoire de son ordre en leur infligeant une sanction » (Marcel Mauss). Ces manières d'agir et de penser, consacrées par la tradition et que la société impose aux individus, s'expriment à travers des institutions, soit « un ensemble d'actes ou d'idées tout institué que les individus trouvent devant eux et qui s'impose plus ou moins à eux » (Marcel Mauss).

Le rôle dévolu aux organisations internationales est de favoriser le jeu institutionnel entre les acteurs opérant sur la scène mondiale. L'institutionnalisation est « le mode par lequel des pratiques sociales développées en réponse à des problèmes particuliers se pérennisent dans des ensembles de règles spécifiques » (Robert Cox).

Pour les sociologues, l'institution se reconnaît à son caractère contraignant. Elle est une force à laquelle il est très difficile et très coûteux de résister. Se pose alors la question des fondements de cette contrainte institutionnelle et des conditions de son efficacité. La réponse met en jeu « un mélange de foi et de rationalité » (Claude Ménard) : les conduites socialement prescrites sont observées parce que les institutions paraissent respectables. Les institutions paraissent respectables parce qu'elles semblent légitimes. Les institutions sont tenues pour légitimes lorsque leurs procédures sont acceptables par tous, c'est-à-dire lorsque leurs normes établissent une certaine proportionnalité entre la contribution et la rétribution, entre le poids de la contrainte et les avantages qu'on en retire. Ainsi, dans la sphère interne, le citoyen obéit à l'État et paye des impôts parce qu'en retour celui-ci assure la sécurité des personnes et des biens et qu'il garantit un certain ordre dans les relations sociales ; dans la sphère internationale, un pays reste dans l'ONU même lorsqu'il y est régulièrement en minorité parce que l'appartenance à l'organisation ne coûte pas cher et procure des avantages. Le droit international est respecté dans la mesure où l'observance de la règle, même coûteuse, garantit l'appartenance à la collectivité internationale et qu'il serait plus coûteux encore de s'en affranchir. Lorsque les avantages ne compensent pas les coûts, du moins dans la perception qu'en ont les intéressés, les institutions sont méprisées, contournées et parfois combattues (voir les travaux de

Claude Ménard sur *l'Économie des organisations* à qui nous avons emprunté sa démarche de sociologue pour l'appliquer aux organisations internationales).

• *Mais une légitimité fondée sur l'équité ne suffit pas : les contraintes ne sont efficaces que lorsqu'elles ont été intériorisées par un processus de socialisation,* c'est-à-dire un processus par lequel les membres d'une collectivité acceptent et intériorisent les normes, les valeurs, les contraintes, les rôles de cette collectivité. La socialisation est l'une des fonctions importantes attribuées aux organisations internationales. Dans les années 1960, par exemple, l'ONU a permis aux nouveaux États issus de la décolonisation de faire l'apprentissage de la vie diplomatique. Dans les années 1990, les grandes institutions financières multilatérales (FMI, Banque mondiale, BERD) ont contribué à initier les pays d'Europe centrale et orientale aux mécanismes de l'économie de marché et au système financier international. Le « partenariat pour la paix » que l'OTAN a proposé à ces pays vise à les socialiser aux principes de l'Alliance en attendant une éventuelle admission.

L'institutionnalisation ne suppose ni l'égalité des acteurs ni leur sympathie mutuelle. Elle facilite la gestion des activités ne pouvant être poursuivies que solidairement. Lorsque les acteurs ont conscience que leur projet ne peut être exécuté de façon unilatérale, lorsqu'il leur faut prendre l'autre en considération et tenir compte de ses intérêts, de ses objectifs, de ses stratégies possibles, le principal avantage des institutions est de procurer un cadre pour l'action à partir d'une rationalité commune. Dans un cadre institutionnel, les acteurs ne sont plus livrés à eux-mêmes pour faire n'importe quoi. Ils agissent selon des orientations préexistantes qui introduisent un minimum de cohérence dans les représentations, dans la définition des intérêts et les stratégies. Les conduites revêtent alors une certaine prévisibilité. Les institutions permettent de nouer des échanges basés sur une répartition des rôles et la connaissance des responsabilités propres à chacun. Elles favorisent ce que l'on appelle : l'« anticipation réciproque ».

La force contraignante de l'institution suppose donc l'adhésion volontaire d'acteurs reconnaissant la nécessité d'un engagement réciproque dans un jeu en partie coopératif. Sur le plan international, pour paraphraser Samuel Eisenstadt, « l'institutionnalisation organise l'échange entre l'acteur et la société mondiale en assurant l'instauration d'une règle du jeu commune et en conciliant buts privés et buts collectifs ». Elle détermine les conditions dans lesquelles les choix individuels et collectifs pourront s'effectuer. Elle définit un cadre de relations, les modalités d'allocation et d'utilisation des ressources sur la scène internationale, les droits et responsabilités de chacun.

On voit que l'institution n'est pas immanente ou « naturelle ». Elle est socialement construite. Elle résulte de compromis entre acteurs rivaux au terme d'évolutions souvent très conflictuelles. Dans le domaine international, par exemple, la durée de la dernière conférence sur le droit de la mer (plus de dix ans pour aboutir à des résultats très incomplets), les difficultés de l'*Uruguay Round* pour donner un cadre au commerce international, les interminables négociations sur l'effet de serre et les changements climatiques en sont des exemples récents.

On voit aussi que tous les rapports sociaux ne sont pas institutionnalisables. Les institutions sont des arrangements mis en place dans des conditions historiques données. Elles sont toujours menacées par l'existence de forces antagonistes. Là où les points de vue et les intérêts sont incompatibles, là où l'injustice est telle que la contrainte n'est plus intériorisable, là où la lutte à mort paraît la seule issue, l'échange n'est plus institutionnalisable : l'impuissance des organisations internationales dans maints conflits internes de l'après-guerre froide en donne une tragique illustration : Cambodge, Somalie, Bosnie, Rwanda. La notion durkheimienne d'« anomie » rend compte de ces situations dans lesquelles l'ordre institutionnel s'affaisse, les normes sont contestées, caduques, voire inexistantes.

ORGANISATION INTERNATIONALE ET SOCIÉTÉ MONDIALE

La transposition dans l'ordre international d'observations sociologiques faites à partir de phénomènes sociaux internes et de groupes bien identifiés est une hardiesse qui mérite quelques explications. Elle implique, en effet, un passage de l'individu à l'acteur international, de la collectivité à la société mondiale, qui ne va pas de soi et peut, à juste titre, sembler abusif. Plusieurs arguments, pourtant, militent en faveur d'une telle audace.

L'évolution de la théorie des relations internationales tout d'abord : depuis les années cinquante, ce que l'on a appelé la « révolution behavioriste » a eu pour effet de faire rentrer dans la discipline des relations internationales, jusque-là dominée par l'histoire et le droit, quantité de disciplines adjacentes : mathématiques et théorie des jeux, mais aussi psychologie sociale, anthropologie, sociologie, économie politique... L'analyse des relations internationales se nourrit désormais de tout ce qui concourt à analyser le « comportement humain » individuel ou collectif. Les emprunts et les raisonnements analogiques sont constants, plus personne ne s'en offusque dès lors qu'ils permettent de mieux comprendre le fonctionnement d'un système mondial dont il faut bien avouer que les méthodes d'analyse spécifiques restent peu développées. Par ailleurs, maints auteurs « réalistes » ou « néo-réalistes » et non des moindres (A. Wolfers, K. Waltz, R. Gilpin) ont assimilé l'État à l'acteur individuel en comparant le jeu international au jeu du marché : de même que le marché est le résultat des actions de chaque opérateur individuel sur la scène économique, de même le système international est le résultat des actions de chaque État sur la scène internationale. Ce faisant, ces auteurs n'ont fait que transposer en relations internationales une métaphore marchande empruntée à la théorie économique néo-classique souvent utilisée par les différentes « sociologies de l'acteur ». Le renouveau de l'« individualisme méthodologique » (ou « actionisme ») depuis vingt ans a rendu familière cette vision du fait social analysé comme le produit d'un ensemble d'actions individuelles qui, agrégées, engendrent des effets (pas nécessairement d'ailleurs ceux qui sont attendus). De telles convergences autorisent à utiliser pour l'analyse des relations internationales ce que les sociologues de l'action ont fait apparaître quant aux relations entre la partie et le tout, entre l'acteur et le système.

Le passage de la notion d'individu à celle d'acteur international, individuel ou collectif, n'est pas le plus difficile. Il est admis que les acteurs individuels « peuvent être non seulement des personnes mais toute unité collective pour autant qu'elle se trouve munie d'un pouvoir d'action collective (firme, nation) » (Raymond Boudon, l'un des représentants les plus éminents de l'individualisme méthodologique en France). Les acteurs internationaux sont « ceux dont les décisions affectent ressources et valeurs et dont l'action les uns sur les autres s'exerce par-delà les frontières » (Stanley Hoffmann).

La notion de société mondiale

Beaucoup plus délicat du point de vue conceptuel est le passage de la notion de « groupe social » à celle de « société mondiale ». Les acteurs agissant sur la scène internationale composent-ils une collectivité, un groupe social, une « société » ?

• *Les concepts d'« humanité » et d'« universalité » souvent avancés en réponse à cette question ne sont guère utiles pour l'analyse politique.* Jusqu'à présent l'unité du genre humain est restée une notion largement abstraite inspirant davantage les philosophes, les moralistes et les juristes que les décideurs. Certes, la montée de la globalisation et la prise de conscience d'une réalité planétaire dont témoignent, par exemple, les travaux du club de Rome ou les conférences internationales sur la population, l'environnement et le développement créent une dynamique nouvelle prenant en compte la dialectique de l'homme et de l'univers. Mais l'humanité n'est pas un acteur. Cette dynamique universelle est prise en charge par des groupes plus ou moins structurés, États, ONG, groupes de pression de toute nature. Considérer comme unité de base la société humaine vue comme un groupe indifférencié de six milliards d'individus n'est guère pertinent pour comprendre la réalité internationale.

• *Faut-il alors considérer l'ensemble constitué par cette forme particulière d'organisation politique que constituent les États ?* De grands auteurs s'y sont essayés : Norbert Elias à la fin de sa vie, mais surtout, Martin Wight, Hedley Bull, Adam Watson, les auteurs composant ce que l'on appelle l'« École anglaise ». La « société internationale » est alors définie comme « un groupe d'États (ou, plus généralement, un groupe de communautés politiques indépendantes) qui ne forment pas seulement un système au sens où le comportement de chacun est nécessairement pris en compte dans les calculs des autres, mais qui ont aussi établi de façon concertée des règles communes et des institutions pour la conduite de leurs relations et reconnaissent qu'ils ont un intérêt commun à maintenir ces arrangements » (Bull et Watson). La société internationale ainsi définie est un outil méthodologique utile. Elle permet à la fois de dépasser le cadre traditionnel de la sociologie interne tout en gardant un principe de délimitation : l'État ou son équivalent. Mais elle reflète une vision classique des relations internationales à bien des égards périmée. Dans cette vision interétatique de la société mondiale la notion d'ordre international est toujours associée à la notion de collectivité organisée : la cité grecque, la *gens* romaine (d'où est venu le *jus gentium*, « droit des gens »), l'Empire, le Royaume, l'État. Dans cette représentation de l'ordre, chaque unité politique possède un gouvernement, exerce une autorité sur un espace géographique délimité et sur une partie bien définie de la population humaine : « Le système international est un ensemble d'unités territorialement délimitées et politiquement organisées en interaction les unes avec les autres dans la poursuite de leur propre intérêt » (Oran Young). Les institutions de la société internationale naissent des exigences des relations entre ces unités indépendantes. Depuis son avènement, aux alentours du XVe siècle, l'État est censé avoir le monopole de la violence légitime, établir les règles du jeu international, veiller à leur application, en assumer la responsabilité, punir ou extrader ceux qui ne s'y plieraient pas. L'État détermine en majeure partie les modalités de l'échange entre les individus et le monde.

• *Les évolutions récentes ont mis à mal cet ordonnancement de l'espace politique à l'échelle mondiale.* Les principes les mieux établis sont remis en cause : les notions de souveraineté territoriale et de non-ingérence se voient ébranlées sans qu'aucune construction solide n'apparaisse en échange. Les États ont de moins en moins le moyen de contrôler les ressources financières et militaires considérables circulant sur la scène internationale et dont les effets déstabilisateurs sur des sociétés fragilisées peuvent se produire à tout moment. Les institutions ne naissent plus seulement de la pratique des États. Des forces privées de toute nature y concourent en définissant leurs propres règles du jeu : les organisations humanitaires doublent l'Organisation mondiale de la santé, l'Association internationale des transports aériens double l'Organisation de l'aviation civile internationale, l'Association des armateurs de navires double l'Organisation maritime internationale, les fédérations sportives internationales édictent leurs propres règles, etc.

• *L'approche en termes de « société mondiale »* (proposée notamment par un auteur anglais, John Burton) rend compte du fait que la vie internationale ne met pas en relation seulement des États mais quantité d'acteurs échangeant des ressources, des projets, des stratégies, des perceptions et même des sentiments : individus, groupes, peuples, organisations non gouvernementales, réseaux, alliances, firmes, etc. Cette approche est encore floue, sa complexité décourage. L'expression « société mondiale » reste controversée : peut-on soutenir qu'une multitude d'acteurs aussi hétérogènes forme une « société »? Si l'on s'en réfère aux définitions héritées de l'ethnologie, certainement pas : un groupe social a des frontières et constitue une unité stable, ce qui n'est pas le cas de la « société » mondiale. Si l'on s'en réfère à Durkheim, pas davantage : le fait social suppose l'existence d'un ensemble de croyances et de sentiments communs, d'une « conscience collective » distincte des consciences individuelles. On les trouve rarement sur la scène internationale. Si l'on s'en réfère à des auteurs plus récents, T. Parsons ou A. Giddens, l'action sociale s'analyse en termes de systèmes délimités dans le temps et dans l'espace, d'interactions structurées organisant l'échange entre un milieu et son environnement. Une telle acception ne convient pas non plus à la « société » mondiale dont les contours sont flous et les structures indéterminées. En bref, si l'on s'en tient à ces écoles où la culture, le système ou les structures délimitent respectivement les frontières d'une société, force est d'admettre que l'on ne peut pas parler de « société mondiale ».

Mais la pensée sociologique est suffisamment riche, voire foisonnante, pour offrir à l'internationaliste d'autres perspectives de la construction sociale mieux adaptées à son objet d'étude. La grande sociologie allemande du début du siècle et la tradition « interactionniste » proposent une sociologie plus englobante et par là même plus utilisable.

• *La distinction célèbre opposant « communauté » et « société » est particulièrement utile en relations internationales.* Proposée d'abord par Ferdinand Tönnies (*Gemeinschaft/Gesellschaft*) et reprise un peu plus tard par Max Weber (*Vergemeinschaftung/Vergesellschaftung* que l'on traduit par « communalisation/sociation »), cette dualité traduit le phénomène de dépersonnalisation des liens sociaux qui a accompagné le développement industriel et qui impressionnait si fort les sociologues allemands à l'orée du XXe siècle. La « communauté » caractérise les relations sociales fondées sur un esprit de groupe et sur le sentiment subjectif, affectif, d'appartenir à une même collectivité. Elle exprime une solidarité naturelle entre gens qui se comprennent : la famille, les communautés villageoises en sont les meilleurs exemples. Dans ces relations, la règle sociale procède de la coutume, des mœurs, de la religion. Par opposition, la « société » selon F. Tönnies ou la « sociation » selon Max Weber correspond à des relations artificielles entre individus qui se retrouvent dans des liens d'association nombreux sans avoir le sentiment d'appartenir à une même communauté. La relation sociale est alors fondée sur un compromis d'intérêts ou une coordination d'intérêts rationnellement motivée. La norme procède d'un libre accord entre intéressés, à la fois opposés et complémentaires, en vue de la poursuite de leurs intérêts respectifs. Une telle définition de la société n'implique pas de délimitation stricte et peut s'appliquer à tous les niveaux : l'entreprise, l'État, le monde.

Ces deux formes idéales types de relations humaines se retrouvent dans les relations internationales. Les organisations internationales intergouvernementales traduisent un processus de « sociation » fondé sur la volonté réfléchie, le calcul rationnel et l'acceptation du compromis pour la satisfaction de l'intérêt individuel des participants. Les organisations non gouvernementales à vocation humanitaire ou de défense de l'environnement traduisent plutôt un processus de « communalisation » né d'un sentiment d'appartenance mutuelle et de la conviction d'être entièrement impliqué dans l'existence de l'autre. La collaboration de plus en plus étroite entre ces deux modes d'organisation internationale montre que les deux processus peuvent se retrouver simultanément dans la société internationale.

• *La grande tradition de l'« interactionnisme »* (Georg Simmel, Georges Mead, la première École de Chicago au début du siècle) permet d'aller plus loin encore en montrant la contingence de tout ordre social : la société est comprise comme une structure émergente, produit d'un faisceau d'actions de communication entre individus orientés les uns vers les autres (G. Mead). La société est produite par les acteurs, les acteurs sont façonnés par elle.

De plus en plus cette vision « interactionniste » tend à s'imposer dans l'étude des relations internationales. Elle permet de raisonner en termes sociologiques sans avoir à considérer la société mondiale comme une unité. Elle ne postule pas l'existence d'une communauté. Elle ne préjuge pas de la nature du lien qui tient entre eux les acteurs : ce lien est fait aussi bien de contrainte et de domination que de collaboration volontaire et d'intérêts partagés. Qu'elle soit étudiée à travers le « transnationalisme », le « systémisme » ou les « régimes », la société mondiale est assez généralement conçue comme « un ensemble de réseaux d'interactions qui se chevauchent et s'entrecroisent à l'échelle planétaire » (Michael Mann). Cette vision interactionniste inspire actuellement les courants les plus fructueux dans la théorie des relations internationales.

Une société faiblement institutionnalisée

Qu'on la dise « mondiale » ou « internationale », cette société a toujours été faiblement institutionnalisée. Depuis le XIIe siècle, l'institution majeure est l'État, mode de découpage de l'autorité politique dans un cadre territorialisé. Le mode d'accès privilégié à la normativité est le droit : droit international public, lié aux rapports entre États, loi marchande (*lex mercatoria*) liée aux rapports entre opérateurs économiques et dont témoigne le formidable essor de la médiation et de l'arbitrage privés. La technique juridique met en forme des liens sociaux et des règles de comportement fondés sur les notions de contrats et de réciprocité.

L'impression de chaos donnée par la scène internationale tient au fait que non seulement la société interétatique n'a jamais connu qu'un droit très lacunaire, mais que l'arrivée de quantité d'acteurs non étatiques est venue compliquer encore davantage le jeu mondial. Dans une société pensée en terme de réseaux, d'entrecroisement et de chevauchement d'intérêts et de solidarités, de nouveaux types de liens et formes institutionnelles sont en gestation. Mais on ne voit pas encore très bien où vont les nouvelles dynamiques et qui seront les acteurs des futures institutionnalisations.

Le déficit institutionnel de la scène mondiale tient à trois facteurs au moins :

–1] L'anticipation réciproque existe peu dans les rapports internationaux. Elle suppose, en effet, l'aspiration à un modèle stable pour l'action et, par conséquent, un minimum d'entente sur la valeur justificative de ce modèle. Or, contrairement aux prévisions annonçant « La fin de l'histoire », le triomphe du libéralisme et l'accélération des échanges à l'échelle planétaire n'ont pas imposé un modèle universel d'ordre politique. On assiste au contraire à une très forte contestation des modèles proposés par les pays riches d'Occident, en particulier du modèle démocratique. L'ex-Yougoslavie, l'Algérie, l'Iran, la Chine, Haïti, le Zaïre en fournissent des exemples variés. Lorsque cette contestation se déploie sur la scène internationale, « cette mobilisation internationale est d'autant plus aléatoire qu'elle n'est régentée — ni régentable — par aucune autorité institutionnelle et qu'elle fait appel à des schémas culturels incertains, formés de références identitaires et d'éléments épars puisés dans le répertoire de la modernité occidentale » (Bertrand Badie).

–2] Le déficit de régulation institutionnelle à l'échelle internationale est accentué par le déficit institutionnel croissant dans maintes sociétés internes. Les crises d'identité que l'on constate à l'intérieur se répercutent dans l'ordre international au point que des pays entiers semblent s'exclure du jeu (Afghanistan, Liberia, Angola, Soudan...), tandis que d'autres acteurs, plus ou moins désirés, plus ou moins tolérés, viennent s'y insérer (groupes mafieux, réseaux terroristes).

–3] L'imbrication des réseaux d'interactions constituant la société internationale entraîne une démultiplication des jeux sociaux autour de la règle et des compromis négociés nécessaires à son adoption et à son application. La règle du jeu ne se définit plus seulement entre États, ni même entre acteurs bien identifiés (firmes multinationales ou ONG). L'activité qui y conduit est un jeu agonistique (d'*agon*, duel, joute) de luttes et d'ajustements mutuels entre acteurs diversifiés utilisant chacun son propre code de communication et répertoire d'actions : l'ONU en a fait la difficile expérience en Somalie, au Cambodge, en Bosnie.

Dans ce monde de contradictions traversé en permanence par la dialectique de l'unité et de la fragmentation, les organisations internationales sont considérées comme un cadre privilégié pour élaborer les institutions futures. Elles traduisent une volonté concertée d'identifier les dynamiques en cours et de les contrôler. Les organisations internationales sont censées être le lieu où s'élaborent de nouveaux compromis entre les buts individuels d'acteurs diversifiés, où s'énoncent les buts collectifs d'une société ayant pris conscience de son interdépendance.

L'ANALYSE DE L'ORGANISATION INTERNATIONALE

Deux grandes tendances partagent l'analyse des organisations internationales depuis l'entre-deux-guerres. L'une met l'accent sur les questions de sécurité, la sphère diplomatico-stratégique, les phénomènes de puissance, le rôle des États. L'autre s'intéresse à la coopération technique, aux besoins économiques et sociaux, aux aspirations des populations, au rôle des élites. Elles ont opposé « réalistes » et « idéalistes » dans les années 1930-1940, puis « réalistes » et « fonctionnalistes » dans les années 1950-1960. Elles ont engendré chacune leur épigone : néo-réalisme, néo-fonctionnalisme. Le dernier avatar de ces deux courants se retrouve dans la littérature sur les « régimes » d'une part, la « *global governance* » d'autre part. Malgré l'abondance de cette littérature, il faut bien reconnaître que la théorie des organisations internationales reste pauvre et que l'on ne progresse guère.

« Intergouvernementalisme » et « fonctionnalisme »

Les réalistes se sont d'abord opposés à l'idéalisme wilsonien considérant que les hommes n'étaient pas mauvais en eux-mêmes, mais qu'ils manquaient seulement d'institutions adéquates pour coopérer entre eux.

• *Pour les tenants du réalisme,* la vie internationale est une lutte sans merci dont l'enjeu est la guerre ou la paix. Les États sont les seuls acteurs importants de la scène internationale. En admettant que les préoccupations de la population aient une dimension transnationale, ces préoccupations s'expriment toujours à travers l'État, seul acteur susceptible d'incarner l'intérêt de la collectivité. La poursuite de l'intérêt national détermine l'action des États dans les organisations internationales. Celles-là ne sont que des forums d'interactions à l'intérieur desquels se prolonge la compétition. Leurs caractéristiques, leur action, leur influence sont soumises au jeu des rapports de force entre États. Elles n'ont qu'un rôle mineur sur la scène internationale, et lorsqu'elles ont une importance, ce n'est pas comme acteurs s'exprimant au nom d'une communauté, mais comme instruments au service de politiques égoïstes.

Cette vision dite « intergouvernementaliste » est largement répandue. Elle persiste à travers le temps, de l'ouvrage classique de Hans Morgenthau *Politics among Nations* (1948) jusqu'à l'étude récente de trois des plus éminents internationalistes américains, Robert O. Keohane, Joseph S. Nye, Stanley Hoffmann, *After the Cold War...* Elle est partagée par les praticiens de la politique et s'avère une dimension forte de la vie internationale.

L'intergouvernementalisme s'exprime avec plus ou moins de nuances.

Les premiers réalistes (E.H. Carr et Georg Schwarzenberger en Angleterre, Reinhold Niebuhr et Hans Morgenthau aux États-Unis, Raymond Aron en France) avaient été marqués par l'échec de la Société des Nations, puis la division du monde en deux blocs. Ils ne voyaient dans les organisations internationales que des constructions superflues fondées sur l'illusion d'une communauté internationale qui n'existait pas. Leur pessimisme était total. Pour eux, soit les intérêts des États sont conflictuels, le jeu se déroulant à l'intérieur des organisations est un jeu à somme nulle reflétant les rapports de domination, et les organisations ne servent à rien, soit les intérêts sont concordants, l'harmonie préexiste, et elles ne sont pas nécessaires.

Une nouvelle génération d'auteurs néo-réalistes, témoins de la prolifération des organisations internationales, de la construction communautaire en Europe de l'Ouest et de l'ébranlement de l'hégémonie américaine dans les années soixante-dix, a nuancé cette approche abrupte en soulignant les diverses formes d'incitation pouvant amener les États à coopérer dans un monde caractérisé par une « interdépendance complexe » où la politique intérieure et la politique extérieure sont étroitement liées. En s'appuyant sur la théorie des jeux, ils se sont interrogés sur les situations dans lesquelles la poursuite égoïste d'intérêts individuels pouvait engendrer des mécanismes de coopération. Ils se sont attachés à montrer comment, dans une situation conflictuelle, une certaine institutionnalisation des rapports internationaux pouvait résulter du calcul intéressé des États. Leur démarche constitue ce que l'on a appelé l'« institutionnalisme néolibéral » (R. Keohane, J. Nye, S. Krasner sont les plus connus).

• *Parallèlement à cette vision centrée sur le modèle étatique, s'est développée une vision dite « fonctionnaliste »* s'intéressant aux relations internationales entre les peuples et à l'effet de la coopération économique et technique sur la politique internationale. L'œuvre pionnière appartient à Leonard Woolf, un membre influent du parti travailliste anglais, fervent défenseur de la Société des Nations, qui était impressionné par la densité des rapports noués à travers les frontières depuis le XIXe siècle et récusait en 1916 « la vision d'un monde découpé bien nettement en compartiments isolés appelés États ou nations qui ne reflète pas la réalité des faits dans une grande partie de la planète ». L'œuvre décisive est venue d'un collaborateur de L. Woolf d'origine roumaine, David Mitrany.

D. Mitrany ne pose pas la question de la forme idéale de la société internationale, il s'interroge sur les fonctions essentielles de celle-ci. Il ne part pas de l'intérêt des États, mais des besoins de leurs populations. Que l'on identifie les problèmes devant être résolus pour assurer les besoins de la vie quotidienne — transports, santé, communications, alimentation, développement industriel, etc. —, que le jeu des interdépendances et des interactions se déroule librement à ses différents niveaux, certaines activités seront organisées par les pouvoirs publics, d'autres par des acteurs privés, d'autres par une association du public et du privé ; certaines se feront sur une base régionale, d'autres à l'échelle continentale ou planétaire. L'organisation du pouvoir ne se fera plus sur une base territoriale, mais variera selon le type d'activités : « Chaque fois, la nature et l'étendue du problème détermineront la forme adéquate de l'institution ». Pour D. Mitrany, cette extension inéluctable de la coopération fonctionnelle n'aura pas seulement pour effet d'accroître le bien-être des populations, elle limitera aussi les risques de guerre. Les individus impliqués dans des réseaux de coopération déplaceront petit à petit leurs attentes : ils se tourneront moins vers l'État et davantage vers des organisations internationales taillées sur mesure pour satisfaire leurs besoins spécifiques. L'habitude de coopérer l'emportera sur les divisions idéologiques, politiques et territoriales. Les nationalismes seront érodés, la guerre deviendra improbable.

Les hypothèses de D. Mitrany ne se sont pas entièrement vérifiées. Un réseau très dense de coopération fonctionnelle a bien été constitué, mais la politisation des relations internationales n'a pas été érodée. Le changement d'attitude annoncé chez les individus impliqués dans la coopération internationale n'a pas été constaté de façon probante. Pourtant, lorsque l'on considère l'enchevêtrement des économies ouest-européennes et l'avènement d'une véritable « communauté de sécurité » qui s'en est suivie entre les membres de la CEE, on ne peut que saluer les intuitions du maître roumain. En lançant la CECA (Communauté européenne du charbon et de l'acier), Jean Monnet,

Robert Schuman et Konrad Adenauer s'inspiraient de la même conviction. En proposant son Livre blanc sur le marché unique, en 1985, Jacques Delors escomptait le même effet d'engrenage. Cette vision, entièrement nouvelle à l'époque, a eu un retentissement considérable et l'on ne cesse de s'y référer.

Tout en critiquant les postulats de Mitrany, en soulignant notamment que l'on ne pouvait pas séparer les questions relatives au bien-être social de l'ensemble des questions politiques, les néo-fonctionnalistes ont repris sa problématique et l'ont poussée à l'extrême. Ernest Haas, Leon Lindberg, Joseph Nye, en particulier, ont cherché à développer une véritable théorie de l'« intégration » à la fin des années 1950 et jusqu'au milieu des années 1960. La période s'y prêtait : le lancement de la CECA, puis les débuts de la construction communautaire semblaient montrer que les agents économiques étaient prêts à transférer une partie des responsabilités et des compétences de l'État nation à une autorité supranationale quand ils estimaient leurs intérêts mieux servis. Un processus semblait en cours, l'« intégration », définie comme une « situation dans laquelle les acteurs politiques sont amenés à réorienter leurs attentes, leurs activités, leur fidélité vers de nouveaux centres plus vastes dont les institutions exercent ou prétendent exercer une juridiction sur les États nationaux » (Ernst Haas). Dans cette vision, les institutions internationales régionales ont vocation à se substituer progressivement à l'État sous l'effet des groupes de pression. Les élites, engagées dans la coopération internationale dans un secteur précis, feront pression pour que le processus soit étendu à des secteurs adjacents et, par un effet d'engrenage, de débordement — de *spill over* —, un maillage institutionnel étendu modifiera les mécanismes de décision, allant jusqu'à toucher les domaines politiques les plus sensibles et conduire les États à abandonner de larges pans de leur souveraineté. Le rôle des institutions internationales est capital : ce sont les bureaucraties internationales qui favorisent « l'interpénétration des élites », encouragent une imbrication croissante des bureaucraties nationales et le transfert progressif des loyautés vers l'autorité supranationale.

Développées principalement autour de l'analyse de la construction européenne, ces deux approches n'en finissent pas d'être confrontées et d'être affinées. Ainsi Robert Keohane et Stanley Hoffmann ont nuancé la vision intergouvernementaliste. Pour tenir compte des particularités de la Communauté européenne, et notamment du fait que les États membres acceptent le vote à la majorité, ils évoquent une « mise en commun de souveraineté » (*pooling of sovereignty*). Dans cette acception, la CE est moins une organisation internationale qu'un réseau de coopération entre États.

La plupart des auteurs s'entendent à présent pour estimer que, dans chaque avancée vers l'Union européenne, on trouve une part d'intergouvernementalisme et une part de néo-fonctionnalisme, une part de volonté consciente des États et une part de rationalité technocratique. La complémentarité apparente des deux approches que l'on constate aujourd'hui ne peut s'opérer qu'au prix d'un renoncement aux postulats de base de chacune d'elles. L'intergouvernementalisme part de la conviction que l'État est en mesure de résister à toutes les péripéties et de survivre à toutes les tentatives faites pour lui substituer une autre construction politique. Le néo-fonctionnalisme estime au contraire que l'État est voué à s'effacer devant des institutions supranationales appuyées par des élites et des groupes d'intérêt transnationaux. La coexistence de ces deux logiques dénote la grande confusion intellectuelle dans laquelle se trouve l'analyse de la construction européenne. Elle dit peu de choses sur l'organisation des rapports internationaux en dehors du cadre régional.

« Régimes » et « *global governance* »

• *Pendant toute la décennie quatre-vingt, l'étude des organisations internationales a été dominée par l'institutionnalisme néo-libéral et sa théorie des « régimes ».* Cette approche s'inspirait directement du regain d'intérêt pour les institutions, en vogue dans la théorie économique et repris par la sociologie politique (March et Olsen). Cette mode, baptisée « néo-institutionnalisme », ranimait une hypothèse très ancienne : les organisations sont un moyen de réduire les coûts de transaction liés aux imperfections du marché économique (et du jeu politique). Une fois créées, ces organisations ont un « pouvoir de marché » : elles influencent la manière dont les acteurs économiques (et politiques) définissent leurs intérêts. Par là même, elles influent sur le fonctionnement du marché (et du jeu politique).

Selon Stephen Krasner, on appelle régime « un ensemble de principes, de normes, de règles et de procédures de décision, implicites ou explicites, autour desquels les attentes des acteurs convergent dans un domaine spécifique ». Cette définition est exactement celle que les néo-institutionnalistes donnent des institutions. Le vocabulaire, la démarche, les arguments sont identiques : les régimes (institutions) ont l'avantage de donner une structure relativement stable aux échanges (internationaux) dans un secteur donné, de permettre aux acteurs de prévoir leurs comportements respectifs et d'accroître leur information mutuelle.

La notion de régime a fait couler beaucoup d'encre. La définition a été contestée. Le rapport des régimes avec les organisations internationales a été discuté. Des programmes de recherche ont été lancés pour savoir comment identifier un régime lorsqu'il pouvait y en avoir un ; pourquoi il apparaissait dans certains domaines et non dans les autres ; pourquoi il engendrait certaines formes institutionnelles plutôt que d'autres. Dans une communauté scientifique étroite et très sensible aux modes, la notion de régime a été le point de passage obligé des internationalistes pendant une dizaine d'années, jusqu'à ce qu'une certaine désaffection se manifeste face au flou persistant de la notion et son faible apport à l'analyse des organisations internationales.

L'apparition des régimes correspondait à un certain épuisement de la théorie des relations internationales en général, des organisations internationales en particulier. Elle tentait de renouveler l'approche en dépassant les vieilles querelles et en faisant rentrer l'étude sociologique des institutions dans les relations internationales. Son principal mérite est d'avoir attiré l'attention sur les relations entre le formel et l'informel et d'avoir rappelé que les organisations internationales ne sont qu'un élément parmi d'autres dans un système d'interdépendance complexe où les interactions passent à travers des canaux multiples et hétérogènes : toutes les organisations internationales sont des régimes, mais tous les régimes ne donnent pas naissance à des organisations internationales. Pour le reste, l'apport des régimes est resté mince. La notion ne répond à aucune des questions que l'on se pose sur les organisations internationales et comporte un certain nombre d'inconvénients.

Les disciples tentant de donner une validation empirique au concept de « régime » proposé par leurs maîtres ont eu tendance à considérer les problèmes comme résolus : il existe des règles considérées comme valables autour desquelles les attentes des acteurs convergent. On a ainsi parlé de « régime » du GATT, de « régime » des droits de l'homme, de « régimes » monétaire et financier, comme si les principes n'étaient pas l'objet d'une confrontation permanente et de stratégies toujours conflictuelles. De plus, ce modèle, très proche du modèle du « choix rationnel », suppose qu'il y a des règles du jeu que les acteurs connaissent et qui forment le contexte stratégique à l'intérieur duquel ces acteurs vont optimiser leur comportement pour atteindre leurs objectifs. Cette vision laisse complètement de côté les processus de prise de décision et leurs pathologies bien connues. Il est souvent inspiré par une vision très abstraite de la réalité, souvent empruntée à la théorie des jeux et voulant démontrer que, dans tous les cas, les acteurs ont intérêt à coopérer. Enfin, on peut lui reprocher un certain conservatisme. La théorie des régimes ne s'intéresse pas au contenu des règles et à leur mode de production. Mises en place par les pays puissants — ou par une puissance hégémonique —, elles sont censées bénéficier à tous dès lors qu'elles existent et assurent une certaine stabilité.

• *Au nouvel avatar du réalisme sous la forme des régimes, répond depuis quelques années celui de l'idéalisme sous la forme du globalisme et de la notion de « global governance »* (une nouvelle revue académique *Global Governance* a publié son premier numéro en janvier 1995). Trois phénomènes de nature très différente mais concourant à la même prise de conscience ont participé à ce retour du concept de « globalité » éclipsé par des années de domination sans partage des modèles réalistes :

–1] La montée en puissance des mouvements écologistes qui conduisirent à la tenue de la première conférence internationale sur l'environnement en 1972 dont le slogan « Une seule terre » était significatif. À partir de cette date, quantité de travaux mirent l'accent sur la communauté de destin de tous les habitants de la planète et sur le rôle des organisations non gouvernementales et des communautés de base pour résoudre, avec les États et dans les organisations internationales, les questions globales posées par les biens communs de l'humanité.

–2] La globalisation économique et financière dans les années 1980. L'explosion du commerce international, le recours croissant à l'investissement international, la libre circulation des capitaux à l'échelle mondiale, ainsi que la multiplication des innovations financières ont entraîné une mondialisation défiant la division traditionnelle du pouvoir entre unités politiques territorialement organisées sous la forme d'États. De nouveaux moyens de régulation sont recherchés.

–3] Le développement de la notion d'« intervention humanitaire » dans les années 1990. À partir du moment où, sous la pression des organisations non gouvernementales, orchestrée par les médias, les Nations unies étaient invitées à intervenir militairement dans des conflits internes pour protéger les populations, soit directement, soit par l'intermédiaire d'une grande puissance (Irak, Somalie, ex-Yougoslavie, Haïti), les bases traditionnelles de l'ordre interétatique étaient remises en cause. Si une organisation internationale soutient des opérations de secours à des groupes subnationaux à l'intérieur d'un État membre sans y être invitée par celui-ci, en dépit des principes traditionnels de souveraineté territoriale et de non-intervention, cela ne peut se faire qu'en invoquant une communauté internationale transcendant le monde des États. Dans cette communauté globale, les individus deviennent les sujets premiers de la politique internationale et les organisations mondiales les instruments moteurs de cette politique.

On sait bien toute l'hypocrisie cachée par les diverses interventions humanitaires et le rôle qu'y joue le phénomène classique de la géopolitique et des sphères d'influence. Il n'en demeure pas moins que les menaces à la sécurité internationale ont changé de nature. Elles ne viennent plus des conflits entre États mais des conflits internes. Elles sont amplifiées par des mouvements transnationaux que les États n'ont pas la possibilité de maîtriser, telles les migrations internationales, le trafic des stupéfiants.

La notion de *global governance* prétend rendre compte de ces transformations. Elle implique des mécanismes de régulation internationale, formels ou informels, engageant tous les partenaires, privés ou publics. Une commission internationale sur la *global governance* se réunit à Genève depuis 1992. Financée en partie par les gouvernements, en partie par des fondations privées, elle a pour mission d'explorer ce concept défini comme « la somme des différents moyens par lesquels les individus et les institutions, publics et privés, gèrent leurs affaires communes. La "gouvernance" est le processus par lequel les intérêts différents sont pris en considération dans une action de coopération... Elle n'implique pas un gouvernement mondial ou un fédéralisme mondial. Elle est un vaste processus, complexe et dynamique, de prise de décision interactive en évolution constante pour répondre à des circonstances changeantes. » La notion, on le voit, n'est ni très claire ni très originale. Sa force est d'affirmer ouvertement dans les enceintes internationales que les nouvelles réalités du monde requièrent une approche nouvelle des modes de régulation internationale et que « la gestion des problèmes communs ne peut dépendre de la seule collaboration interétatique ou du jeu du marché. »

La construction d'organisations internationales regroupant la « communauté des États » avait été l'utopie des siècles précédents. La recherche d'un nouveau multilatéralisme englobant la « communauté des hommes » pourrait bien être l'utopie du prochain millénaire.

2 *La place des organisations dans la vie internationale*

LE RÔLE DES ORGANISATIONS INTERNATIONALES

Le multilatéralisme comme valeur

Les organisations internationales font intervenir une forme d'activité que l'on appelle « multilatérale » parce qu'elle implique plus de deux participants. Le « multilatéralisme » s'oppose au « bilatéralisme » et aux arrangements particuliers d'État à État. Mais la notion n'a pas seulement une valeur descriptive. Elle exprime un projet politique.

• *Le mot « multilatéralisme » n'apparaît qu'après la Seconde Guerre mondiale,* dans le vocabulaire américain. Jusqu'alors on parlait d'action collective, d'action concertée. Il surgit dans une conjoncture particulière, avec une acception bien précise, pour définir les caractéristiques du nouveau système mondial de coopération économique et financière que les États-Unis entendent mettre en place : un système ouvert, libéral, où les échanges commerciaux et monétaires se développeront sans entraves. Le multilatéralisme est ainsi consubstantiel au régime du commerce prévu par le GATT (*General Agreement on Tariffs and Trade*) conclu en 1947, il en résume la raison d'être. Il inspire également la création du Fonds monétaire international (FMI) et celle de la Banque internationale pour la reconstruction et le développement (BIRD ou Banque mondiale).

Dans l'après-guerre, la notion de multilatéralisme est étroitement liée à la politique étrangère des États-Unis. Sur le plan intérieur, elle est utilisée par l'administration américaine comme programme pour contrer les aspirations isolationnistes toujours présentes dans une partie de l'opinion outre-Atlantique et comme instrument pour justifier des engagements militaires lointains au nom des valeurs universelles portées par l'Amérique. Sur le plan extérieur, elle vise à instaurer une sorte de gouverne internationale (*international governance*) regroupant autour des États-Unis les pays disposés à adopter un certain type de comportement et obéissant à un certain type de règles.

On peut noter que l'expression n'a pénétré en France qu'au début des années 1960 et qu'elle était liée à deux initiatives américaines, l'une stratégique, l'autre économique. Le projet de « Force de dissuasion multilatérale » lancé par le président Kennedy en réplique à la force française autonome et comme solution au problème du contrôle nucléaire au sein de l'OTAN fit l'objet d'un grand débat dans les années 1963-1964. Fallait-il accepter de verser les moyens français dans une force « multilatérale » sous commandement américain de l'OTAN? À la même époque, le *Kennedy Round* entamé dans le domaine commercial (1964) allait faire admettre, pour la première fois, le caractère authentiquement « multilatéral » des négociations tarifaires. Jusqu'à cette négociation, les conférences tarifaires entre les parties contractantes au GATT s'organisaient pays par pays et produit par produit. Désormais, ces discussions allaient intéresser l'ensemble des pays développés du monde occidental et porter sur la totalité des produits inclus dans la négociation.

Progressivement, l'adjectif multilatéral s'est transformé en substantif. « Multilatéral » ou « multilatéralisme » sont entrés dans le langage courant. Ils ont la même signification et visent la coordination de l'action politique du plus grand nombre. Ils expriment l'aspiration à une organisation des relations internationales fondée sur des mécanismes amenant chaque État à privilégier les rapports avec l'ensemble des États plutôt que les initiatives unilatérales ou les accords directs deux à deux. Le discours du multilatéralisme met donc en jeu un système de valeurs. Dans le domaine de la sécurité, il signifie que la recherche de l'indépendance est condamnable, que les alliances bilatérales sont dangereuses, qu'un ordre fondé sur un système d'alliances en compétition est malsain. Dans le domaine commercial, il se définit *a contrario* : refus des accords préférentiels, condamnation des cartels internationaux, non-discrimination.

- *Le discours du multilatéralisme est un discours :*

– *sur l'universalisme,* l'égalité, l'unité des hommes : le bilatéralisme divise, le multilatéralisme unit.

– *sur l'indivisibilité,* indivisibilité de l'espace, indivisibilité des problèmes. Lorsque l'action d'un ou deux acteurs entraîne pour eux des coûts et des bénéfices dans un domaine particulier, les conséquences s'en font sentir pour d'autres, dans d'autres domaines. La paix, la croissance, la démographie, la sauvegarde de l'environnement, la sécurité des transports, l'approvisionnement énergétique, la lutte contre la drogue ou les épidémies… Aucun défi ne s'arrête aux frontières, aucun ne peut être relevé de façon individuelle, et tous ces domaines sont liés.

– *sur le futur.* Plus que « la coordination des politiques nationales de trois États ou plus » (R. Keohane), le multilatéralisme est censé proposer des principes d'ordre garantissant un minimum de prévisibilité dans les rapports internationaux et ménageant l'avenir : les réactions face à un événement imprévu ne se feront plus de manière désordonnée, au cas par cas, selon la façon dont chacun apprécie les modalités de la situation, elles répondront à des principes communs définis au préalable d'une manière collective. L'une des fonctions du multilatéral est de « construire du sens commun » (E. Haas).

Les demandes adressées aux organisations internationales

La grande vertu prêtée aux organisations internationales est d'institutionnaliser une pratique multilatérale et d'introduire entre les participants ce que Robert

Keohane a appelé une « réciprocité diffuse ». Dans les organisations, à la différence des conférences diplomatiques, le jeu multilatéral est un jeu continu et répété, ce que l'on appelle un jeu « itératif ». Il se déroule dans le temps et les coups ne sont pas joués une fois pour toutes. Aucun participant ne peut prétendre gagner chaque fois et dans tous les domaines, mais, dans la longue durée et selon les dossiers, chacun peut espérer un jour gagner quelque chose. Cette répétition du jeu bien connue de toutes les grandes organisations internationales où la même pièce semble éternellement recommencée est un facteur de pérennité pour ces institutions : aucun participant n'a intérêt à s'en aller ou à faire cavalier seul. Le perdant d'hier peut être le gagnant de demain et réciproquement.

De façon plus précise, on attend des organisations internationales gouvernementales qu'elles satisfassent certains besoins.

• *Définir et stabiliser les droits de propriété des acteurs internationaux*. La stabilité des échanges suppose que ces droits ne soient pas définis de façon unilatérale par des acteurs en compétition, mais qu'ils soient fixés et reconnus de façon collective. Les toutes premières organisations internationales — les commissions fluviales du Rhin et du Danube, les unions administratives — ont été créées dans cette perspective. Une grande partie des organisations internationales intergouvernementales ont encore pour mission de définir l'étendue des droits de chacun ainsi que leurs modalités d'exercice en termes d'usage et de responsabilité, qu'il s'agisse de la mer (Organisation maritime internationale), de l'air (Organisation de l'aviation civile internationale), de l'espace et des télécommunications (Union internationale des télécommunications), de la propriété intellectuelle (Organisation mondiale de la propriété intellectuelle), etc. La façon dont les grandes organisations internationales sont investies du rôle de gardiennes du droit relève aussi, pour partie, de ce type de service. L'ONU est censée faire respecter « l'égalité souveraine », « l'intégrité territoriale et l'indépendance politique de tout État » (art. 2 de la Charte). La Commission européenne est gardienne de la légalité communautaire et veille au respect des règles de la concurrence entre entreprises.

• *Gérer les problèmes de coordination*. La plupart des domaines de la vie internationale relèvent de ce que l'économiste américain Paul Samuelson a défini comme des « biens de consommation collective » ou biens publics (*public goods*). Il s'agit de « biens » dont la consommation par les uns n'enlève rien aux autres : la paix, la pureté de l'air, la santé sont des biens qui restent disponibles quels que soient le nombre de ceux qui en bénéficient. Ce sont aussi des biens communs qui, par leur nature, peuvent bénéficier à d'autres consommateurs qu'au consommateur initial : l'absence de pollution radioactive, par exemple, ne bénéficie pas qu'aux seules puissances atomiques.

En raison de l'existence de ces « biens publics », les acteurs de la vie internationale ont de nombreux objectifs convergents (éviter une catastrophe nucléaire, les pollutions, enrayer la diffusion des maladies contagieuses, limiter les conflits...), mais leurs moyens sont inégaux, leurs intérêts contradictoires et leurs stratégies différentes. Les organisations internationales sont les lieux où se recherchent les moyens d'agencer le comportement d'acteurs aux intérêts différents d'une manière logique permettant d'atteindre l'objectif commun. Elles présentent, en effet, deux avantages :

– Les organisations internationales réduisent le coût des échanges internationaux. Le GATT, le FMI, l'OECE et toutes les organisations de libre-échange ont été créées à cette fin. Les organisations à vocation économique et commerciale cherchent à coordonner l'action des participants de façon à rendre moins lourd le coût de la circulation des biens et des monnaies. La marche en avant de l'Union européenne y trouve une de ses principales justifications.

Sur le plan diplomatique, les organisations internationales sont des lieux dans lesquels les petits pays qui n'ont pas les moyens d'entretenir un réseau diplomatique à l'échelle planétaire peuvent mener une grande partie de leur politique étrangère.

Le coût de l'interdépendance est trop lourd pour être assumé seul. Aucun État ne peut prétendre résoudre individuellement les problèmes posés par les *public goods*, la paix, l'environnement, la santé, etc. On demande aux organisations internationales d'aider à partager le fardeau. Toute la problématique actuelle des opérations de maintien de la paix est tributaire de ce genre de considération : dans un monde où les principales menaces ne viennent plus des conflits interétatiques mais de l'effondrement intérieur des États, l'intervention de la « communauté internationale » est le moyen recherché par les grandes puissances pour partager une responsabilité qu'elles ne veulent pas assumer seules (*cf.* l'appel de la France à l'ONU, à l'UEO, à l'OUA pour l'accompagner au Rwanda en 1994).

– Les organisations internationales réduisent aussi les coûts de l'information. Aucun État ne pourrait réunir à lui seul la somme d'informations réunies par les organisations internationales dans les domaines de leur compétence : prévisions météorologiques, état de la démographie mondiale, situation alimentaire en Afrique, circulation des criquets pèlerins, réapparition du paludisme, exploitation de la main-d'œuvre enfantine, perspectives de croissance, prolifération nucléaire, etc. Les organisations internationales augmentent la quantité d'informations mises à la disposition des acteurs, publics et privés, à la fois sur l'état de la situation et sur ce que les autres acteurs font ou envisagent de faire. Elles peuvent améliorer aussi la qualité de ces informations. Une grande rivalité existe sur ce point entre les organisations et parfois entre les États et les organisations. Par exemple, les travaux de la Banque mondiale, qui s'est autoproclamée le meilleur expert en matière économique sans être sérieusement contestée, ont éclipsé tous les autres dans les années 1980. Le nombre et la qualité de leurs agents donnaient aux services de la Banque l'avantage sur maints services d'études nationaux. La France, dont l'« expertise » sur les pays d'Afrique francophone était restée longtemps sans équivalent, n'a pas résisté à cette concurrence : lorsqu'elle n'est pas dictée par des considérations échappant aux relations normales d'État à État, la politique de coopération française en Afrique s'appuie en grande partie sur des données élaborées par la Banque. L'impératif de qualité fait partie de l'image d'une organisation et par conséquent de son crédit. La CNUCED, par exemple, est de moins en moins une instance de négociation. Elle s'est transformée en un grand bureau d'études spécialisé dans les rapports commerciaux entre le Nord et le Sud et son statut est rehaussé depuis quelques années par la bonne qualité de ses travaux qui, sur bien des points, la rendent compétitive avec la Banque mondiale. Il en va de même pour le « Département de l'information économique et sociale et de l'analyse des politiques » de l'ONU restructuré en 1993 par B. Boutros-Ghali qui fait désormais autorité en matière de comptabilité nationale. L'OCDE, de son côté, est un *think tank* à l'usage des gouvernements des pays industrialisés.

Chacun sait, cependant, que la nature des informations données par une organisation est tributaire de l'idéologie véhiculée par cette organisation, de l'image qu'elle a d'elle-même et de ses intérêts bureaucratiques. Il n'est pas rare que les rapports d'enquête de l'ONU sur tel ou tel pays soit autocensurés pour ne pas déplaire au pays en question. Il n'est pas rare que, faute de statistiques fiables sur la comptabilité nationale d'un pays, les experts des institutions financières internationales les plus cotées préfèrent « bricoler » leur rapport tant bien que mal plutôt que d'avouer un manque de données. Il n'est pas rare qu'une même organisation publie à très peu de temps d'intervalle des rapports de tonalité très différente sur le même sujet (cela s'est vu dans les rapports de la Banque mondiale sur l'Afrique). À la veille de la Conférence internationale sur la population en septembre 1994, on a vu la Division de la population de l'ONU et le Fonds des Nations unies pour la population (FNUAP) publier des estimations divergentes sur l'évolution de la démographie mondiale : la première est un organisme d'études dont les projections font autorité depuis quarante ans, qui a une vocation purement technique et qui est financée par le budget régulier de l'ONU ; le second est un fonds créé par l'Assemblée générale des Nations unies pour remplir une mission politique et sociale d'assistance au tiers monde en matière de planification familiale et dont le financement repose sur les contributions volontaires des États. La première a publié des statistiques mettant l'accent sur un ralentissement du taux de croissance de la population mondiale ; le second a mis en avant les projections les plus alarmistes justifiant à la fois son existence et une augmentation de son budget.

• *Reconstruire les économies et les systèmes politiques*. Les grandes organisations internationales mises en place dans l'après-guerre avaient pour mission d'aider à la reconstruction des économies ravagées par la guerre mais, dans l'esprit de leurs fondateurs, il n'était pas question qu'elles se substituent aux autorités politiques. La souveraineté et la non-intervention dans les affaires intérieures restaient la pierre angulaire des rapports internationaux, confortées par l'article 2, § 7 de la Charte des Nations unies : « Aucune disposition de la présente Charte n'autorise les Nations unies à intervenir dans les affaires qui relèvent essentiellement de la compétence nationale d'un État ni n'oblige les Membres à soumettre des affaires de ce genre à une procédure de règlement aux termes de la présente Charte. »

Depuis quelques années, au contraire, les organisations internationales se voient priées de prendre en charge des régulations sociales, économiques, politiques, traditionnellement assurées par les acteurs internes. Et c'est une grande nouveauté. Au Cambodge, les Nations unies ont eu pour mandat de reconstruire de toutes pièces un pacte social depuis longtemps rompu. En Somalie, en Angola, au Liberia, au Rwanda et dans bien d'autres pays, les organisations internationales sont confrontées à l'effondrement de l'État et sollicitées de le relever ou d'y trouver un substitut, tâches pour lesquelles elles n'ont pas été faites, auxquelles elles ne sont pas préparées et qu'elles n'ont pas les moyens d'assumer. Dans un registre moins dramatique, les institutions financières internationales ont entrepris d'aider les pays d'Europe centrale et orientale à développer un secteur privé, rouage indispensable de l'économie de marché : la BERD (Banque européenne pour la reconstruction et le développement) en a fait son mot d'ordre. Le FMI et la Banque mondiale s'y essayent depuis longtemps dans les pays en développement. Ce faisant, lorsqu'elles réussissent (ce qui est loin d'être toujours le cas), ces organisations interviennent nécessairement dans les trajectoires politiques et sociales des pays considérés.

L'Union européenne, de son côté, se voit priée de suppléer la faiblesse des États face aux défis de la mondialisation et aux mutations industrielles. Le Fonds social européen (FSE) et le Fonds européen de développement économique régional (FEDER) ont vu leurs moyens très renforcés, leurs mesures d'accompagnement sont censées pallier les effets structurels de l'ouverture généralisée des marchés et, selon le mot du commissaire européen aux affaires sociales « rendre les ajustements inévitables de l'emploi aussi peu traumatisants que possibles ».

• *Protéger contre les perturbations de l'environnement international.* Cette demande-là est probablement la mieux partagée. Elle englobe toutes les autres. L'entrée dans une organisation est vécue comme une sorte d'assurance sur l'avenir. Malgré tous leurs échecs, les organisations internationales restent perçues comme un lieu mythique où l'on pourrait, sinon prévenir les conflits, du moins les gérer, les atténuer, empêcher qu'ils ne se propagent. Les organisations internationales agiraient comme un modérateur de puissance. Il est vrai qu'elles peuvent amortir les chocs : imagine-t-on ce qu'aurait été en Europe le choc de la réunification allemande sans l'existence de la Communauté européenne? Il est vrai qu'elles peuvent contribuer à circonscrire les conflits : l'ONU et l'OTAN s'y emploient dans l'ex-Yougoslavie. La prolifération des organisations de sécurité en Europe depuis 1989, la recherche d'une redéfinition des tâches de l'OTAN, la candidature insistante des pays de l'Europe centrale et orientale auprès de l'OTAN et de l'Union européenne, leurs tentatives plus ou moins couronnées de succès pour reconstruire de nouvelles organisations régionales sur les décombres de l'Empire soviétique, tout cela témoigne de ce besoin de multilatéral, plus ou moins raisonné.

Les organisations internationales sont vues comme un filet de sécurité. Elles rendent le monde moins dangereux. Elles opèrent un minimum de redistribution des ressources à l'échelle planétaire en dispensant une aide financière, une assistance technique. Avec le concours des organisations non gouvernementales, et de plus en plus sous la pression de ces dernières, elles améliorent le sort des réfugiés, des affamés, des victimes de catastrophes de toute nature. Malgré toutes leurs insuffisances, elles continuent d'incarner la formidable utopie de la solidarité humaine.

LE COMPORTEMENT DES ORGANISATIONS INTERNATIONALES

Par définition, la culture des organisations intergouvernementales est une culture de la négociation et du consensus. Tout repose, en effet, sur le caractère itératif du jeu. Les participants n'ont pas intérêt à rompre ou à s'isoler, car le jeu continuera et il leur faudra y rentrer à nouveau et retrouver les autres un jour ou l'autre. L'organisation fonctionne avec l'espoir d'amener les participants à modifier leurs préférences, à choisir la collaboration plutôt que l'isolement. Tout est fait pour éviter la rupture. D'où les négociations interminables à l'ONU, au GATT, ou dans l'Union européenne.

Une telle culture n'est pas propice à la décision hardie et novatrice. Elle peut faire perdre de vue l'objet même de la négociation, l'objectif final n'étant plus d'arriver à une solution rationnelle, mais de parvenir à une solution quelconque de façon à entretenir le jeu, donner l'impression d'agir et pouvoir dire quelque chose aux médias qui s'impatientent. La recherche du compromis à tout prix amène souvent à s'entendre sur le plus petit dénominateur commun, lorsqu'il s'agit par exemple de choisir le plus haut fonctionnaire de l'organisation. Elle peut conduire à refuser l'action, ce qui a été maintes fois reproché à l'ONU, au Cambodge, en Bosnie, au Rwanda, pour ne prendre que des exemples récents.

Les contraintes de la décision collective

Une organisation est une entité où se prennent des décisions (au sens de la science politique) : des choix sont effectués, des actions sont sélectionnées parmi une gamme d'actions possibles. Choisir de ne pas choisir est aussi une décision. La particularité de l'organisation internationale par rapport à d'autres organisations est que la décision implique un grand nombre de participants et qu'elle est toujours collective.

• *La nature de la décision collective.* Deux constatations faites par les sociologues de l'entreprise quant à la nature de la décision collective s'appliquent utilement aux organisations internationales :

–1] La décision doit être analysée non comme un événement qui survient de façon isolée à un moment donné, mais comme un processus dans lequel interviennent deux rationalités : une rationalité substantielle dans laquelle ce qui importe est l'objet de la décision — quelles sont les solutions possibles en fonction du problème à traiter et quel est le choix entre ces solutions? — ; une rationalité procédurale dans laquelle ce qui l'emporte ce sont les caractéristiques propres à l'organisation, les mécanismes et les procédures par lesquels chemine le processus de décision.

Le formalisme inhérent à toute grande administration est multiplié par le caractère multilatéral des organisations intergouvernementales et le respect dû au principe de « l'égalité souveraine » des États membres. Dans ces organisations, la rationalité procédurale a tendance à l'emporter sur la rationalité substantielle. La façon dont les projets sont préparés, négociés, votés détermine le résultat. Dans les organisations de la famille des Nations unies où les phénomènes de groupe et de coalition ont tendance à « déresponsabiliser » les acteurs individuels, l'enjeu du débat sur le fond finit souvent par être perdu de vue. Le meilleur exemple est probablement la « Résolution assimilant le sionisme au racisme » adoptée par l'Assemblée générale en 1975 par le simple jeu mécanique de la pression du nombre, sans grande réflexion sur les implications du vote, et annulée seize ans plus tard (décembre 1991) par la même assemblée. Au Conseil de sécurité, il n'est pas rare de voir des résolutions-fleuve ou en forme de millefeuilles : une partie I pour avoir le soutien des États-Unis, une partie II pour avoir le soutien des « non-alignés ». Le résultat est obscur, parfois contradictoire et, de toute façon, la plupart du temps personne ne s'en préoccupe malgré le caractère obligatoire de la résolution sur le plan juridique.

La machine onusienne est devenue si lourde que de vraies décisions sur des sujets nouveaux demandant des solutions originales sont devenues improbables. Le choix des solutions possibles est toujours restreint, tout scénario novateur est laminé. Le Conseil économique et social s'est vu progressivement paralysé. L'Assemblée générale ne vaut guère mieux : au cours de sa 47e session (1992-1993), elle a tenu 112 réunions, adopté 306 résolutions dont 231 sans vote ; combien sont des décisions substantielles et qui s'en soucie à l'extérieur des bâtiments de l'ONU? Le Conseil de sécurité reste l'une des rares instances dans lesquelles de vrais choix à l'intérieur de vraies alternatives sont encore effectués, et encore l'essentiel de la négociation se fait-elle de façon informelle, en dehors des procédures publiques.

Dans le fonctionnement de l'Union européenne, l'importance de la rationalité procédurale est considérable. Les conséquences en sont plus graves qu'ailleurs dans la mesure où les États membres et leurs ressortissants ne peuvent pas ignorer les décisions communautaires. À la différence des résolutions des Nations unies, bien souvent oubliées par ceux-là mêmes qui les ont fait adopter, les décisions communautaires engendrent un droit dérivé qui s'impose aux États et que ceux-là respectent. Les règlements édictés par le Conseil ou la Commission sont directement applicables dans tout État membre. Les directives ne donnent lieu, en principe, qu'à des obligations de résultat et laissent aux États membres le choix des moyens pour y parvenir. Dans les faits, les directives sont devenues si précises que les autorités nationales se trouvent en présence d'une réglementation détaillée qu'elles ne peuvent que transposer telle quelle dans leur droit interne. Par rapport à toutes les autres organisations internationales, l'Union européenne se distingue par le mécanisme institutionnel très sophistiqué dont elle s'est dotée avec la Cour de justice des Communautés européennes qui garantit le respect des disciplines communes et la soumission de chacun à la règle.

L'importance du processus décisionnel sur les choix effectués n'est ignorée d'aucun de ceux qui ont des intérêts à défendre à Bruxelles : entreprises, syndicats, services publics, gouvernements. Il leur faut posséder dans les détails non seulement l'équilibre résultant des traités entre les trois institutions politiques de la Communauté européenne — Conseil, Commission, Parlement —, mais la façon dont se déroule le «jeu institutionnel» entre ces trois instances et comment s'élabore la décision à l'intérieur de chacune d'elles. D'où le développement formidable du *lobbying* autour des organes communautaires pour connaître le lieu et le niveau d'intervention pertinents et influer sur la décision.

–2] Toute décision collective pose un double problème difficile à résoudre : celui de la compatibilité des options en présence au moment du choix et celui de l'acceptation de la décision lorsque le choix est fait.

Les cas dans lesquels le choix collectif correspond aux préférences individuelles de chacun des participants sont rares. Ils supposent, en effet, un degré d'homogénéité que l'on rencontre peu dans les relations internationales, y compris dans le système communautaire européen où les participants se réclament pourtant des mêmes valeurs. Certes, les décisions par consensus tendent à se généraliser : lorsque aucun des participants ne se prononce «contre» le projet est adopté sans vote; l'OCDE, par exemple, ne prend ses décisions que par consensus; l'Assemblée générale des Nations unies recourt de plus en plus souvent à cette pratique. Certes, l'exigence d'unanimité existe dans plusieurs organisations : l'OTAN, pour certaines décisions dans la Communauté européenne. Mais une lecture purement juridique de ces modes de décision ne rend pas compte de la réalité politique : la prise de décision dans les organisations internationales oscille le plus souvent entre la prédominance majoritaire et la coalition hégémonique. Dans le premier cas, un sous-ensemble fait prévaloir ses préférences en utilisant le poids du nombre : ce fut le cas des pays du Sud dans toutes les instances des organisations de la famille de l'ONU, à l'exception du Conseil de sécurité, pendant les décennies soixante-dix–quatre-vingt. Dans le second cas, un groupe dominant possède les informations pertinentes, le pouvoir financier et les moyens d'influencer certaines catégories de participants. Il filtre les projets, sélectionne les alternatives, définit les normes souhaitables et s'arrange pour les présenter comme universelles : les membres du G7 au FMI et à la Banque mondiale, les grands pays exportateurs au GATT, les trois membres permanents occidentaux au Conseil de sécurité depuis la guerre du Golfe (1991) forment des coalitions hégémoniques.

L'Union européenne se distingue, là encore, des autres organisations internationales. Avec l'adoption de l'Acte unique européen (1986), les domaines soumis au vote majoritaire ont été étendus, notamment ceux qui relèvent du marché intérieur. Le Conseil refuse de divulguer les chiffres concernant ses délibérations, mais une indiscrétion britannique a révélé que sur 233 décisions sur le marché intérieur adoptées en cinq ans par le Conseil, 91 avaient été prises à la majorité qualifiée, la Grande-Bretagne avait été 66 fois dans la majorité, s'était abstenue 17 fois et avait été battue 8 fois (*Financial Times*, 13 septembre 1994). Après une longue période de blocage au cours de laquelle le vote à l'unanimité s'était généralisé (1973-1987), l'extension du vote à la majorité qualifiée a contribué à relancer la construction européenne grâce à un système de pondération original. Le mécanisme s'écarte du principe ordinaire « un État-une voix » qui aurait donné aux petits États de la Communauté une influence disproportionnée. Il évite aussi l'écrasement des petits par les grands. Directives et règlements émanant du Conseil doivent être adoptés avec au moins 54 des 76 voix affectées aux pays membres selon la pondération suivante dans l'Europe des Douze : 10 voix pour l'Allemagne, la France, l'Italie, le Royaume-Uni ; 8 voix pour l'Espagne ; 5 voix pour la Belgique, la Grèce, les Pays-Bas, le Portugal ; 3 voix pour le Danemark et l'Irlande ; 2 voix pour le Luxembourg. La minorité de blocage se situant à 23 voix, les cinq « grands » ne peuvent pas mettre à eux seuls les sept « petits » en minorité. Jusqu'à présent, l'une des grandes forces des institutions communautaires a été de pouvoir éviter à la fois les risques d'obstruction systématique, la tyrannie du nombre et les déséquilibres d'une coalition hégémonique. L'adhésion de trois nouveaux pays (Autriche, Finlande, Suède) en 1995 va compliquer le jeu. L'éventualité d'une adhésion des PECO (pays d'Europe centrale et orientale) à plus ou moins brève échéance obligera à repenser tout le système. Pour l'instant, si diverses pondérations sont envisagées, aucune solution satisfaisante n'est en vue.

Dans des situations où les participants n'ont pas les mêmes intérêts ni les mêmes préférences, aucune procédure de choix n'est parfaitement satisfaisante : soit les participants, États ou hauts fonctionnaires, n'expriment pas jusqu'au bout leur préférence individuelle et refusent d'envisager certains scénarios afin de parvenir à un compromis et le risque est de s'entendre sur une solution qui satisfait à peu près tout le monde mais ne permet pas de résoudre au fond le problème posé ; soit le choix est imposé par la bureaucratie, un État ou une coalition d'États et la décision risque d'être ignorée, contournée, et son application sabotée.

• *La complexité inhérente à la décision collective* — que connaissent aussi les administrations nationales — rend quasi impossible la définition d'une ligne globale clairement définie. La recherche du compromis à peu près satisfaisant empêche de fixer des objectifs fermes et de longue durée. Le jeu se joue entre des participants à la fois interdépendants et en compétition. Plus les participants sont nombreux dans une organisation plus ce jeu est hasardeux. Le compromis est à la merci de coalitions mouvantes et de majorités de circonstance. Il est sans cesse renégocié. Cela explique en grande partie l'incapacité de l'ONU à fixer une ligne politique d'ensemble dans les pays où elle est durablement impliquée : en Somalie, au Cambodge, en ex-Yougoslavie. Cela explique aussi les périodes de flottement que traverse régulièrement la construction européenne. Le discours abstrait dans lequel se réfugient les organisations intergouvernementales pour tenter de dissimuler cette faiblesse n'y change rien : l'absence de finalité stable est une des difficultés majeures de l'action collective.

L'objet des décisions collectives

• *La création normative.* Beaucoup d'organisations internationales sont des organisations d'harmonisation dont l'activité consiste à rechercher les moyens de « construire du sens commun », préalable à la définition d'objectifs partagés et, dans le meilleur des cas, à la définition de règles communes. Leur fonction est d'orienter le comportement de leurs membres vers la coopération. Les Nations unies ont ainsi favorisé l'apparition de nouveaux concepts, tels la « souveraineté permanente sur les richesses naturelles », le « patrimoine commun de l'humanité », le « développement durable » (*sustainable development*). Le premier devait entraîner la modification du droit et de la pratique en matière de nationalisation (Charte des droits et devoirs économiques des États, 1974). Le second devait permettre d'organiser un système d'exploitation des richesses des fonds marins sous les auspices d'une autorité internationale (initiative de l'ambassadeur de Malte, Arvid Pardo, en 1967, qui conduisit à la 3e conférence des Nations unies sur le droit de la mer, 1973-1982). Le troisième visait à la fois un développement écologiquement rationnel et une plus grande maîtrise des individus et des communautés de base sur leur propre destin (rapport Brundtland pour la conférence de Rio sur l'environnement de 1992; voir encadré p. 40). Leur effet fut mitigé. Cette activité normative rencontre, en effet, des succès divers. Trois cas sont possibles :

–1] Les décisions restent purement formelles : aucune action concrète n'en résulte. Le cas est fréquent aux Nations unies, y compris lorsqu'il s'agit de « décisions » au sens juridique du Conseil de sécurité, théoriquement obligatoires. La portée politique de ces textes ne doit cependant pas être négligée. Ils constituent des références à l'aune desquelles les gouvernements peuvent être jugés. Dans de nombreux pays soumis à des régimes autoritaires, les communautés de base — organisations de femmes, associations de défense des droits de l'homme, par exemple — puisent dans les textes adoptés par l'ONU matière à mobiliser leurs partisans et justifier leurs revendications.

–2] Les décisions expriment l'opinion et les objectifs d'une majorité influente à un moment donné. Elles créent un climat, une contrainte, pouvant amener les gouvernements à modifier leur comportement. Tout dépend de la sensibilité des acteurs à la pression internationale. En matière de décolonisation, de développement ou de lutte contre l'apartheid, par exemple, l'Assemblée générale des Nations unies a réussi par l'adoption répétée, année après année, de résolutions toujours pareilles à créer un environnement pesant sur les acteurs et leur marge de manœuvre. Une grande partie des innovations récentes en droit international public sont dues à l'action des organisations internationales : l'embryon de droit humanitaire en formation doit beaucoup à

Dix ans après la première conférence mondiale des Nations unies sur l'environnement (Stockholm, juin 1992), le « Sommet planète Terre » a réuni, en juin 1992, 178 pays, 5 000 délégués, 110 chefs d'États et de gouvernement, près de 2 000 ONG, 9 000 journalistes, dans la plus grande effervescence.

De ce Sommet sont issus :

– une *Charte de la Terre* ou *Déclaration de Rio* énonçant 27 grands principes contenus dans les conclusions du rapport Brundtland, adoptée à l'unanimité par les pays représentés;

– un plan d'action, l'*Agenda 21*, fixant les objectifs, les enjeux et les moyens de mise en œuvre d'un « développement durable » (*sustainable development*) pour le XXIe siècle;

– l'approbation de deux conventions (non entrées en vigueur) sur les changements climatiques et sur la biodiversité;

– deux projets de déclaration sur la conservation des forêts et sur la désertification;

– une nouvelle instance : la Commission du développement durable (CDD).

La CDD est une « commission technique de l'ECOSOC » composée de 53 pays élus pour trois ans par l'ECOSOC. Les ONG, les agences spécialisées de l'ONU, la Commission européenne y siègent en tant qu'observateurs et peuvent s'y exprimer. La CDD a tenu sa première session en mai 1993, la seconde en mai 1994. Trois jours étaient consacrés aux travaux du « segment de haut niveau », dix jours aux travaux des experts. Le « segment de haut niveau » désigne la cinquantaine de ministres participant à la CDD, ministres de l'Environnement pour la plupart, au grand dam des PED qui voudraient y voir siéger les ministres de l'Économie, des Finances, de l'Agriculture, de l'Industrie.

La mission de la CDD est de s'assurer du suivi de la conférence de Rio et de revoir tous les ans les thèmes de *l'Agenda 21* pour examiner les progrès accomplis. Les problèmes de l'eau, de la santé, de l'habitat humain, de la terre et de la forêt sont à l'ordre du jour.

Le mérite de la CDD est de maintenir les questions débattues à Rio sur l'agenda international et d'entretenir le dialogue entre représentants des gouvernements, experts, ONG sur tous ces thèmes. Mais le rôle d'impulsion politique qu'aurait dû avoir la CDD s'est enlisé dans la pesanteur des débats onusiens. Les deux premières sessions n'ont connu ni dialogue ni négociation, seulement une suite répétitive de discours préfabriqués.

L'ambiguïté qui entoure les débats depuis le début est paralysante. Les pays industrialisés voulaient des négociations sur l'environnement. Les pays du Sud voulaient relancer des négociations globales sur le développement. En conséquence, la conférence de Rio porta sur l'environnement et le développement. La notion de « développement durable » apparut comme un compromis satisfaisant pour tous : il ne peut y avoir développement durable sans respect de l'environnement; il ne peut y avoir respect de l'environnement sans un minimum de développement. Cela ayant été dit, chacun est resté sur ses positions.

Pour les plus optimistes, la CDD devait être une sorte de substitut à l'ECOSOC et à la CNUCED, une instance où relancer le dialogue Nord-Sud. Dans les faits, elle a reproduit des discours maintes fois entendus ailleurs et sombré dans l'ennui dès la deuxième session.

Restent une bureaucratie et un fonds : un « département de la coordination des politiques et du développement durable » au secrétariat des Nations unies; un « programme des Nations unies pour l'environnement » (PNUE, créé en 1972 à la suite de la conférence de Stockholm) qui s'est étouffé très vite sous son propre poids et n'a jamais convenablement fonctionné; un Fonds pour l'environnement mondial (FEM), géré conjointement par le PNUD, la Banque mondiale et le PNUE. Le FEM a été restructuré en 1994. Ses ressources, alimentées par des contributions volontaires, ont été portées à plus de 2 milliards de dollars pour la période 1994-1997. Elles doivent financer des activités entreprises sous l'égide du PNUD, notamment pour aider les pays à diminuer les substances qui appauvrissent la couche d'ozone, contribuent à l'effet de serre ou menacent la survie d'espèces vivantes. On reconnaît là les préoccupations des États industrialisés et des grandes ONG du Nord.

l'action conjuguée des associations non gouvernementales et du Haut-Commissariat pour les réfugiés; le nouveau droit de l'environnement en gestation doit beaucoup à l'action des organisations privées de défense de l'environnement au sein des grandes organisations internationales, ONU, Union européenne ou Banque mondiale.

–3] Les décisions conduisent à l'adoption d'un projet de traité ou d'un autre instrument contraignant au sens juridique : c'est ce que l'on attend généralement des organisations internationales. L'essentiel de l'activité des institutions spécialisées est ainsi consacré à combler les lacunes du droit régissant les comportements dans les domaines de leur compétence. L'Organisation maritime internationale, par exemple, est régulièrement critiquée pour ne pas avoir réussi à mettre au point une législation permettant de limiter encore davantage les risques de pollution des côtes par les hydrocarbures ainsi que l'épuisement des ressources de la mer. Elle a pourtant facilité l'élaboration et la conclusion de plusieurs dizaines de conventions internationales pour l'amélioration de la sécurité maritime et la préservation du milieu marin (dont la convention MARPOL, ensemble de textes autour duquel s'organise tout un système de prévention de la pollution). Elle a innové sur le plan juridique en introduisant un système de responsabilité du propriétaire, organisant non seulement la prévention de la pollution mais également sa répression. Elle a adopté plusieurs centaines de recommandations, sortes de codes destinés à orienter la pratique des gouvernements en matière de sécurité et de législation maritimes. Elle est à la base d'un véritable ordre public maritime en gestation. L'Organisation internationale du travail donne un autre exemple d'activité normative considérable : plus de 175 conventions et 180 recommandations ont été adoptées sous son égide, dans tous les domaines touchant à la protection sociale, aux droits de l'homme, à la protection des groupes vulnérables, femmes, enfants, migrants, marins, peuples aborigènes et tribaux, etc. Quant à la Communauté européenne, on la qualifie souvent de « machine à faire du droit ». Sa production est si abondante que personne ne peut se targuer de connaître à fond le droit communautaire.

L'apport normatif des organisations internationales est colossal. En corrélation avec cette activité, beaucoup d'entre elles exercent une fonction de contrôle sur l'application des normes édictées. Ce contrôle peut s'exercer de façon uniquement politique, par la dénonciation dans les enceintes multilatérales, la pression morale : c'est le cas pour le Conseil de l'Europe. Il peut être juridiquement organisé, avec des procédures spéciales : obligation de présenter des rapports, procédures d'enquête et d'inspection. Tel est le cas dans le domaine de la protection des droits de l'homme, pour le contrôle de l'application des normes exercé par l'OIT, pour le contrôle des engagements d'utilisation pacifique de l'énergie nucléaire exercé par l'AIEA.

• *Les activités opérationnelles.* Toute organisation doit définir comment seront utilisées ses ressources, quel type de service sera rendu, quels moyens seront mis en œuvre. La répartition des ressources de l'organisation entre divers types d'activité fait l'objet de « programmes » correspondant aux principaux domaines couverts par l'organisation, et de « projets », en principe reliés à ces programmes. Dans le programme et budget de l'UNESCO pour 1994-1995, par exemple, figure un « Programme pour une culture de paix », voulu par le directeur général et placé sous son autorité. À l'intérieur de ce programme ont été montés divers projets visant à améliorer le système éducatif au Salvador, au Mozambique, au Congo, au Kosovo...

Les décisions opérationnelles interviennent pour quatre types d'actions au moins : 1] octroi d'une aide financière sous diverses formes (dons, prêts, allégement de dette, etc.) ; 2] montage et mise en œuvre de projets d'assistance technique ; 3] lancement et gestion de projets collectifs, installations ou programmes de recherche ; 4] intervention sous diverses formes : diplomatique (médiation, bons offices), économique (sanctions), militaire (opérations de maintien ou de restauration de la paix), humanitaire (secours aux victimes).

• *La vie interne de l'organisation.* Une grande partie des décisions prises par une organisation internationale sont des décisions relatives à l'organisation elle-même, au choix de ses plus hauts fonctionnaires, à sa composition, à ses structures, à ses finances, à ses relations avec les autres institutions internationales.

La question de l'admission et de la représentation est particulièrement délicate et reste une question récurrente. Au fur et à mesure qu'évoluent les rapports internationaux et que surgissent de nouvelles demandes, l'organisation internationale est amenée à redéfinir qui a qualité pour être de ses membres et quelles sont les conditions d'une adhésion éventuelle. Cela implique de se prononcer sur sa vocation même et sur ce que les participants entendent en faire.

La composition des organisations

• *Pour les organisations à vocation universelle et générale,* telles les organisations de la famille des Nations unies, le choix est relativement simple. La seule utilité qui ne leur soit pas contestée est celle de *forum*. Leur universalité est leur légitimité. Tous les candidats y sont accueillis de façon quasi automatique quelle que soit leur taille et leur effectivité.

Cette marche vers une extension sans fin ne s'est pas faite sans à-coups et ne se poursuit pas sans difficultés. Entre 1946 et 1955, l'admission de nouveaux membres dans les organisations à vocation universelle était un enjeu symbolique dans la guerre froide. Aux Nations unies, où l'admission se fait par décision de l'Assemblée générale sur recommandation du Conseil de sécurité (art. 4 de la Charte), l'Union soviétique multipliait les veto (47 !) pour empêcher toute admission nouvelle tant que les « démocraties populaires » (Hongrie, Roumanie, Bulgarie) ne seraient pas admises. La situation ne fut débloquée qu'en 1955 par un *package deal* permettant l'entrée simultanée de seize nouveaux membres : les candidats soutenus par l'URSS et des candidats acceptables pour l'Ouest. À partir des années soixante, la décolonisation et l'afflux massif de nouveaux États (17 sont entrés en 1960) ont transformé la composition des organisations mondiales et modifié les majorités dans les assemblées plénières. Les quelques exigences de fond posées par la Charte pour l'admission de nouveaux États ont été balayées : être un État pacifique, accepter les obligations de la Charte, être capable de les remplir et disposé à le faire (art. 4). Quantité de nouvelles entités politiques sont entrées aux Nations unies alors que la faiblesse de leurs ressources, l'exiguïté de leur territoire et le petit nombre de leurs habitants laissaient douter de leur qualité effective d'État souverain. Ce problème des micro-États fut discuté quelque temps à la fin des années soixante et au début des années soixante-dix. Un comité spécial fut créé par le Conseil de sécurité, diverses solutions furent proposées, notamment par les États-Unis et la Grande-Bretagne, pour éviter qu'un pullulement de petites unités politiques, chacune dotée d'une voix, ne vienne fausser le mécanisme des assemblées plénières et notamment de l'Assemblée générale de l'ONU. Les micro-États furent encouragés à se fédérer ou bien à renoncer à certains droits de vote. Ces initiatives restèrent sans lendemain.

En 1990, alors que l'effondrement du communisme commençait à remodeler la carte de l'Europe et préludait à un nouvel élargissement, l'ONU admettait le Liechtenstein. Elle s'est enrichie, depuis, de 28 nouveaux membres dont les trois États baltes, la Géorgie et huit Républiques de la CEI (Communauté des États indépendants, ex-URSS), mais aussi Saint-Marin, Andorre et Monaco. L'universalité est pratiquement atteinte : seuls la Suisse, le Saint-Siège et Taiwan demeurent en dehors de l'Organisation avec trois micro-États insulaires du Pacifique, Nauru, Tonga et Tuvalu. La contrepartie négative de ce généreux œcuménisme est que l'ONU, censée représenter la communauté mondiale, ne dispose d'aucun critère permettant de fixer une limite aux processus d'émiettement que l'on voit à l'œuvre dans le Caucase, en ex-Yougoslavie ou en Afrique sous l'effet de particularismes de toute nature.

• *Pour les organisations régionales ou à vocation spécialisée*, l'élargissement soulève des problèmes d'une autre nature. Il relève de la cooptation et la part de l'idéologie y est importante : les nouveaux venus doivent faire la démonstration

LES DROITS DE TIRAGE SPÉCIAUX (DTS)

Les DTS représentent la première monnaie internationale jamais inventée. Ils ont été imaginés à la fin des années soixante afin de permettre au FMI de créer les liquidités nécessaires pour répondre aux besoins de l'économie mondiale. Le DTS est un instrument de réserve international dont peuvent bénéficier tous les États membres du FMI en complément de leurs avoirs de réserve existants. Les allocations sont réparties au prorata des quotes-parts. Les États membres qui reçoivent des DTS peuvent les utiliser pour leurs opérations avec d'autres États membres, avec des « détenteurs agréés » (Banque mondiale, FIDA, BRI, etc.), ainsi qu'avec le FMI pour rembourser des emprunts ou payer une partie des augmentations de quote-part, par exemple.

Le DTS est aussi l'unité de compte du FMI et de nombreuses organisations internationales. Des dépôts monétaires libellés en DTS sont acceptés auprès de la BRI et des banques commerciales des pays industrialisées. Sa valeur est calculée chaque jour à partir d'un « panier » de cinq monnaies, celles des pays dont les exportations de biens et de services sont les plus importantes (dollar, deutsche Mark, franc français, yen, livre sterling). Chacune de ces monnaies est affectée d'une pondération reflétant sa part relative dans le commerce et les paiements internationaux. Le « panier » qui sert à calculer la valeur du DTS a été révisé le 1er janvier 1991, il restera en vigueur jusqu'au 31 décembre 1995.

En gérant un stock important de DTS, le FMI pourrait agir comme une banque centrale mondiale en injectant des liquidités ou en en retirant selon les besoins du système monétaire international. Mais au cours de son histoire le FMI n'a procédé qu'à deux allocations, étalées sur plusieurs années, pour un total de 21,4 milliards de DTS. La première a eu lieu entre 1970 et 1972, la deuxième entre 1977 et 1978. Aucune allocation n'a été effectuée depuis 1981. Les avoirs en DTS ne représentent qu'une fraction marginale du total des réserves mondiales d'or et de devises ce qui empêche le FMI de jouer un rôle régulateur du système monétaire mondial.

Le débat sur l'opportunité de recourir à nouveau à cet instrument est relancé depuis 1994. Il est lié au débat sur la nécessité d'établir un nouvel ordre monétaire international mais il reflète aussi les clivages Nord/Sud/Est. Les États-Unis considèrent avec méfiance tout accroissement de cet actif international susceptible de concurrencer le dollar. Ils dénoncent le risque d'un excès de liquidités et d'une poussée inflationniste sur le marché mondial. D'autres pays et divers experts universitaires préconisent une nouvelle allocation de DTS au profit des pays de l'Europe centrale et orientale et de la Russie. Avec les pays du Sud, le directeur général du FMI, Michel Camdessus, demande une allocation supplémentaire ouverte à tous de 36 milliards de DTS (50 milliards de $). Le désaccord entre les pays du G7 et les pays du Sud lors du Comité intérimaire de Madrid, le 2 octobre 1994, a révélé l'acuité du conflit. L'ébranlement monétaire provoqué par la chute du peso mexicain en janvier 1995 pourrait relancer la discussion dans des termes nouveaux : l'alerte a été rude et la nécessité de reconstruire un ordre monétaire autour du FMI semble de plus en plus s'imposer.

qu'ils sont aptes à remplir les obligations, respecter les principes et partager les objectifs qui réunissent les membres fondateurs. Il peut aussi être le signe ou bien la cause de changements profonds dans le fonctionnement de l'organisation et dans la définition de ses objectifs. La fin de la guerre froide et l'arrivée de nouveaux États issus du démembrement de l'Union soviétique ont ouvert une nouvelle période dans la vie d'un certain nombre d'organisations intergouvernementales, en particulier les institutions financières internationales, FMI et Banque mondiale, et deux grandes organisations régionales, l'Union européenne et l'Organisation du traité de l'Atlantique nord (OTAN).

En théorie, tous les États, quel que soit leur système politique, peuvent adhérer à la BIRD et au FMI. Les statuts de la Banque stipulent : « La Banque et ses dirigeants n'interviendront pas dans les affaires politiques d'un État membre quelconque, ni ne se laisseront influencer dans leur décision par l'orientation de l'État membre en cause » (art. IV, section 10). Mais l'adhésion à la Banque mondiale requiert une adhésion préalable au Fonds monétaire international. Cela suppose d'accepter le code de conduite du FMI et les conditions d'admission fixées par le Conseil des gouverneurs. En principe, une majorité simple suffit pour admettre un nouvel État, mais il faut un quorum comportant la majorité des gouvernements disposant des deux tiers des voix. Avec quelque 18 % des votes, les États-Unis disposent d'un droit de veto de fait sur la décision. Au 1er mars 1994, le FMI et la BIRD comptaient 177 États membres.

Une « résolution d'appartenance » fixe la quote-part initiale du nouveau membre au capital du FMI et les modalités d'insertion du pays dans le système monétaire international. Le montant de la quote-part est essentiel, car il détermine le nombre de voix dont disposera le nouvel État, le montant et les modalités de tirage qu'il sera autorisé à effectuer au titre des crédits de facilités du Fonds, la part qu'il recevra dans une allocation de Droits de tirage spéciaux (DTS ; voir encadré p. 44). L'entrée au FMI et à la Banque mondiale signifie une adhésion à l'économie de marché et aux principes d'organisation sociale qui lui sont liés. Elle signifie également que le pays est jugé digne de recevoir une assistance financière pour la transformation de ses structures.

Jusque dans les années 1980, la plupart des pays de l'Est étaient restés en dehors du système de Bretton Woods, ce qui contrariait sérieusement la vocation mondiale de ces institutions. L'URSS avait assisté de façon passive à la conférence de 1944 et n'avait jamais ratifié les accords. La Tchécoslovaquie était parmi les membres fondateurs, mais elle avait dû se retirer en 1954. Seule la Roumanie, qui se targuait d'une certaine indépendance vis-à-vis de Moscou dans ses relations extérieures, avait adhéré en 1972. Un début de rapprochement commença avec l'entrée de la Hongrie en 1982, puis de la Pologne en 1986, lorsque ces pays s'engagèrent dans une réforme économique desserrant quelque peu le carcan de la planification centrale. L'ébranlement du communisme, puis la désagrégation de l'Empire soviétique précipitèrent l'élargissement vers l'Est. En 1990, la Tchécoslovaquie, la Bulgarie, l'Albanie demandaient leur adhésion. En 1992, l'entrée des quinze États successeurs de l'URSS avec la Croatie, la Slovénie et Saint-Marin scellait le caractère mondial des institutions de Bretton Woods. La Suisse elle-même adhérait en 1992. Cette universalité enfin réalisée venait comme un succès.

Pour l'Union européenne et pour l'OTAN, deux organisations qui n'ont pas vocation à l'universalité, les nombreuses demandes d'adhésion qui leur sont adressées sont plutôt perçues comme un défi. Elles témoignent, certes, de leur pouvoir d'attraction, mais elles les obligent surtout à redéfinir leur vocation, et cela ne se fait pas sans peine.

• *Pour l'Union européenne,* l'article 237 du traité CEE modifié par l'Acte unique et repris par le traité de Maastricht sur l'Union européenne prévoit : « Tout État européen peut demander à devenir membre de la Communauté. Il adresse sa demande au Conseil, lequel se prononce à l'unanimité après avoir consulté la Commission et après avis conforme du Parlement européen, qui se prononce à la majorité absolue des membres qui le composent. Les conditions de l'admission et les adaptations du présent traité que celle-ci entraîne font l'objet d'un accord entre les États membres et l'État demandeur. Cet accord est soumis à la ratification par tous les États contractants, en conformité de leurs règles constitutionnelles respectives. »

Le seul critère de fond énoncé explicitement est l'identité « européenne » du pays candidat, exigence particulièrement floue qui permet surtout d'éliminer courtoisement les pays dont on ne veut pas encore : le Maroc qui avait posé sa candidature en 1987, par exemple. La pratique des élargissements successifs et la logique de la construction communautaire ont imposé deux autres critères : l'adhésion à l'économie de marché et « la reprise de l'acquis communautaire ». Les traités, le droit dérivé, la jurisprudence de la Cour de justice, les milliers de décisions prises par les instances communautaires doivent être acceptés et « repris » par le nouvel État membre, avec la réglementation des politiques communautaires et, depuis le traité de Maastricht, les nouvelles politiques de l'Union.

La Communauté a connu plusieurs vagues d'élargissement. La première, liée à la candidature britannique, l'a fait passer de six à neuf en 1973 (entrée du Royaume-Uni, de l'Irlande et du Danemark). La seconde l'a rééquilibrée vers le Sud et fait passer de neuf à douze avec l'entrée de la Grèce en 1981, de l'Espagne et du Portugal en 1986. Depuis, les demandes d'adhésion se sont multipliées : venues de pays membres de l'AELE (Association européenne de libre-échange), de trois pays méditerranéens (Turquie, Malte, Chypre) et, surtout, des pays d'Europe centrale et orientale avec lesquels la Communauté européenne a conclu une série d'« accords de coopération élargie » : Hongrie, Pologne, République tchèque, Slovaquie, ainsi que Roumanie et Bulgarie. Des demandes venues des ex-républiques de l'URSS et de l'ancienne fédération de Yougoslavie sont attendues dans un avenir proche.

Pour les quatre pays de l'AELE, l'adhésion avait été préparée par les négociations engagées dès 1989 pour aboutir à la création d'un Espace économique européen (EEE, traité de Porto, mai 1992, entré en vigueur début 1994) étendant la coopération entre la Communauté européenne et les membres de l'AELE : Autriche, Finlande, Islande, Liechtenstein, Norvège, Suède (les Suisses ont dit « non » par référendum, le 6 décembre 1992, à l'entrée de leur pays dans l'EEE ce qui écarte pour longtemps l'éventualité d'une candidature à l'Union européenne). L'adhésion de l'Autriche, de la Finlande et de la Suède est désormais acquise pour le 1er janvier 1995 (les Norvégiens ont dit « non » par référendum). L'entrée de ces trois pays occasionnera des aménagements, mais elle ne devrait pas entraîner de grands bouleversements. Le processus d'intégration économique avec la Communauté européenne était en cours depuis plusieurs années. Les économies et les modèles sociaux des Trois sont proches de ceux des Douze. L'essentiel de ce qui concerne les quatre libertés fondamentales du Marché unique (libre circulation des biens, des services, des capitaux et des personnes) et les règles communes les accompagnant (régime de la concurrence, protection du consommateur ou de l'environnement) avait été prévu dès le traité de Porto et l'établissement de l'EEE. La reprise de l'acquis communautaire dans les législations intérieures des nouveaux entrants est déjà engagée.

Les candidatures des pays méditerranéens posent des questions plus difficiles sur lesquelles la Communauté a déjà été amenée à prendre de nombreuses décisions. Les disparités économiques existant entre ces pays et les pays de l'Union, la crainte de déplacements massifs de population, des inquiétudes de nature politique sur la place que pourraient avoir ces pays dans les institutions communautaires, tout cela se conjugue pour repousser le moment de l'adhésion. En ce qui concerne la Turquie, avec laquelle les relations sont anciennes et qu'un accord d'association relie à la Communauté depuis 1963, la Commission a rendu un avis négatif en décembre 1989, mais une relance de la coopération est en cours et une union douanière est prévue pour la fin de 1995. Pour Chypre et Malte, la Commission a reconnu, en juillet 1993, que ces États avaient « vocation à adhérer », mais que des réformes restaient à entreprendre.

L'entrée des PECO dans la Communauté se heurte à des obstacles encore plus grands. Les difficultés économiques de ces pays font craindre une pression intolérable sur les budgets communautaires : ceux de la politique agricole commune (PAC) et ceux des fonds structurels pour l'aide aux régions les plus pauvres qui pourraient « exploser ». Les équilibres politiques fragiles sur lesquels reposent les politiques communautaires risqueraient d'être détruits. Symétriquement, la reprise de l'acquis communautaire impliquerait des transformations brutales dans la structure économique et sociale de ces pays, au risque d'aggraver des tensions sociales déjà fortes. La libre circulation des personnes pourrait aussi amplifier les flux migratoires de l'Est vers l'Ouest, ce qui inquiète les membres de l'Union. La Communauté a clairement affirmé la vocation des pays du groupe de Visegrad (Hongrie, Pologne, République tchèque, Slovaquie) à adhérer à l'Union, mais leur intégration n'est envisagée que pour un avenir lointain. En attendant, la Communauté a mis en place un important dispositif de coopération. Avec le programme PHARE (Pologne, Hongrie, assistance à la reconstruction économique), progressivement étendu aux autres PECO, et une série d'accords de coopération élargie conclus entre 1991 et 1993, la Communauté européenne réalise l'essentiel de l'effort en direction de l'Europe de l'Est : 60 milliards de francs (168 si l'on inclut l'effort bilatéral de chacun des pays membres).

Ces multiples pressions pour l'élargissement vont obliger l'Union européenne à prendre à brève échéance des décisions de fond l'obligeant à redéfinir sa vocation, ses frontières, son identité même. Deux possibilités s'offrent à elle : s'élargir jusqu'à se transformer en système paneuropéen au risque de perdre sa spécificité et de ne plus être qu'une vaste zone de libre-échange ; développer la construction d'une « Europe à plusieurs vitesses » et « à géométrie variable », certains États étant unis par certains types de liens pour certains modes d'intégration. Le scénario le plus fréquemment envisagé est celui d'une Europe en cercles concentriques : un noyau dur très intégré, un second cercle d'États plus intéressés par le libre-échange que par la dimension politique de la construction européenne, un troisième cercle d'États plus ou moins associés à la Communauté « sur des bases adaptées ». Toute la question est de savoir qui fera partie de quel cercle et pour faire quoi.

• *Pour l'Organisation du traité Atlantique nord,* l'éventualité d'un élargissement est également une grande question depuis 1991. Par un intéressant retournement de l'histoire, l'Alliance, devenue sans objet depuis l'effondrement de la menace soviétique, trouve un nouveau souffle et des raisons de se maintenir en vie dans les demandes de ceux-là mêmes qu'elle avait naguère mission de combattre. Les anciens membres du pacte de Varsovie s'inquiètent du « vide de sécurité » laissé par la dissolution du pacte et l'éclatement de l'URSS. Très tôt (octobre 1990), la Pologne, la Hongrie et la Tchécoslovaquie ont demandé à adhérer à l'OTAN, seule organisation susceptible de fournir des garanties de sécurité crédibles en Europe. La Russie, elle-même, a fait mine de se déclarer candidate à la fin de 1991. La réponse de l'OTAN fut d'abord la création d'une instance de dialogue avec les pays d'Europe centrale et orientale. Un Conseil de coopération nord-atlantique (COCONA), décidé au sommet atlantique de Rome en novembre 1991, place tous les pays sur le même pied, pays d'Europe centrale et Républiques de l'ex-URSS. Il organise la concertation entre les responsables de la défense, ministres et chefs d'état-major, dans divers domaines d'intérêt mutuel : gestion de la circulation aérienne, réparation des dégâts causés à l'environnement par les installations militaires, contribution militaire à l'aide humanitaire, par exemple. En décembre 1992, le COCONA a élargi les consultations aux « questions relatives au maintien de la paix et questions connexes, d'abord en séance de brassage d'idées au niveau des ambassadeurs, ensuite en réunion *ad hoc* d'experts politico-militaires ». En 1994, 38 pays participaient au COCONA : les seize membres de l'Alliance atlantique, et pour les pays de l'Est : l'Albanie, l'Arménie, l'Azerbaïdjan, la Biélorussie, la Bulgarie, la République tchèque, l'Estonie, la Géorgie, la Hongrie, le Kazakhstan, la Kirghisie, la Lettonie, la Lituanie, la Moldavie, la Pologne, la Roumanie, la Russie, la Slovaquie, le Tadjikistan, la Turkménie, l'Ukraine, l'Ouzbékistan.

Cette première façon de répondre aux demandes pressantes du groupe de Visegrad éludait la question de l'élargissement qui ne commença à être discutée sérieusement entre les seize membres de l'Alliance qu'en 1993. Une nouvelle proposition d'origine américaine destinée à calmer l'impatience des pays d'Europe centrale fut présentée en décembre 1993 sous forme d'un « Partenariat pour la paix » officiellement adopté au sommet de Bruxelles en janvier 1994. Le partenariat propose à tous les pays de l'Est, Russie comprise, de développer une coopération militaire avec l'Alliance : ils seront associés à des exercices militaires de l'OTAN, à des opérations de sauvetage ou de maintien de la paix, ils disposeront d'observateurs permanents dans certaines instances de l'Organisation. Si leur sécurité est engagée, ils pourront demander des consultations aux Seize (conformément à l'art. 4 du Pacte atlantique). En contrepartie, les partenaires s'engagent à respecter des principes essentiels comme la démocratie, le règlement négocié des conflits, le contrôle civil de l'appareil militaire, la transparence des budgets de la défense.

Cette formule n'étend pas aux partenaires la garantie de défense mutuelle existant entre les membres de l'OTAN (art. 5 du Pacte atlantique). Elle ne garantit pas non plus leur intégration dans l'Alliance. Elle n'est qu'une solution d'attente permettant à la fois de ne pas opposer un refus complet aux pays du groupe de Visegrad qui ont officiellement posé leur candidature en demandant que l'OTAN étende sa garantie de sécurité à leur territoire et de ménager la Russie clairement opposée à cette évolution. Au printemps 1994, quatorze pays avaient adhéré au Partenariat de l'OTAN, dont les quatre pays du groupe de Visegrad, les trois États baltes et trois États de la CEI, Ukraine, Moldavie, Géorgie (les autres étant l'Albanie, la Moldavie, la Roumanie, la Slovénie). Après beaucoup d'hésitations, Boris Eltsine a annoncé, le 10 juin 1994, que la Russie acceptait d'adhérer au Partenariat pour la paix en échange d'un protocole particulier avec l'Alliance atlantique. Le dialogue intensif entre l'OTAN et la Russie, déjà prévu dans un cadre multilatéral par le COCONA, est ainsi institutionnalisé de façon bilatérale.

• *Les critères d'appartenance à une organisation internationale varient selon les temps et les organisations.* Les pays d'Europe de l'Est en font la difficile expérience. La CSCE n'a établi aucun critère : au nom de la sécurité en Europe, elle admet tous les États issus du démembrement de l'URSS. Le Conseil de l'Europe, lui, impose des critères formels de démocratie : élections libres, respect des droits de l'homme, engagement d'adhérer rapidement à la Convention européenne des droits de l'homme. La BERD a défini des critères politiques (État de droit et démocratie) et des critères économiques (volonté de passer à l'économie de marché). L'article 1 de ses statuts stipule : « L'objet de la Banque est, en contribuant au progrès et à la reconstruction économiques des pays d'Europe centrale et orientale qui s'engagent à respecter et mettre en pratique les principes de la démocratie pluraliste, du pluralisme et de l'économie de marché, de favoriser la transition de leur économie vers des économies de marché et d'y promouvoir l'initiative privée et l'esprit d'entreprise. »

Au 1er janvier 1994, la BERD comptait 59 membres, dont deux institutions ayant souscrit à son capital, la Communauté économique européenne et la Banque européenne d'investissement, et 25 pays d'Europe centrale et orientale.

L'OCDE fonctionne comme un club de pays industrialisés : elle n'admet que les pays ayant achevé leur transition et bénéficiant d'une économie développée. Le Mexique (admis en 1994) et la Corée du Sud (en voie d'adhésion) sont les premiers et les seuls pays du tiers monde à avoir été cooptés. Elle comptait 25 membres en 1994. Les pays du groupe de Visegrad bénéficient d'un statut spécial au travers du programme « Partenaires pour la transition » destiné à les « socialiser » à l'économie de marché et les aider à remplir les conditions d'une adhésion à l'organisation.

Vers un « bilatéralisme collectif »

Les écrits sur la construction européenne utilisent fréquemment la notion de « bilatéralisme multiple » pour désigner la façon dont chacun des membres de l'Union négocie individuellement avec les partenaires extérieurs avant que soit définie une position commune. À l'inverse, un autre type de bilatéralisme se développe dans le fonctionnement des organisations internationales puissantes, que nous qualifierons « bilatéralisme collectif ». De plus en plus souvent, en effet, on voit des négociations mettant face à face un groupe d'États rassemblés en organisation internationale pour faire avancer leurs objectifs et un pays tout seul affrontant ce groupe et sa bureaucratie. L'évolution de l'OTAN est significative à cet égard : le « Partenariat pour la paix » introduit un processus de différenciation entre les pays éligibles et les autres. Les pays étant différents, l'OTAN entretient avec chacun des relations différentes, selon leurs mérites. Les relations individuelles de chaque partenaire avec l'Alliance dans son ensemble dépendent de son aptitude à correspondre au profil défini par l'OTAN. L'exigence du respect des valeurs démocratiques opère une première sélection : elle exclut pour l'instant les pays de l'Asie centrale ex-soviétique. Les pays répondant aux critères établis peuvent espérer une adhésion, encore que rien ne leur soit promis. Si elle doit se faire, ce sera pays par pays, cas par cas et vraisemblablement de façon diversifiée : tous les pays ne sont pas prêts au même type d'intégration. Lesquels souhaiteront une intégration pleine et entière supposant le stationnement de troupes étrangères sur leur territoire, voire la présence d'armes nucléaires? Lesquels souhaiteront une participation « à la française » ou « à l'espagnole », pleinement dans l'Alliance mais sans intégration militaire complète? Lesquels recevront un statut semblable au territoire de l'est de l'Allemagne, qui fait partie de l'OTAN mais ne doit pas abriter de troupes étrangères?

Ce passage du multilatéralisme au « bilatéralisme collectif » a toujours existé dans les relations extérieures de l'Union européenne. Il se renforce dans la perspective des élargissements à venir : les mérites individuels de chaque candidat sont soupesés par l'ensemble communautaire ; en attendant une éventuelle adhésion, des formules d'« association » à la carte sont proposées pour chacun. Les pays du groupe de Visegrad, qui s'étaient regroupés précisément pour rendre plus facile leur entrée dans les organisations européennes, ont fini par négocier individuellement, en ordre dispersé, chacun pour soi.

Le « bilatéralisme collectif » est encore plus net dans le fonctionnement des organisations financières internationales. Chacun des pays demandant un aménagement de sa dette, un prêt, de nouvelles facilités, chacun des pays négociant un programme d'ajustement structurel se retrouve dans une négociation bilatérale le laissant seul en face d'une puissante machine collective : FMI, Banque mondiale, banques régionales, clubs de créanciers.

L'EFFICACITÉ DES ORGANISATIONS INTERNATIONALES

Le décalage entre les espérances placées dans l'action multilatérale et l'apparence de chaos donnée par les relations internationales amène à s'interroger sur l'efficacité des organisations internationales. Cela soulève deux questions difficiles : qu'entend-on par efficacité et par quels critères l'évaluer?

L'efficacité est à la fois la capacité de produire un effet et la capacité de produire le maximum de résultat avec le minimum de coût (ce que les économistes appellent parfois l'« efficience »). Elle vise les relations de l'organisation avec son environnement, la façon dont elle contribue à modeler le système international, dont elle s'adapte à ses transformations. Elle implique aussi les caractéristiques internes de l'organisation, la façon dont elle prend ses décisions, dont elle gère ses programmses, dont elle favorise la coopération et la circulation de l'information entre ses membres.

Des critères incertains

Les critères permettant de mesurer les performances internes d'une organisation quelle qu'elle soit ne sont pas faciles à déterminer, tous les spécialistes de l'évaluation administrative le savent. Les critères permettant de comparer les performances externes des organisations internationales avec ce que serait l'état du monde si elles n'existaient pas ou bien avec d'autres modèles d'organisations idéales sont impossibles à établir. Les organisations internationales se trouvent au point de rencontre des attentes de l'opinion, de la volonté des membres participants et des institutions existantes (division du monde en entités souveraines et territorialisées, droit international public). Le rôle qui leur est assigné n'est pas fixé *a priori*, il se redéfinit sans cesse politiquement et culturellement dans un système d'interactions en constante évolution.

On peut toutefois apprécier l'efficacité d'une organisation internationale d'une part en fonction de ses résultats par rapport aux objectifs qu'elle s'était fixés, d'autre part en termes de satisfaction de ses participants.

• *La capacité d'atteindre les objectifs fixés.* Ce critère est simple en apparence. Les actes constitutifs, les résolutions, le discours des porte-parole autorisés énoncent les objectifs de l'organisation : il suffit de les comparer avec les résultats obtenus. Cette simplicité suppose en réalité que deux conditions soient remplies :

– les objectifs ont été clairement définis ;

– les résultats sont identifiés avec précision.

Lorsque ces deux conditions sont réunies, ce critère est certainement le meilleur. Mais elles le sont rarement.

Les statuts des grandes organisations internationales énoncent des buts très larges : « Maintenir la paix et la sécurité internationales... Développer entre les nations des relations amicales... Réaliser la coopération internationale en résolvant les problèmes internationaux d'ordre économique, social, intellectuel ou humanitaire... » (art. 1 de la Charte des Nations unies) ; « Contribuer au maintien de la paix en resserrant par l'éducation, la science et la culture, la collaboration entre les nations, afin d'assurer le respect universel de la justice, de la loi, des droits de l'homme et des libertés fondamentales pour tous, sans distinction de race, de sexe, de langue ou de religion... » (Acte constitutif de l'UNESCO) ; « Promouvoir un développement harmonieux des activités économiques dans l'ensemble de la Communauté, une expansion continue et équilibrée, une stabilité accrue, un relèvement accéléré du niveau de vie et des relations plus étroites entre les États qu'elle unit » (art. 2 du traité de Rome instituant la CEE). Jugées à l'aune de si grandes ambitions, les performances des organisations internationales ne peuvent être que décevantes !

Au-delà de ces buts très généraux, l'action des organisations internationales a rarement une finalité claire. Les participants eux-mêmes ne savent pas toujours ce qu'ils en attendent et quelle mission ils leur assignent, en particulier dans le domaine du maintien de la paix et de l'« intervention humanitaire ». Les résolutions du Conseil de sécurité sont généralement floues et, lorsqu'une force des Nations unies est créée, son mandat est rarement précis : « restaurer la paix », « restaurer la souveraineté », « rétablir l'ordre public »... Quant aux associations privées humanitaires, notamment en France, elles s'interrogent à longueur de colonnes sur les effets pervers de leur action. Dans ces conditions, les critères du succès ou de l'échec sont nécessairement imprécis.

Par ailleurs, les organisations internationales remplissent souvent des fonctions qui ne leur avaient pas été assignées dans les textes : information, réduction du coût des échanges, socialisation, légitimation collective. De plus, une partie de leur « efficacité » s'exprime à travers la diplomatie secrète (*quiet diplomacy*). La médiation discrète d'un haut fonctionnaire, la magistrature morale d'un secrétaire général, les bons offices d'un envoyé spécial aident quotidiennement à prévenir ou aplanir des différends, à maintenir ouvertes des chaînes de communication, à relancer des coopérations. Cette activité discrète et permanente est difficilement mesurable à partir de critères préétablis.

• *La satisfaction des participants*. Selon l'hypothèse énoncée par Herbert Simon et reprise par Ernst Haas, les organisations sont des « *satisficers* » : elles cherchent à assurer un minimum de satisfaction chez les participants. Si ce minimum n'est pas atteint, elles sont paralysées par les tensions et perdent toute efficacité.

La difficulté est de savoir quels participants doivent être satisfaits. Dans une organisation internationale, les acteurs sont multiples et hétérogènes. On y retrouve les représentants des gouvernements, les représentants des associations privées nationales et internationales, les plus hauts fonctionnaires et les responsables des grands services administratifs de l'organisation, des cohortes d'experts et de conseillers officiels ou officieux, les représentants d'autres organisations internationales et, de plus en plus, les médias. Les « sous-groupes » sont nombreux et les possibilités de coalitions multiples. Non seulement l'organisation doit assurer un niveau minimum de satisfaction à chacun, mais elle doit satisfaire les « parties stratégiques », celles dont elle est tributaire de façon déterminante pour conduire son action. Son efficacité dépend en particulier de sa capacité à donner suffisamment de satisfaction aux gros contributeurs pour qu'ils lui apportent leur concours, en argent, en hommes, en matériel. Elle dépend aussi de son habileté à faire valoir son action auprès des faiseurs d'opinion dont sont tributaires son prestige, son autorité... et ses ressources financières.

Une autonomie contestée

Pour les auteurs réalistes, les organisations internationales ne sont que des structures sans objectifs ni volonté propres. Elles offrent une méthode complémentaire à la diplomatie traditionnelle, elles ne modifient ni la stratégie des États ni le jeu de la compétition et de la puissance. Cette vision n'est que partiellement juste. Une fois créées, les structures peuvent acquérir une dynamique personnelle et s'interposer de manière significative dans le jeu des acteurs. Certaines organisations internationales ont notamment la capacité de mettre sur l'« agenda » politique des sujets nouveaux et jusqu'alors occultés. En obligeant les acteurs à s'en saisir et à prendre des décisions, elles ont un effet sur l'environnement international.

• *La définition de l'agenda.* Selon la définition de J.G. Padioleau, qui a introduit en France la notion d'« agenda politique » héritée de la sociologie politique américaine, celui-ci comprend « l'ensemble des problèmes perçus comme appelant un débat public, voire l'intervention des autorités politiques légitimes ». Dans une organisation internationale, la mise sur agenda comporte les mêmes phases que celles décrites par J.G. Padioleau pour la scène politique intérieure : 1] une coalition plus ou moins appuyée par le secrétariat de l'organisation définit une question comme « problématique » en soulignant l'écart « entre ce qui est, ce qui pourrait être ou ce qui devrait être » ; 2] elle qualifie le problème comme relevant de la compétence de l'organisation et de la responsabilité de ses membres ; 3] elle fait entrer le problème dans le mécanisme de consultations et de décision de l'organisation ; 4] l'intervention de l'organisation est alors attendue, « y compris l'option de ne rien faire » (p. 25).

Les exemples de mise sur agenda par les organisations internationales sont innombrables et dans les domaines les plus divers : le droit à l'indépendance des peuples coloniaux, l'assistance humanitaire et les nouvelles conceptions du réfugié, l'effet de serre et les changements climatiques, l'ajustement structurel... Tous ces thèmes, et bien d'autres encore, ont été mis sur l'agenda politique des gouvernements, en dépit de leur résistance, par les organisation internationales.

La mise sur agenda est une entreprise nécessairement conflictuelle. Les désaccords s'expriment à chaque phase : sur l'identification et la qualification du problème, sur la compétence de l'organisation pour en connaître, sur les mesures à prendre. Elle permet d'apprécier l'état des forces en présence, d'identifier les coalitions, de connaître les préférences, les systèmes de références et les objectifs des acteurs en présence (« la nature des agendas est cognitive » explique J.G. Padioleau). L'agenda fait partie de la construction du « sens commun » et des « répertoires de pensée » engendrés par les organisations internationales. Il impose des représentations, des rites, des symboles avec lesquels les acteurs internationaux doivent compter. Il détermine ainsi des résultats politiques.

• *Les ressources légitimatrices.* La capacité d'une organisation à déterminer son agenda peut l'entraîner très loin du consensus originel qui avait présidé à sa création. Lorsqu'elle s'éloigne de son mandat initial en développant des pouvoirs nouveaux pour assumer des fonctions politiques non prévues, il lui faut trouver une nouvelle légitimité auprès des acteurs internationaux. Ces nouvelles ressources légitimatrices sont puisées dans les représentations, les discours et les stratégies de certaines élites avec lesquelles l'organisation internationale travaille en étroite collaboration. Les fameux « eurocrates » de Bruxelles s'appuient sur leurs homologues dans les administrations nationales. Le Fonds monétaire international trouve la caution des économistes libéraux dans les gouvernements, les administrations des Finances et la sphère universitaire. La CNUCED, à ses débuts, était proche des écoles de la dépendance latino-américaines. L'ONU s'appuyait dans les années 1960-1970 sur les représentants du tiers monde.

Les organisations internationales « efficaces », au sens où elles ont un « effet » sur l'environnement international, sont celles qui peuvent s'appuyer sur trois types de coalition d'intérêt :

–1] les fonctionnaires qui ont pris l'habitude de travailler ensemble (ce que J.K. Galbraith appelle la « technostructure ») ;

–2] la « communauté épistémique » de ceux qui détiennent le savoir et ont accès au discours public : scientifiques, agronomes, médecins, économistes, professeurs de droit, etc. ;

–3] les *lobbies* puissants : banques, entreprises, groupements professionnels, organisations non gouvernementales...

Il n'est d'ailleurs pas rare de voir un même individu passer d'une catégorie à une autre.

• *Cohérence et congruence*. Si les organisations internationales ont un certain effet sur l'environnement international, elles sont surtout modifiées par lui. La relation est très asymétrique : l'environnement crée les conditions plus ou moins favorables dans lesquelles fonctionne l'organisation, beaucoup plus que l'inverse.

L'importance d'une organisation se mesure à sa capacité de survivre dans un environnement changeant. Son efficacité dépend de sa congruence avec le monde extérieur. Lorsque la coalition dominante à l'intérieur de l'organisation ne reflète pas la réalité des forces à l'œuvre dans le système international ou lorsqu'elle ne trouve plus assez de ressources légitimatrices pour appuyer son action, l'organisation est sur la voie du déclin. Ainsi, dans les années 1970-1980, le système des Nations unies a-t-il été accusé de tourner à vide, d'être un «prisme déformant», un «jeu de dupes». Les pays en développement y formaient une coalition dominante sans rapport avec la véritable distribution du pouvoir sur la scène internationale. Les grands pays industrialisés, et surtout les États-Unis, réagissaient par un dédain négligent (*benign neglect*) à l'égard du système. L'UNESCO paya très cher cette inadéquation, avec le retrait des États-Unis et de l'Angleterre en 1985. À la même époque, la baisse unilatérale de la contribution américaine au budget de l'ONU, accompagnée d'une formidable campagne de dénigrement, fragilisa pour longtemps l'Organisation mondiale. Un autre danger, inverse, menace à présent l'ONU : la domination sans partage qu'exercent au Conseil de sécurité les trois membres permanents occidentaux sous le leadership américain ne correspond pas davantage à la réalité d'un monde fracturé par des clivages économiques et culturels impossibles à déchiffrer de manière univoque. En exaltant un universalisme de façade étroitement lié à la domination de quelques uns, l'Organisation s'en remet, *de facto*, à la vieille politique des grandes puissances et des sphères d'influence, alourdie — mais non tempérée — par l'intervention d'une bureaucratie internationale. Elle perd ainsi une grande partie de sa raison d'être et se compromet pour rien, si l'on en juge par les résultats obtenus en Somalie, au Rwanda ou en Haïti.

Le dynamisme d'une organisation internationale s'exprime par ses interventions croissantes dans le jeu international, par sa capacité à se substituer à d'autres acteurs, à d'autres modes de régulation. La marge de manœuvre est étroite, car un tel dynamisme porte en lui-même ses facteurs de déclin : alourdissement des coûts, complexité accrue des systèmes d'information, bureaucratisation et, bientôt, impossibilité de répondre aux nouvelles demandes et crise de confiance. Sans de profondes réformes l'organisation est alors menacée d'implosion. L'exemple de l'ONU, incapable de faire face aux demandes qui se sont accumulées depuis 1990, est le plus significatif à cet égard. L'Organisation est comme paralysée : elle n'arrive ni à se réformer ni à remplir ses obligations. Mais à des degrés divers, toutes les organisations internationales ayant connu un regain de dynamisme par une extension de leur mandat original se trouvent confrontées à une crise d'identité et de légitimité : l'Union européenne, la Banque mondiale et même le Fonds monétaire ne font pas exception (voir IIIe partie, p. 163-166).

Il arrive, mais il est rare, que les organisations internationales meurent en disparaissant complètement. Dans le meilleur des cas, elles parviennent à se régénérer en se transformant.

Des réformes de structure, des changements de personnel, une nouvelle définition des objectifs leur redonnent une nouvelle vie : c'est le pari dans lequel s'est engagée l'OTAN depuis la disparition du pacte de Varsovie; c'est la politique définie par J. de Larosière lorsqu'il a succédé à Jacques Attali à la tête de la BERD; c'est la ligne affichée par Lewis Preston, président de la Banque mondiale pour répondre aux critiques de ceux qui s'étonnent de voir les coûts administratifs augmentés de 60 % entre 1990 et 1995, alors que les prêts de la Banque sont restés constants pendant la même période.

Les organisations internationales qui n'ont plus de congruence ou n'arrivent plus à réagir aux transformations de l'environnement déclinent petit à petit. Elles s'amenuisent et disparaissent par dissolution progressive plutôt que par rupture brutale. Leurs missions, leurs programmes, leurs compétences sont repris par d'autres organisations, intergouvernementales ou privées. L'UNESCO et, dans une moindre mesure, l'OMS se voient ainsi phagocytées par les programmes d'éducation ou de soins primaires de la Banque mondiale. La CNUCED est menacée par la future Organisation mondiale du commerce. L'AELE a pratiquement disparu avec l'Espace économique européen, avant même que ses États membres rentrent dans l'union européenne. L'Organisation de l'aviation civile internationale a perdu une grande partie de ses prérogatives au profit de l'IATA.

DEUXIÈME PARTIE

L'évolution des organisations internationales

3 *Les organisations internationales avant 1945*

Bien avant que n'apparaisse la notion même d'organisation internationale, les unités politiques ont cherché dans la diplomatie concertée un outil complémentaire pour mener leurs relations extérieures. Il s'agissait alors de se défendre ou d'organiser la domination, non de coopérer dans la poursuite d'activités communes. Jusqu'à la révolution industrielle, les projets d'organisation internationale ne se distinguaient pas nettement des politiques d'alliances classiques, et la «diplomatie de conférence» n'était que la poursuite des conflits par d'autres moyens que la guerre.

Au milieu du XIXe siècle, l'accélération des flux de personnes, de services, de marchandises, de capitaux multiplia les connexions à travers les frontières. Les nécessités techniques conduisirent les États à multiplier leurs associations dans des domaines précis : ce fut la période des unions administratives, ancêtres de nos modernes institutions spécialisées. Mais, jusqu'à la Seconde Guerre mondiale, ministres et diplomates ne ressentaient pas la nécessité de gérer politiquement de façon concertée le maillage économique complexe, tissé à l'échelle internationale par l'ouverture commerciale, l'accroissement des échanges et l'internationalisation des productions. L'échec de la Société des Nations, créée en 1919, ne fut pas seulement celui du droit et de la sécurité collective. Il fut celui de la politique face à l'économie. Alors que les économies du monde capitaliste se trouvaient de plus en plus solidaires sur le plan commercial et financier dans un monde mal remis de la guerre et rétréci par l'isolement de l'URSS, la seule réponse à la propagation de la grande crise économique fut la politique du chacun pour soi : isolationnisme américain, repli britannique, hésitations françaises, autarcie allemande, dévaluations compétitives, protectionnisme généralisé… jusqu'à la catastrophe finale.

DE LA DIPLOMATIE DE CONFÉRENCE À L'ADMINISTRATION INTERNATIONALE

La poursuite du conflit par d'autres moyens

• *La diplomatie de conférence* est aussi ancienne que l'histoire de l'Europe. Après la mort de Charlemagne, les entrevues périodiques entre les fils de Louis le Pieux destinées à institutionnaliser le principe de «confraternité», dans un vain effort pour restaurer l'empire d'Occident, tenaient déjà plus du sommet politique que de la réunion de famille. Dûment préparées et précédées par l'envoi d'ambassadeurs, elles se terminaient par des déclarations solennelles envoyées au pape, sorte de «communiqué final» dans lequel chacun des protagonistes réaffirmait son attachement à la paix, non sans protéger jalousement ses droits. Les premiers Capétiens poursuivirent cette pratique des rencontres directes jusqu'à ce que, leur royaume s'étant agrandi et peu à peu organisé, les souverains cessent de courir les routes avec leur escorte d'évêques et de barons pour régler en personne les affaires, germaniques, anglaises ou normandes selon les cas.

Privée de cette diplomatie itinérante, la diplomatie multilatérale n'en disparut pas pour autant. Les conciles œcuméniques du XIIe siècle où prélats, évêques et abbés mitrés, réunis par centaines, siégeaient en présence de représentants de tous les princes d'Europe préfigurent nos actuelles conférences internationales. Comme de nos jours dans les grands rassemblements onusiens, on y traite de l'état du monde : la situation en Terre sainte, l'empire latin d'Orient, l'invasion des Tatars. On y hume l'air du temps. Plus tard, alors qu'émerge l'État moderne, le traité d'Arras entre la France, l'Angleterre et la Bourgogne (1435) sera signé pendant le concile de Constance au terme de ce que l'on appellerait maintenant un véritable «marathon diplomatique», tant la discussion sur chaque mot y fut serrée.

Pendant des siècles, cette activité multilatérale très intense et de forme très variée n'a été que l'institutionnalisation des mécanismes de domination. La politique étrangère de l'Europe étant essentiellement une politique de frontières liée à la transformation incessante des limites territoriales, la force et la négociation visaient le même but : faire admettre ses droits, en acquérir de nouveaux, préciser ceux de chacun. Les propositions d'action concertée poursuivaient la politique classique d'alliances entre souverains, mais la complétaient par des dispositifs juridiques de plus en plus sophistiqués.

• *Les premiers plans d'organisation* entre États en vue d'objectifs communs expriment tous cette logique d'alliance.

L'un des plus anciens, celui de Pierre Dubois en 1305, prône l'unité de la république chrétienne et la paix perpétuelle de tous les catholiques par l'arbitrage et les procédures judiciaires dans un but bien précis : reprendre la Croisade. Sans ambages, le plan s'intitule «*De recuperatione Terrae sanctae*».

Un siècle et demi plus tard (1464), le roi de Bohême, George de Pobiebrad, soumet à Louis XI un véritable plan de sécurité collective sous forme d'«organisation laïque de souverains» : dix ans après la prise de Constantinople, il s'agit d'organiser la défense de l'Europe contre les Turcs. Le roi de France accepte l'alliance mais repousse le projet d'organisation.

Le «Grand Dessein» d'Henri IV exposé dans les Mémoires de Sully (1638) propose un vaste remaniement territorial. L'Europe serait divisée entre 15 potentats de puissance comparable se réunissant en Conseil général dans la tradition des amphictyonies grecques. Le souci d'abaisser la Maison d'Autriche par une action concertée de la France et de l'Angleterre n'est certainement pas absente de ce Grand Dessein.

L'un des projets les plus connus, celui de l'abbé de Saint-Pierre (auquel François Mitterrand ne dédaignait pas de faire allusion quand il présentait sa politique européenne) est un *Projet pour rendre la paix perpétuelle en Europe* (1713). Il préfigure ce que sera l'esprit de la SDN deux siècles plus tard : garantie réciproque du *statu quo* territorial, action de l'ensemble des participants contre toute agression dont l'un d'entre eux serait victime. Les fauteurs de trouble ne doivent plus avoir d'intérêt à faire la guerre. L'abbé de Saint-Pierre vient de participer au congrès d'Utrecht marquant la fin de la guerre de succession d'Espagne. La France est affaiblie militairement face à la Hollande; sur le plan économique, elle doit abandonner ses avantages tarifaires; sur le plan politique, sa défaite consacre la suprématie de l'Angleterre en Europe. Le *Projet de paix perpétuelle en Europe* est d'abord un désaveu de la politique de Louis XIV.

Beaucoup d'autres plans individuels ont été imaginés pour définir des structures politiques nouvelles permettant d'organiser la société des États de façon à sauvegarder la paix (Czartoryski, Saint-Simon et Augustin Thierry, Emmanuel Kant, Ernest Renan, etc.). Tous étaient proposés dans un contexte politique bien précis pour répondre à des menaces clairement identifiées.

Les débuts de l'action concertée

Le système européen chercha longtemps son équilibre dans un jeu quasi mécanique d'alliances provisoires, de guerres localisées et d'accords précaires. Aux XVIIe et XVIIIe siècles, les parties belligérantes prirent l'habitude de réunir leurs plénipotentiaires en congrès et de poursuivre sur le terrain diplomatique l'affrontement commencé par les armes. Les travaux se déroulaient en trois phases bien établies : armistice, puis «préliminaires de paix» et enfin «traité définitif» (ce qui n'est guère différent de la façon dont se négocie la fin des conflits à notre époque).

Les grands congrès des XVIIe et XVIIIe siècles, précurseurs de nos modernes conférences de la paix, modelèrent la carte de l'Europe au terme de négociations souvent très longues (cinq ans pour les traités de Westphalie). Ils construisirent également le système international moderne. L'État nation a triomphé en Europe comme mode d'organisation politique et défini les principes d'un nouvel ordre international fondé sur les trois attributs majeurs de la logique étatique : monopole de la violence légitime, souveraineté, territorialité. Parti d'Europe, le modèle allait être exporté partout dans le monde avec plus ou moins de succès.

• *Le Concert européen.* À l'issue des grands bouleversements occasionnés par la Révolution française et les guerres napoléoniennes, il apparaît que l'ordre européen doit être fondé sur l'équilibre de la puissance et que cet équilibre requiert d'être géré. À partir de 1815, les premières expériences d'action concertée dans le domaine politique connaissent un début d'institutionnalisation avec le Directoire européen et le Concert européen (1815-1914). Ce système très souple organise la délibération en commun des cinq grandes puissances européennes (Autriche, Angleterre, Russie, Prusse, France) auxquelles s'adjoindra l'Italie à partir de 1875. Ce « syndicat intermittent » (Stanley Hoffmann) ne constitue pas à proprement parler une organisation : il n'a pas de structure, pas de lieu de réunion fixe, pas de périodicité. Les seuls mécanismes en sont un « Congrès » et une « Conférence des ambassadeurs » qui ne fonctionnent que lorsque les Grands jugent la conciliation utile pour faire régner un ordre étroitement identifié à leurs intérêts. Il faudra que se produise la Première Guerre mondiale pour que soit créée une organisation internationale permanente, à vocation générale et universelle, organisant l'action collective.

• *Les associations privées internationales.* La même période connut l'essor considérable des associations privées internationales. Alors que l'on comptait 37 organisations intergouvernementales en 1909, il existait 176 organisations non gouvernementales (ONG) en cette même année (*Annuaire des Organisations internationales*). Les plus nombreuses revêtaient un caractère essentiellement professionnel et scientifique, sans être pour cela « dénationalisées ». Au contraire, loin d'être unis dans une quelconque internationale de savants ou d'hommes de l'art, leurs membres y poursuivaient des controverses reproduisant les clivages nationaux exacerbés par les conflits entre Européens. Dans le même temps, d'autres associations, délibérément politiques, cherchaient à créer des mouvements de solidarité internationale pour changer les règles du jeu politique et social : la Ire Internationale (alors appelée l'« Association internationale des travailleurs ») voit le jour en 1864 et se veut « le parti mondial du travail ». L'internationalisme comme idéologie prend forme à cette époque. Il remet en cause la toute-puissance des nations dans le domaine social, économique et juridique et cherche à lui opposer l'action conjuguée d'hommes et de femmes venus de tous les pays.

• *Les unions administratives.* Dans le domaine technique, l'action concertée entre États s'est développée dès le milieu du XIXe siècle, avec une accélération manifeste après la guerre de 1870. Un véritable réseau de services internationaux d'intérêt commun s'est mis en place sous forme d'unions, de bureaux ou d'offices, au point que l'on parle de cette époque comme du « temps de l'administration internationale ». Le progrès des communications a fait naître plusieurs associations d'États : l'Union télégraphique internationale déjà mentionnée (1865) ; l'Union générale des postes (1874) qui deviendra l'Union postale universelle (1878) ; l'Union internationale pour le transport des marchandises par chemin de fer. Dans le même temps, l'accélération des communications internationales et le raffermissement de la colonisation en Afrique et en Asie ont produit des mouvements de personnes d'une ampleur jamais connue. De nouveaux problèmes de santé publique se sont posés. Le souci d'enrayer la diffusion des maladies tropicales et des maladies infectieuses a conduit à créer un Office international d'hygiène publique (1907) ayant pour mission de recueillir et de diffuser toutes les informations connues sur le choléra, la peste et la fièvre jaune. En cette période d'intense circulation, il a fallu aussi penser à protéger la création intellectuelle : une Union internationale pour la protection de la propriété industrielle sera créée en 1883, suivie par l'Union pour la protection de la propriété littéraire et artistique en 1884. L'accroissement de l'activité industrielle entraîne la nécessité d'harmoniser les instruments de mesure : un Bureau international des poids et mesures est créé en 1875 et deviendra l'Union pour le système métrique. Le développement des transports rend nécessaire une information sur les conditions météorologiques : une Union météorologique internationale est créée en 1878.

Beaucoup de ces services, appelés « unions administratives », se structurent progressivement jusqu'à devenir de véritables organisations, avec des organes devenus quasi permanents et une bureaucratie composée de fonctionnaires nationaux mis à leur disposition par les États membres. Ils seront transformés en « institutions spécialisées » après 1945.

LA SOCIÉTÉ DES NATIONS

Une prolifération naissante

Lorsque la Société des Nations vit le jour, en 1919, il y eut des velléités pour mettre de l'ordre dans cette prolifération naissante et demander aux parties contractantes de placer tous les bureaux internationaux existants sous l'autorité de la nouvelle organisation (art. 24). Les États membres s'en gardèrent bien. L'article 24 du pacte de la Société des Nations prévoyait aussi que tous les bureaux et commissions pour le règlement des affaires d'intérêt international créés à l'avenir seraient placés sous l'autorité de la Société et que leurs dépenses seraient incluses dans celles du secrétariat de la SDN. Cet article ne fut pas appliqué. En bonne logique bureaucratique, les unions administratives voulaient conserver leur autonomie et leur spécificité. De leur côté, les États-Unis, qui faisaient partie de plusieurs organisations techniques, mais n'étaient pas membres de la SDN, ne souhaitaient pas voir ces services intégrés dans les mécanismes de la Société des Nations. Enfin, dans leur ensemble, les États membres craignaient une augmentation des dépenses budgétaires de la SDN et, surtout, un affaiblissement de leurs compétences nationales par l'intervention d'organismes internationaux trop puissants.

Pourtant, en vertu d'un article conférant à la Société et à ses membres de vagues missions d'ordre économique et social (art. 23), la SDN multiplia les commissions et organisations techniques dans différents domaines : communications et transit, coopération intellectuelle, hygiène, contrôle des stupéfiants. L'activité fut débordante. La SDN attira sur les bords du lac Léman tout ce qui comptait dans le domaine de la politique, de l'art et de la science dans un tourbillon diplomatico-mondain dont les lettres de Bela Bartok et le roman d'Albert Cohen, *Belle du Seigneur*, ont donné de savoureux échos. Malgré cette effervescence, la coopération économique et sociale resta pourtant rudimentaire. Les institutions techniques de la SDN faisaient surtout de la collecte et de l'échange d'informations. Elles s'intéressaient à quelques domaines étroitement circonscrits : traite des femmes et des enfants, trafic des publications obscènes, protection des réfugiés (office Nansen), trafic de l'opium. Les gouvernements ne leur prêtaient qu'une attention distraite.

Le lien entre l'action politique pour la paix et la nécessité d'en construire les fondements économiques et sociaux ne restait pas inaperçu, mais les États n'étaient pas prêts à organiser le minimum de solidarité internationale requis, notamment dans le domaine monétaire et commercial. L'avancée la plus notable pendant cette période se trouve dans le domaine financier où, pour régler le double problème des réparations allemandes et des dettes interalliées accumulées pendant la Première Guerre, fut créée la Banque des règlements internationaux (BRI). Les opérations de cet établissement financier international installé à Bâle, en territoire suisse, débutèrent au printemps 1930 dans le cadre du plan Young, destiné à faciliter le règlement des réparations stipulées par le traité de Versailles. La BRI devait servir de mandataire pour la perception des annuités de réparation versées par les vaincus et pour leur répartition entre les créanciers. Elle devait gérer les emprunts internationaux émis pour permettre une mobilisation partielle de cette dette et rétablir ainsi les circuits de crédit international. Sa contribution au fonctionnement des paiements internationaux et sa remarquable capacité d'adaptation jusqu'à nos jours lui ont donné une place importante dans le dispositif de coopération entre les autorités monétaires des grands pays industrialisés (voir p. 130).

Un type nouveau d'organisation politique

Malgré ses faiblesses et son incapacité à gérer les crises économiques et monétaires qui allaient entraîner un second cataclysme mondial, la Société des Nations a marqué un tournant décisif dans l'histoire de l'organisation internationale. Elle a été la première tentative dans l'histoire de l'humanité pour faire fonctionner une organisation politique des États dotée d'organes permanents, à compétence générale et vocation universelle.

• *Une organisation politique fondée sur le droit et la morale.* Si l'expression « Société des Nations » (1909) est née de l'imagination du diplomate français Léon Bourgeois, la création de la Société des Nations est due à l'obstination du président américain Woodrow Wilson. Dès janvier 1918, celui-ci avait exposé son programme pour la paix dans le 14e point d'un discours demeuré célèbre : « Une association générale des nations devra être formée en vertu de conventions formelles dans le but d'apporter des garanties réciproques d'indépendance politique et d'intégrité territoriale aux petits comme aux grands États ». Pour la première fois dans l'histoire, le chef d'État d'un grand pays prétendait fonder la politique étrangère et la sécurité internationale non plus sur les jeux de puissance et de domination appuyés par des coalitions militaires *ad hoc*, mais sur le droit et la morale appuyés par l'opinion publique.

L'esprit de l'organisation internationale installée à Genève au lendemain de la Première Guerre mondiale est un mélange inédit de *Realpolitik* et d'idéalisme juridique. Comme la Sainte Alliance et le Concert européen avant elle, la Société des Nations succède à une coalition victorieuse pendant la guerre. Le pacte de la SDN est incorporé aux traités de paix de 1919-1920 (traités de Versailles, de Saint-Germain, de Trianon, de Sèvres) qui bouleversent de fond en comble la carte de l'Europe, disloquent l'Empire austro-hongrois, démantèlent l'Empire turc, répartissent les populations, redécoupent les territoires. La nouvelle organisation doit permettre de garantir les frontières et le *statu quo* en Europe, d'assurer l'existence et la protection des nouvelles constructions politiques issues des redécoupages territoriaux. Au centre du dispositif : « Les membres de la Société s'engagent à respecter et à maintenir l'intégrité territoriale et l'indépendance politique présente de tous les membres de la Société » (art. 10).

• *Une organisation permanente*. La Société des Nations est la première organisation internationale à compétence générale dotée d'organes permanents : une Assemblée, conférence diplomatique où tous les États membres sont représentés et disposent d'une voix ; un Conseil, sorte de directoire mondial dont la tâche est essentiellement la prévention et la solution des conflits internationaux. À l'origine, la composition du Conseil était de 9 membres, avec cinq sièges permanents pour les principales puissances alliées et associées pendant la guerre (États-Unis, France, Grande-Bretagne, Japon, Italie). Lors de son entrée, en 1926, l'Allemagne exigea et se vit accorder un siège permanent, ce qui amena à créer en compensation un système de sièges semi-permanents (dont les titulaires étaient assurés d'être réélus) pour l'Espagne et la Pologne. Les nécessités de la répartition géographique conduisirent aussi à augmenter le nombre de sièges non permanents. Le Conseil finit par comprendre 14 États de 1926 à 1933 ce qui réduisait d'autant le rôle propre des grandes puissances. Les rédacteurs du Pacte avaient souhaité un système donnant une majorité de sièges aux Grands, mais cette majorité ne fut jamais atteinte. À la veille de la Seconde Guerre mondiale, le Conseil de la SDN ne comportait plus que deux membres permanents.

Le refus du Sénat américain d'autoriser la ratification du traité de Versailles, et donc du pacte de la SDN qui s'y trouvait incorporé, avait porté un coup sévère à la notion de « communauté internationale » en voie d'institutionnalisation. Non seulement la non-participation des États-Unis ôtait beaucoup de crédibilité aux décisions prises par la SDN et à la force dissuasive de son mécanisme de sanctions, mais elle minait la notion même d'universalité. Il n'était pas considéré comme indispensable de faire partie de la nouvelle organisation : l'exemple venait de haut. Plusieurs puissances importantes ne siégèrent que de façon temporaire : l'Allemagne de 1926 à 1933, l'URSS de 1934 à 1939 (pour avoir attaqué la Finlande, elle fit l'objet de la seule mesure d'exclusion prononcée par la SDN). Seize États démissionnèrent, dont le Brésil en 1928, le Japon et l'Allemagne en 1933, l'Italie en

1937. Après être passée par un maximum de 60 États à la fin des années vingt, la SDN ne comptait plus que 44 membres en 1939.

La procédure de vote limitait également les possibilités de la SDN. Pour les questions de fond, en effet, l'unanimité de tous les États représentés à la réunion était requise, aussi bien au Conseil qu'à l'Assemblée. Seule exception à cette règle : dans l'examen d'un conflit soumis au Conseil les voix des États parties ne comptaient pas (art. 15). Cette exigence d'unanimité était la contrepartie de la limitation du droit de se faire la guerre consentie par les États en entrant dans la SDN, une assurance contre les abandons de souveraineté dans cette organisation entièrement novatrice. La Société des Nations restera dans l'histoire, en effet, comme la première tentative institutionnalisée pour définir et représenter l'intérêt commun, garantir la sécurité et prévenir les conflits. Depuis la SDN, la sécurité n'est plus l'affaire des nations individuelles mais celle de tous. Le droit de faire la guerre est limité à la légitime défense. La guerre d'agression est interdite (art. 10 du Pacte). Qu'elle soit licite ou non, la guerre ne peut pas être déclenchée sans qu'aient été respectées quantité de procédures mises au point pour gagner du temps (le «moratoire de guerre») et permettre le règlement pacifique du litige : enquête, médiation, recommandations du Conseil, arbitrage, recours à la Cour permanente de justice internationale.

• *Un mécanisme de sécurité collective.* L'article 16 du Pacte organise un mécanisme de sécurité collective fondé sur la fiction selon laquelle l'atteinte à la sécurité d'un seul entraînera l'intervention de tous : «Si un membre de la Société recourt à la guerre [...] il est *ipso facto* considéré comme ayant commis un acte de guerre contre tous les autres membres de la Société. Ceux-ci s'engagent à rompre immédiatement avec lui toutes relations commerciales ou financières» (art. 16, § 1). Outre ces mesures de blocus économique obligatoires pour chaque État membre, le Pacte donne au Conseil «le devoir de recommander aux divers gouvernements intéressés les effectifs militaires, navals ou aériens par lesquels les membres de la Société contribueront respectivement aux forces armées destinées à faire respecter les engagements de la Société» (art. 16, § 2).

Le pacte de la SDN mettait en place un système complètement nouveau de prévention et de solution des conflits. Son pari — comme plus tard celui de l'ONU — était de renverser les politiques de sécurité traditionnelles par simple injonction juridique. En effet, le système de la sécurité collective prétendait remplacer le jeu classique des rapports de force, de l'équilibre de la puissance et des traités d'assistance mutuelle par une alliance universelle. Une telle doctrine modifiait radicalement la notion d'intérêt national. Celui-ci se confondait avec un intérêt général, abstrait et à long terme, défini de façon très lointaine : faire échec à la violence où qu'elle soit et d'où qu'elle vienne, veiller au respect du droit. La sécurité ne reposait plus sur l'autonomie des choix dans l'appréciation des menaces et les moyens d'y faire face, elle reposait sur l'universalité des perceptions, des valeurs et des objectifs. La SDN devait constituer un système fortement institutionnalisé, avec un cadre d'action préétabli, une rationalité commune, des principes partagés mis en forme dans des dispositions juridiques écrites. Tout était prévu pour faciliter l'« anticipation réciproque ».

En réalité, les États préférèrent avoir recours, comme par le passé, aux méthodes diplomatiques traditionnelles. Les conférences d'ambassadeurs, les traités bilatéraux et les pactes de garantie mutuels paraissaient moins contraignants et bien plus fiables que le nouveau dispositif. Dès 1920, beaucoup d'efforts furent consacrés à assouplir le mécanisme des sanctions pour le rendre moins automatique, plus progressif et sélectif. Jamais la sécurité collective ne fut suffisamment crédible pour dissuader les États d'avoir recours à la force lorsqu'ils estimaient y avoir avantage.

La création de la SDN a beaucoup fait progresser la réflexion théorique sur la notion de sécurité collective. Elle n'a pas réussi à transformer cette idée abstraite en application concrète. Pendant ses dix premières années, la Société des Nations eut à son crédit plusieurs réalisations honorables dont aucune ne relevait de la sécurité collective : règlement de l'affaire des îles d'Aaland où le Conseil a recommandé et fait accepter, en 1921, que la souveraineté reste à la Finlande mais que la minorité suédoise vivant sur ces îles ait des droits garantis; dénouement d'une crise frontalière gréco-bulgare, en 1925, où le Conseil a proposé une solution équitable acceptée par les deux parties; administration de la Sarre et de la ville libre de Dantzig. Tous ces cas ont constitué des précédents auxquels il est encore fait référence de nos jours lorsque des solutions sont cherchées pour des besoins similaires de protection des minorités, de règlement territorial ou d'administration internationale. Ils ont marqué la « grande époque genevoise » et contrebalancé les échecs flagrants de la SDN pendant la même période : guerre russo-polonaise en 1920, avancée des Serbes en Albanie la même année, réoccupation de la Ruhr par les troupes franco-belges en 1923. Jamais la SDN n'a pu intervenir dans ces conflits : ils avaient commencé et s'étaient achevés avant même qu'elle ait commencé à réagir.

À partir de 1931, la dégradation rapide de la situation internationale va condamner l'idée même de Société des Nations. Lorsque le Japon occupe militairement la Mandchourie pour y créer un État fantoche, le Mandchoukouo, la SDN hésite et tergiverse. Il faut attendre deux ans pour que l'Assemblée adopte une déclaration, très défavorable aux thèses japonaises. Le Japon quitte immédiatement l'organisation (février 1933). Le Conseil n'ose pas réagir. Les sanctions prévues en cas d'agression ne sont pas évoquées. Elles ne le seront qu'une seule fois, contre l'Italie, après l'invasion de l'Éthiopie en 1935. Encore ne s'agit-il pas d'une pleine application de l'article 16. Les mesures ne sont pas décidées sur une base collective et obligatoire, elles sont prises sur une base individuelle et facultative, chacun en décidant comme il l'entend. Elles restent limitées et insuffisantes pour impressionner Mussolini.

Venant après l'affaire de Mandchourie, ce second échec grave de la SDN devant des agressions flagrantes sape définitivement la crédibilité de l'organisation. Par la suite, elle se montrera complètement dépassée par les événements. Elle n'apportera aucun soutien efficace aux républicains espagnols pendant la guerre civile. Les différentes étapes de l'avancée hitlérienne en Europe ne susciteront aucune réaction de sa part. La seule mesure spectaculaire pendant cette course vers l'abîme sera l'exclusion de l'URSS, le 11 décembre 1939, pour son attaque contre la Finlande. Trois mois plus tôt, la France et la Grande-Bretagne avaient officiellement déclaré la guerre à l'Allemagne.

Des innovations décisives

Ces insuffisances et ces échecs ne sauraient faire oublier les transformations décisives apportées par la SDN dans la vie internationale. La Société des Nations a introduit une forme nouvelle de diplomatie multilatérale institutionnalisée dont la pratique ne disparaîtra plus. Elle a marqué la première tentative pour transférer à la communauté des États agissant de façon collective dans un cadre institutionnel une partie du pouvoir politique jusque-là exercé de façon autonome par chacun des États. Contrairement à ce qu'on aurait pu croire, la faillite globale de cette première expérience et le déclenchement de la guerre n'ont pas condamné l'idée d'une organisation universelle à vocation générale. La SDN n'a été liquidée juridiquement qu'en avril 1946, après avoir coexisté six mois avec l'Organisation des Nations unies dessinée pour la remplacer. Son héritage reste important.

• *La fonction publique internationale*. Première organisation à vocation politique dotée d'organes permanents, la Société des Nations a jeté les bases de la fonction publique internationale. À la différence des secrétariats des conférences internationales, destinés à disparaître avec l'achèvement des conférences, ou des bureaux des unions administratives composés d'effectifs légers appartenant à l'administration des États, le secrétariat de la SDN est un organe permanent établi au siège de la Société. Le premier secrétaire général avait été désigné par les négociateurs du traité de Versailles : sir Éric Drummond, un diplomate écossais, resta treize ans à la tête du secrétariat international (1920-1933). Un Français de piètre envergure lui succéda, Joseph Avenol. Contraint de démissionner en septembre 1940 pour ses sympathies à l'égard de l'« ordre nouveau » hitlérien, il fut remplacé *de facto* par son adjoint irlandais, Sean Lester, dont le principal mérite fut d'assurer la survie de la SDN avec l'adoption d'un budget pour 1941 et le transfert des activités économiques et financières de la Société à l'université de Princeton.

Le pacte de la Société des Nations ne disait rien sur l'indépendance des fonctionnaires internationaux. Dès le début, le petit groupe de fonctionnaires composé d'hommes de premier plan dévoués à l'esprit de la SDN fit admettre que son activité devait répondre à l'intérêt de l'organisation et que ses membres devaient être indépendants de leur gouvernement. La forte influence de la France et de la Grande-Bretagne, pays dotés d'une longue tradition de service public, favorisait l'apparition de cette idée tout à fait neuve d'une fonction publique indépendante agissant dans l'intérêt international. À partir de 1932, l'Assemblée de la SDN fit prêter à tous les fonctionnaires entrant en fonction un serment de loyauté à l'égard de la Société et d'indépendance vis-à-vis de leur propre gouvernement. La notion de fonction publique internationale était consacrée.

• *L'assistance technique*. Avec la Société des Nations s'est aussi développé un élément nouveau et révolutionnaire dans les relations internationales : l'assistance technique. La terminologie est encore floue, on parle de « coopération non politique », de « coopération économique et sociale », mais la pratique s'instaure bel et bien. Toutes les commissions et organisations techniques de la SDN s'engagent dans des missions d'assistance en mettant des experts à la disposition des gouvernements qui en font la demande pour la réalisation de tâches précises. Ces missions d'assistance technique donnent à l'organisation genevoise la dimension universelle qui lui manque dans le domaine de la sécurité. L'Organisation d'hygiène de la SDN aide les administrations sanitaires d'un grand nombre de pays en Asie et en Amérique latine. L'Organisation économique et financière lance des emprunts pour aider le reclassement des réfugiés en Grèce et en Bulgarie, aide à la restauration financière en Autriche et en Hongrie, réalise des réformes monétaires en Estonie. Les plus grosses opérations ont lieu en Chine, entre 1931 et 1940, où toutes les organisations techniques de la SDN sont présentes pour apporter une aide massive et sans précédent. Ainsi que le souligne Victor-Yves Ghebali : « L'entreprise contribua, dans une certaine mesure, à la modernisation de la Chine ; jusqu'au bout ce pays y attacha d'ailleurs une grande importance, car elle représentait un substitut à l'assistance politique et militaire que les gouvernements ne pouvaient ou ne voulaient pas lui accorder dans sa lutte contre l'agression du Japon ».

Cette présence de l'organisation internationale comme nouvel acteur sur la scène mondiale introduit un personnage nouveau dans les rapports internationaux : l'« expert » technique. Plus généralement, elle s'accompagne d'une participation accrue des acteurs privés dans la coopération multilatérale. Le lien très étroit entre associations internationales privées et organisations intergouvernementales que nous constatons aujourd'hui a toujours existé. La coopération privée a souvent précédé la coopération publique et en a été à l'origine. Ainsi :

– dans le domaine humanitaire : l'assistance internationale aux réfugiés, par exemple, a d'abord été le fait d'organisations privées. Lorsque fut institué un haut-commissaire de la SDN, en 1921 (Fridtjof Nansen), il était assisté conjointement par une Commission intergouvernementale et par un Comité consultatif des organisations privées ;

– dans le domaine technique : il était admis que des opérateurs privés siègent à côté des administrations publiques, ce qui était le cas dans l'Union internationale des communications, par exemple ;

– et surtout, dans le domaine social : l'histoire et la composition de l'Organisation internationale du travail (OIT) sont remarquables à cet égard. Les organisations ouvrières et les conférences syndicalistes interalliées qui se tinrent tout au long de la Première Guerre mondiale jouèrent un rôle déterminant dans la création de cette institution. La Fédération américaine du travail

(*American Federation of Labor*) appuyée par la CGT française et les syndicats britanniques fut particulièrement influente et obtint que la Conférence de la paix de 1919 établisse, dès sa seconde séance, une Commission de la législation internationale du travail chargée de créer une institution permanente intégrée dans la Société des Nations. L'objectif était d'améliorer la condition des ouvriers et d'assurer la protection légale des travailleurs. Dans l'esprit de Samuel Gompers, le puissant *leader* de l'AFL qui présidait la Commission, il s'agissait aussi, et surtout, d'uniformiser les conditions de travail de façon à éviter les distorsions créées par les différences de rémunération dans la compétition internationale (Déjà !).

La création de l'Organisation internationale du travail a fait partie du règlement de paix de 1919-1920 et la constitution de l'OIT a été insérée dans le traité de Versailles. Les États-Unis y participèrent sans pourtant rentrer dans la SDN. L'OIT fut plus proche de l'universalité que ne le fut jamais l'institution à laquelle elle était rattachée. Sous la direction d'une personnalité de forte envergure, Albert Thomas, son secrétariat (le Bureau international du travail, BIT) eut un rayonnement considérable.

Outre son statut et son histoire originale, l'OIT présente une caractéristique révolutionnaire pour l'époque et sans exemple jusqu'à présent : elle permet la représentation directe des catégories sociales intéressées. La composition de l'OIT est tripartite : à côté des représentants gouvernementaux siègent les représentants des employeurs et les représentant des travailleurs. Cette structure rompt de façon radicale avec les formules classiques de représentation diplomatique. Elle est restée exceptionnelle.

L'expérience accumulée par l'institution genevoise et ses différents services techniques et organismes spécialisés a été largement prise en compte dans l'élaboration des nouveaux schémas imaginés entre 1942 et 1945 par les nations en guerre contre l'Axe pour reconstruire un ordre politique, économique et social dans l'après-guerre.

4 La mise en place d'une organisation du monde

Presque toutes les grandes organisations internationales universelles ou régionales que nous connaissons aujourd'hui ont été fondées entre 1945 et 1960. Cette période fut une phase de construction et d'institutionnalisation tout à fait exceptionnelle, avec un effort sans précédent d'organisation du monde. Il s'agissait d'abord de mettre en place un vaste réseau de coopération intergouvernementale conçu avant même la fin des hostilités puis, très rapidement, de le compléter par des dispositifs de sécurité et de coopération régionales rendus nécessaires par la rivalité opposant les deux blocs à l'échelle mondiale dès 1947.

DES ORGANISATIONS À VOCATION UNIVERSELLE...

Loin de freiner la marche en avant de la coopération intergouvernementale, la Seconde Guerre mondiale a au contraire accéléré la multiplication des organisations internationales. Dès 1941, et pendant toute la guerre, les administrations des puissances alliées ont préparé un maillage institutionnel très serré de la vie internationale qui devait permettre, la paix revenue, de prolonger l'alliance du temps de guerre pour organiser de façon concertée le secours aux populations, le relèvement des économies européennes en ruine et la reconstruction d'un ordre mondial pacifique et plus stable.

Au lendemain de Pearl Harbour, les États-Unis entreprenaient de faire adopter par toutes les nations engagées dans la guerre contre les puissances de l'Axe une « Déclaration des nations unies » (1er janvier 1942) par laquelle les gouvernements signataires s'engageaient à poursuivre ensemble le combat jusqu'à la victoire finale, sans conclure d'armistice ou de paix séparée, et à construire un système de sécurité après la guerre. Cette déclaration d'alliance signée par 26 nations allait donner son nom à la future organisation mondiale. Mois après mois, nonobstant la fureur des combats et le fracas des armes, les conférences interalliées ont réuni experts et fonctionnaires des nations unies pour jeter les bases des organisations de l'après-guerre :

– La Conférence des ministres alliés de l'éducation se réunit périodiquement à Londres, à partir de 1942, pour tenter de venir en aide aux nations dont le système d'éducation a été détruit : elle préfigure l'UNESCO (Organisation des Nations unies pour l'éducation, la science et la culture).

ÉTATS MEMBRES DES NATIONS UNIES (184 États membres au 1er avril 1994)

Pays	Date d'admission	Pays	Date d'admission	Pays	Date d'admission
Afghanistan	19 nov. 1946	France	24 oct. 1945	Pakistan	30 sept. 1947
Afrique du Sud	7 nov. 1945	Gabon	20 sept. 1960	Panama	13 nov. 1945
Albanie	14 déc. 1955	Gambie	21 sept. 1965	Papouasie-	
Algérie	8 oct. 1962	Géorgie	31 juil. 1992	Nouvelle-Guinée	10 oct. 1975
Allemagne	18 sept. 1973	Ghana	8 mars 1957	Paraguay	24 oct. 1945
Angola	1er déc. 1976	Grèce	25 oct. 1945	Pays-Bas	10 déc. 1945
Antigua-et-Barbuda	11 nov. 1981	Grenade	17 sept. 1974	Pérou	31 oct. 1945
Arabie saoudite	24 oct. 1945	Guatemala	21 nov. 1945	Philippines	24 oct. 1945
Argentine	24 oct. 1945	Guinée	12 déc. 1958	Pologne	24 oct. 1945
Arménie	2 mars 1992	Guinée-Bissau	17 sept. 1974	Portugal	14 déc. 1955
Australie	1er nov. 1945	Guinée équatoriale	12 nov. 1968	Principauté de Monaco	28 mai 1993
Autriche	14 déc. 1955	Guyana	20 sept. 1966	Qatar	21 sept. 1971
Azerbaïdjan	2 mars 1992	Haïti	24 oct. 1945	Rép. centrafricaine	20 sept. 1960
Bahamas	18 sept. 1973	Honduras	17 déc. 1945	Rép. de Corée	17 sept. 1991
Bahreïn	21 sept. 1971	Hongrie	14 déc. 1955	Rép. de Moldova	2 mars 1992
Bangladesh	17 sept. 1974	Îles Marshall	17 sept. 1991	Rép. démocratique	
Barbade	9 déc. 1966	Îles Salomon	19 sept. 1978	populaire de Corée	17 sept. 1991
Bélarus	24 oct. 1945	Inde	30 oct. 1945	Rép. dominicaine	24 oct. 1945
Belgique	27 déc. 1945	Indonésie	28 sept. 1950	Rép. démocratique	
Belize	25 sept. 1981	Iran	24 oct. 1945	populaire lao	14 déc. 1955
Bénin	20 sept. 1960	Iraq	21 déc. 1945	Rép. slovaque	19 janv. 1993
Andorre	28 juil. 1993	Irlande	14 déc. 1955	Rép. tchèque	19 janv. 1993
Bhoutan	21 sept. 1971	Islande	19 nov. 1946	Rép. Unie	
Bolivie	14 nov. 1945	Israël	11 mai 1949	de Tanzanie	14 déc. 1961
Bosnie-Herzégovine	22 mai 1992	Italie	14 déc. 1955	Roumanie	14 déc. 1955
Botswana	17 oct. 1966	Jamaïque	18 sept. 1962	Royaume-Uni	24 oct. 1945
Brésil	24 oct. 1945	Japon	18 déc. 1956	Rwanda	18 sept. 1962
Brunéi Darussalam	21 sept. 1984	Jordanie	14 déc. 1955	Saint-Kitts-et-Nevis	23 sept. 1983
Bulgarie	14 déc. 1955	Kazakhstan	2 mars 1992	Sainte-Lucie	18 sept. 1979
Burkina Faso	20 sept. 1960	Kenya	16 déc. 1963	Saint-Marin	2 mars 1992
Burundi	18 sept. 1962	Kirghizistan	2 mars 1992	Saint-Vincent-	
Cambodge	14 déc. 1955	Koweït	14 mai 1963	et-les-Grenadines	16 sept. 1980
Cameroun	20 sept. 1960	Lesotho	17 oct. 1966	Samoa	15 déc. 1976
Canada	9 nov. 1945	Lettonie	17 sept. 1991	Sao Tomé-et-Principe	16 sept. 1975
Cap Vert	16 sept. 1975	Liban	24 oct. 1945	Sénégal	28 sept. 1960
Chili	24 oct. 1945	Liberia	2 nov. 1945	Seychelles	21 sept. 1976
Chine	24 oct. 1945	Libye	14 déc. 1955	Sierra Leone	27 sept. 1961
Chypre	20 sept. 1960	Liechtenstein	18 sept. 1990	Singapour	21 sept. 1965
Colombie	5 nov. 1945	Lituanie	17 sept. 1945	Slovénie	22 mai 1992
Comores	12 nov. 1975	Luxembourg	24 oct. 1945	Somalie	20 sept. 1960
Congo	20 sept. 1960	Madagascar	20 sept. 1960	Soudan	12 nov. 1956
Costa Rica	2 nov. 1945	Malaisie	17 sept. 1957	Sri Lanka	14 déc. 1955
Côte d'Ivoire	20 sept. 1960	Malawi	1er déc. 1964	Suède	19 nov. 1946
Croatie	22 mai 1992	Maldives	21 sept. 1965	Suriname	4 déc. 1975
Cuba	24 oct. 1945	Mali	28 sept. 1960	Swaziland	24 sep. 1968
Danemark	24 oct. 1945	Malte	1er déc. 1964	Syrie	24 oct. 1945
Djibouti	20 sept. 1977	Maroc	12 nov. 1956	Tadjikistan	2 mars 1992
Dominique	18 déc. 1978	Maurice	24 avr. 1968	Tchad	20 sept. 1960
Égypte	24 oct. 1945	Mauritanie	27 oct. 1961	Thaïlande	16 déc. 1946
El Salvador	24 oct. 1945	Mexique	7 nov. 1945	Togo	20 sept. 1960
Émirats arabes unis	9 déc. 1971	Mongolie	27 oct. 1961	Trinité-et-Tobago	18 sept. 1962
Équateur	21 déc. 1945	Mozambique	16 sept. 1975	Tunisie	12 nov. 1956
Érythrée	28 mai 1993	Myanmar	19 avr. 1948	Turkménistan	2 mars 1992
Espagne	14 déc. 1955	Namibie	23 avr. 1990	Turquie	24 oct. 1945
Estonie	17 sept. 1991	Népal	14 déc. 1955	Ukraine	24 oct. 1945
États fédérés		Nicaragua	24 oct. 1945	Uruguay	18 déc. 1945
de Micronésie	17 sept. 1991	Niger	20 sept. 1960	Vanuatu	15 sept. 1981
États-Unis	24 oct. 1945	Nigéria	7 oct. 1960	Venezuela	15 nov. 1945
Éthiopie	13 nov. 1945	Norvège	27 nov. 1945	Viêt-nam	20 sept. 1977
Ex-République Yougoslavie		Nouvelle-Zélande	24 oct. 1945	Yémen	30 sept. 1947
de Macédoine	8 avr. 1993	Oman	7 oct. 1971	Yougolsavie	24 oct. 1945
Fédération de Russie	24 oct. 1945	Ouganda	25 oct. 1962	Zaïre	20 sept. 1960
Fidji	13 oct. 1970	Ouzbékistan	2 mars 1992	Zambie	1er déc. 1964
Finlande	14 déc. 1955	Monaco	28 mai 1993	Zimbabwe	25 août 1980

– En mai-juin 1943, les États-Unis convoquent à Hot Springs une grande conférence pour discuter les problèmes généraux de l'alimentation et de l'agriculture dans l'après guerre : elle crée une commission intérimaire, ébauche de la future FAO (*Food and Agriculture Organization* — en français Organisation pour l'alimentation et l'agriculture, OAA).

– Dès janvier 1942, des pourparlers entre la Grande-Bretagne, les États-Unis, l'URSS et la Chine jettent les bases d'une organisation internationale pour aider au relèvement des pays dévastés par la guerre : la création de l'UNRRA est décidée à Washington en novembre 1943 (*United Relief and Rehabilitation Administration* — en français Organisation des Nations unies pour le secours et le relèvement).

– Une Conférence internationale du travail se réunit à New York en 1941 au terme de laquelle l'OIT se met résolument au service des alliés : « La victoire des peuples libres dans la guerre contre l'agression totalitaire est une condition indispensable à la réalisation des idéaux de l'Organisation internationale ». Trois ans plus tard, l'OIT adopte (le 10 mai 1944) la célèbre « Déclaration de Philadelphie », véritable charte sociale pour le monde occidental (l'URSS et les pays du bloc de l'Est ne font pas partie de l'OIT à ce moment-là, ils n'y rentreront qu'en 1954, après la mort de Staline). Ce texte affirme, pour la première fois dans une résolution internationale, le caractère inséparable du social et de l'économie et la primauté du premier sur la seconde. Il énonce, également pour la première fois, le principe de la protection internationale des droits de l'homme. Il met l'accent sur l'interdépendance et la nécessaire solidarité des peuples riches et des peuples pauvres : « La pauvreté, où qu'elle existe, constitue un danger pour la prospérité de tous ». Il préfigure les débats à venir sur l'aide au développement en soulignant que « l'utilisation la plus complète et la plus large des ressources productives du monde » pour le bien commun et le maintien de la paix suppose de « faire progresser l'avancement économique et social des régions dont la mise en valeur est peu avancée ». La Déclaration affirme que ses principes doivent s'appliquer partout, y compris dans les territoires coloniaux : « Leur application aux peuples qui sont encore dépendants aussi bien qu'à ceux qui ont atteint la stade où ils se gouvernent eux-mêmes intéresse l'ensemble du monde civilisé. »

Avec le vocabulaire de l'époque, ce texte résume bien les espérances du moment et les valeurs que le monde occidental prétend incarner.

– Trois mois plus tard, en juillet 1944, les principes devant régir les rapports économiques, monétaires et financiers sont adoptés à leur tour. À Bretton Woods, la Conférence monétaire et financière des Nations unies adopte les statuts du Fonds monétaire international (FMI) et de la Banque internationale pour la reconstruction et le développement (BIRD). Le système retenu entérine la nouvelle hégémonie américaine : il fait du dollar « *as good as gold* » la monnaie internationale et donne aux États-Unis des privilèges exorbitants.

– Enfin, les propositions de Dumbarton Oaks (automne 1944) et la conférence de San Francisco (avril-juin 1945) parachèvent l'œuvre entreprise en créant un nouveau système de sécurité collective confié à l'Organisation des Nations unies.

Les institutions spécialisées de l'ONU

Dès le début, la galaxie des institutions est complexe. Au centre, se trouve l'Organisation des Nations unies qui succède à la SDN. Comme la Société des Nations, l'ONU est dotée d'organes permanents, elle a une vocation universelle, des compétences générales et la responsabilité du maintien de la paix et de la sécurité internationales. Son siège sera situé à New York. Autour, onze institutions spécialisées organisent la coopération intergouvernementale dans les secteurs technique, intellectuel, social et économique. Viendront s'adjoindre un peu plus tard deux filiales de la Banque mondiale (SFI, AID). Ces institutions spécialisées sont créées par des accords intergouvernementaux. Beaucoup résultent de la transformation des anciennes unions administratives comme l'Union postale universelle ou l'Union internationale des communications, ou bien héritent des attributions des offices, bureaux ou comités existant antérieurement : l'Organisation mondiale de la santé, par exemple. Leur structure est généralement tripartite : une assemblée ou conférence générale où siègent les représentants de tous les États membres et votant selon le principe « un État une voix » ; un conseil ou comité exécutif où siègent un nombre restreint d'États et parfois des personnalités indépendantes choisies pour leurs compétences ; un secrétariat ou bureau permanent dirigé par un secrétaire ou directeur général.

Le nouveau système se veut plus centralisé que celui existant *de facto* avant la guerre. La Charte des Nations unies précise que les institutions spécialisées sont « reliées » à l'ONU (art. 57) et que le Conseil économique et social de l'ONU (ECOSOC) peut conclure des accords avec ces institutions fixant les conditions dans lesquelles chacune sera reliée à l'Organisation ; ces accords sont soumis à l'approbation de l'Assemblée générale (art. 63 § 1). L'ECOSOC « peut coordonner l'activité des institutions spécialisées en se concertant avec elles, en leur adressant des recommandations, ainsi qu'en adressant des recommandations à l'Assemblée générale et aux membres des Nations unies » (art. 63 § 2).

Entre 1945 et 1960, treize organisations signent ainsi un accord de liaison avec l'ONU pour entrer dans la catégorie des institutions spécialisées de l'Organisation :

– L'Organisation internationale du travail (OIT), créée en 1919, incorpore la Déclaration de Philadelphie dans sa Constitution en 1944 et se sépare de la SDN. Accord de liaison avec l'ONU le 14 décembre 1946.

– L'Organisation pour l'alimentation et l'agriculture (FAO) entre en vigueur le 16 octobre 1945. Accord avec l'ONU le 14 décembre 1946.

– Le Fonds monétaire international (FMI) entre en vigueur le 27 décembre 1945. Accord avec l'ONU le 15 novembre 1947.

– La Banque internationale pour la reconstruction et le développement (BIRD, plus souvent appelée Banque mondiale) entre en vigueur le 27 décembre 1945. Accord avec l'ONU le 15 novembre 1947.

– L'Organisation des Nations unies pour l'éducation, la science et la culture (UNESCO) entre en vigueur le 4 novembre 1946. Accord avec l'ONU le 14 décembre 1946.

– L'Union postale universelle (UPU), créée en 1878, décide en 1947 de se transformer en institution spécialisée. Accord avec l'ONU le 4 juillet 1947.

– L'Union internationale des télécommunications (UIT), créée en 1932 (succédant à l'Union télégraphique internationale de 1965), décide en 1947 de se transformer en institution spécialisée. Accord avec l'ONU le 1er janvier 1949.

– L'Organisation de l'aviation civile internationale (OACI) entre en vigueur le 4 avril 1947. Accord avec l'ONU le 13 mai 1947.

– L'Organisation mondiale de la santé (OMS) entre en vigueur le 7 avril 1948. Accord avec l'ONU le 10 juillet 1948.

– L'Organisation météorologique mondiale (OMM), créée en 1878, décide en 1950 de se transformer en institution spécialisée. Accord avec l'ONU le 20 décembre 1951.

– L'Organisation intergouvernementale consultative de la navigation maritime internationale (OMCI), décidée par une conférence diplomatique en 1948, entre en vigueur le 17 mars 1958. Accord avec l'ONU le 13 janvier 1959 (deviendra OMI, Organisation maritime internationale, en 1975).

– La Société financière internationale (SFI), affiliée à la Banque mondiale, créée en 1956. Accord avec l'ONU le 19 décembre 1956.

– L'Association internationale pour le développement, affiliée à la Banque mondiale, créée en 1960. Accord avec l'ONU, le 22 décembre 1960.

L'organigramme diffusé par les services de l'ONU (voir encadré p. 76-77) donne l'impression d'une construction rationnelle, maîtrisée et déconcentrée. Il dessine un système avec une autorité centrale à vocation générale à laquelle seraient reliées des organisations sectorielles couvrant les principaux aspects des échanges internationaux. Cette impression est fausse.

Contrairement à ce qui est dit parfois en rationalisant *a posteriori* l'énorme activité déployée en quelques années, la construction de la « famille » des Nations unies n'a pas répondu à un schéma d'ensemble bien défini, inspiré par une vision doctrinale précise des autorités américaines. Elle s'est faite au coup par coup, au gré des impulsions bureaucratiques. Au beau milieu d'un conflit mondial, les responsables politiques n'avaient pas le loisir d'envisager la coopération d'après-guerre dans tous les domaines et dans tous les détails. Leur grand dessein ne fixait que les très grandes lignes sur des points hautement politiques et d'abord le point de savoir s'il fallait ou non reconstruire un système de sécurité collective. Roosevelt ne réussit que difficilement à en convaincre Staline qui n'oubliait pas que l'URSS avait été exclue de la SDN ; l'appui soviétique au projet ne fut donné qu'en octobre 1943 dans la Déclaration de Moscou. La question de savoir s'il fallait reconstruire un ordre international sur des bases mondiales ou régionales fut aussi discutée : face à Churchill qui envisageait plutôt une organisation du monde à partir de blocs régionaux, Roosevelt imposa sa vision d'un ordre planétaire. Ont été aussi négociés au haut niveau : le nombre et la qualité des membres permanents dans le futur Conseil de sécurité ; les modalités d'exercice du droit de veto ; les dispositions relatives aux territoires non autonomes ; la reconnaissance ou la

LE SYSTÈME DES NATIONS UNIES

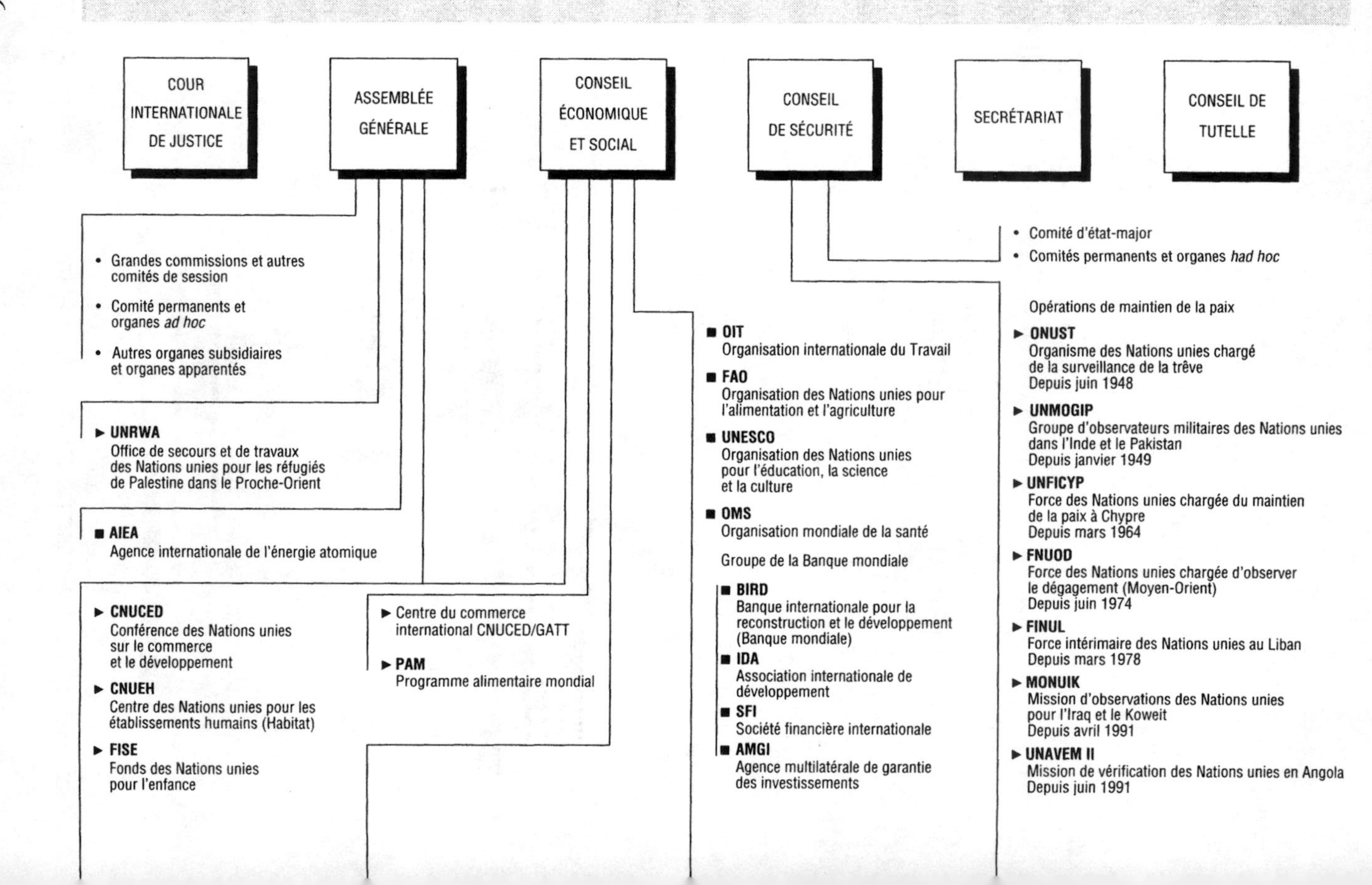

COUR INTERNATIONALE DE JUSTICE
ASSEMBLÉE GÉNÉRALE
CONSEIL ÉCONOMIQUE ET SOCIAL
CONSEIL DE SÉCURITÉ
SECRÉTARIAT
CONSEIL DE TUTELLE
• Grandes commissions et autres comités de session
• Comité permanents et organes *ad hoc*
• Autres organes subsidiaires et organes apparentés
▶ UNRWA Office de secours et de travaux des Nations unies pour les réfugiés de Palestine dans le Proche-Orient
■ AIEA Agence internationale de l'énergie atomique
▶ CNUCED Conférence des Nations unies sur le commerce et le développement
▶ CNUEH Centre des Nations unies pour les établissements humains (Habitat)
▶ FISE Fonds des Nations unies pour l'enfance
▶ Centre du commerce international CNUCED/GATT
▶ PAM Programme alimentaire mondial
■ OIT Organisation internationale du Travail
■ FAO Organisation des Nations unies pour l'alimentation et l'agriculture
■ UNESCO Organisation des Nations unies pour l'éducation, la science et la culture
■ OMS Organisation mondiale de la santé
Groupe de la Banque mondiale
■ BIRD Banque internationale pour la reconstruction et le développement (Banque mondiale)
■ IDA Association internationale de développement
■ SFI Société financière internationale
■ AMGI Agence multilatérale de garantie des investissements
• Comité d'état-major
• Comités permanents et organes *had hoc*
Opérations de maintien de la paix
▶ ONUST Organisme des Nations unies chargé de la surveillance de la trêve Depuis juin 1948
▶ UNMOGIP Groupe d'observateurs militaires des Nations unies dans l'Inde et le Pakistan Depuis janvier 1949
▶ UNFICYP Force des Nations unies chargée du maintien de la paix à Chypre Depuis mars 1964
▶ FNUOD Force des Nations unies chargée d'observer le dégagement (Moyen-Orient) Depuis juin 1974
▶ FINUL Force intérimaire des Nations unies au Liban Depuis mars 1978
▶ MONUIK Mission d'observations des Nations unies pour l'Iraq et le Koweit Depuis avril 1991
▶ UNAVEM II Mission de vérification des Nations unies en Angola Depuis juin 1991

► **FNUAP**
Fonds des Nations unies pour la population

► **HCR**
Haut Commissariat des Nations unies pour les réfugiés

► **INSTRAW**
Institut international de recherche et de formation pour la promotion de la femme

► **PNUCID**
Programme des Nations unies pour le contrôle international des drogues

► **PNUD**
Programme des Nations unies pour le développement

► **PNUE**
Programme des Nations unies pour l'environnement

► **UNITAR**
Institut des Nations unies pour la formation et la recherche

► **UNU**
Université des Nations unies

► **WFC**
Conseil mondial de l'alimentation

► **UNIFEM**
Fonds de développement des Nations unies pour la femme

• **COMMISSIONS TECHNIQUES**
Commission de la condition de la femme
Commission de la population
Commission de la science et de la technique au service du développement
Commission de statistique
Commission des droits de l'homme
Commission des stupéfiants
Commission du développement durable
Commission du développement social
Commission pour la prévention du crime et la justice pénale

• **COMMISSIONS RÉGIONALES**
Commission économique pour l'Afrique (CEA)
Commission économique pour l'Amérique latine et les Caraïbes (CEPALC)
Commission économique pour l'Europe (CEE)
Commission économique et sociale pour l'Asie et le Pacifique (CESAP)
Commission économique et sociale pour l'Asie occidentale (CESAO)

• **COMITÉS DE SESSION ET COMITÉS PERMANENTS**

• **ORGANES D'EXPERTS, ORGANES AD HOC ET ORGANES APPARENTÉS**

■ **FMI**
Fonds monétaire international

■ **OACI**
Organisation de l'aviation civile internationale

■ **UPU**
Union postale universelle

■ **UIT**
Union internationale des télécommunications

■ **OMM**
Organisation météorologique mondiale

■ **OMI**
Organisation maritime internationale

■ **OMPI**
Organisation mondiale de la propriété intellectuelle

■ **FIDA**
Fonds international de développement agricole

■ **ONUDI**
Organisation des Nations unies pour le développement industriel

■ **GATT**
Accord général sur les tarifs douaniers et le commerce

► **ONUSAL**
Mission d'observation des Nations unies en El Salvador
Depuis juillet 1991

► **MINURSO**
Mission des Nations unies pour l'organisation d'un référendum au Sahara occidental
Depuis septembre 1991

► **FORPRONU**
Force de protection des Nations unies
Depuis mars 1992

► **ONUSOM**
Opération des Nations unies en Somalie
Depuis avril 1992

► **ONUMOZ**
Opération des Nations unies au Mozambique
Depuis décembre 1992

► **MONUOR**
Mission d'observation des Nations unies Ouganda-Rwanda
Depuis juin 1993

► **MONUG**
Mission d'observation des Nations unies en Géorgie
Depuis août 1993

► **MINUHA**
Mission des Nations unies en Haïti
Depuis septembre 1993

► **MONUL**
Mission d'observation des Nations unies au Libéria
Depuis septembre 1993

► Programmes et organismes des Nations unies (la liste a uniquement une valeur indicative)

■ Institutions spécialisées et autres organisations autonomes faisant partie du système

• Autres commissions, comités et organes *ad hoc* et organes apparentés

non-reconnaissance des gouvernements provisoires nés pendant la guerre ; la libéralisation des échanges.

Dans ce contexte de guerre, deux facteurs ont été essentiels : la conviction partagée d'un besoin absolu de coopération internationale pour réparer les effets catastrophiques du conflit mondial sur les gens, les infrastructures et les économies ; le rôle dominant des États-Unis et des principes de libéralisme et d'universalité dont ils étaient porteurs dans la mise en place de cette coopération. Pour le reste, la logique bureaucratique l'emporta de loin sur toutes les autres. Les administrations nationales spécialisées à l'intérieur de chaque gouvernement avaient pris l'habitude de se rencontrer au temps de la SDN. Elles continuèrent pendant la guerre et mirent au point les instruments nécessaires à la coopération dans leurs domaines propres sans regarder au-delà. Par la suite, les accords de liaison passés avec l'ONU par les institutions spécialisées marquaient le souci de ne pas rester en marge du grand mouvement d'organisation qui se dessinait, ils ne manifestaient en aucune façon l'acceptation d'un lien de subordination à une quelconque autorité centrale.

Les institutions spécialisées ont une grande autonomie. Leur liaison avec l'ONU se limite souvent à la simple transmission d'un rapport général qui, parfois, ne contient même pas les informations les plus sensibles. Chacune a son siège, sa composition propre, tantôt plus vaste tantôt plus restreinte que celle de l'ONU, son budget alimenté par les contributions de ses membres et parfois des ressources propres, son mode de fonctionnement fixé dans son acte constitutif. Leurs interlocuteurs sont en priorité les départements ministériels intéressés dans chaque État. Cette spécialisation poussée engendre un tel éclatement de la coopération multilatérale qu'il est parfois difficile à un État de défendre une ligne politique cohérente en parlant d'une même voix dans toutes ces institutions.

De toutes les fictions entretenues par l'organigramme des Nations unies, l'appartenance des institutions de Bretton Woods au système de l'ONU est la plus fallacieuse. Tout distingue ces institutions de l'organisation mondiale. Le FMI et la Banque mondiale ont des ressources propres, un système de vote pondéré proportionnel à la fraction du capital souscrit, une structure complexe, un régime spécifique de recrutement, de promotion et de rémunération de leur personnel. Leurs interlocuteurs auprès des gouvernements sont les fonctionnaires des Finances, une élite puissante et traditionnellement à part dans toutes les administrations nationales, qui détermine les orientations des Affaires étrangères beaucoup plus souvent que l'inverse. Les institutions de Bretton Woods sont soumises à leurs actionnaires. Elles fonctionnent sans se soucier des débats onusiens et des états d'âme de l'Assemblée générale de l'ONU ; et lorsque la collaboration s'est enfin établie, dans les années quatre-vingt, elle a surtout marqué le ralliement de l'ensemble du système de l'ONU aux prescriptions du Fonds et de la Banque.

Si l'on prend le mot « système » au sens rigoureux du terme, c'est-à-dire un ensemble d'éléments liés par des interactions de telle sorte que toute modification d'un élément entraîne une modification de certains autres, l'ensemble ainsi constitué n'est pas un système. Plusieurs grandes agences travaillent de façon autonome directement avec les gouvernements et les opérateurs privés intéressés, fortes de leur « expertise » et de leur spécificité, en particulier les organisations techniques (UPU, OMM, etc.). Certaines organisations se sentent plus proches les unes des autres par leur structure, leur mode de fonctionnement, par leur « régime commun » de promotion et de rémunération de leurs fonctionnaires, leur culture bureaucratique. Ce sont elles auxquelles on pense lorsque l'on parle de la « famille » des Nations unies : OIT, UNESCO, FAO, OMS... Le Fonds monétaire et le groupe de la Banque mondiale forment entre eux une autre « famille », influente et légèrement condescendante, « les institutions de Bretton Woods », qui s'apparentent plus aux autres organisations financières internationales (OFI) qu'aux agences de l'ONU.

Dès cette première période, presque tous les secteurs de la coopération internationale sont donc entrés dans la compétence de l'une ou l'autre des institutions des Nations unies. La séparation entre les affaires politiques, confiées à l'ONU, et les domaines sectoriels, confiés aux institutions spécialisées, obéit à des considérations de commodité pour les administrations intéressées, non à une logique intellectuelle d'ensemble. Comme on pouvait s'y attendre, l'interdépendance entre les problèmes a très rapidement soulevé des questions de coordination, d'autant que les organes principaux de l'ONU ont multiplié les « organes subsidiaires » dès 1946. Fonds, programmes, conseils et commissions rattachés à l'Assemblée générale ou à l'ECOSOC ont rapidement proliféré et constitué, avec les institutions spécialisées, un réseau d'une redoutable complexité.

Deux échecs graves de la coopération internationale dans l'immédiat après-guerre, cependant, avaient laissé en suspens deux questions majeures : le contrôle de l'énergie atomique et l'organisation du commerce international. L'un et l'autre ont été partiellement réparés en donnant lieu à deux constructions institutionnelles très particulières.

L'Agence internationale de l'énergie atomique

On sait que les bombes atomiques lancées sur Nagasaki et Hiroshima avaient été mises au point par les efforts conjugués des États-Unis, de la Grande-Bretagne et du Canada (elles ont été lancées les 6 et 9 août 1945, soit six semaines après la signature de la charte de San Francisco). En décembre 1945, les chefs de gouvernements de ces trois pays possesseurs du secret atomique s'étaient réunis afin de proposer une action internationale visant à empêcher l'utilisation militaire de cette arme redoutable. L'une des premières résolutions adoptées par l'Assemblée générale des Nations unies, le 24 janvier 1946, fut pour créer, à l'unanimité, une Commission de l'énergie atomique chargée de déterminer les moyens d'assurer le contrôle de l'énergie nucléaire, empêcher son usage à des fins guerrières et limiter son utilisation à des fins industrielles. Le délégué américain, Bernard Baruch, proposa en juin 1946 la création d'une administration internationale de l'énergie atomique qui allait très loin sur la voie d'un véritable gouvernement mondial. Cette administration devait avoir un droit de contrôle sur toute la production et toute l'utilisation des minerais radioactifs ; elle devait échapper au droit de veto des grandes puissances. Le plan Baruch, dont on ne saura jamais s'il aurait été ratifié par le Sénat américain, fut considéré comme un piège par l'Union soviétique et rejeté par elle. Dans une atmosphère alourdie par la découverte des premiers délits d'espionnage (le gouvernement canadien avait demandé le rappel de l'attaché militaire soviétique), la Commission de l'énergie atomique n'aboutit à aucun résultat et s'ajourna en 1948.

La reconnaissance de l'importance du nucléaire comme source d'énergie potentielle, l'ampleur des risques créés (risques accidentels, détournement possibles de matières fissiles, perspective de guerre nucléaire), l'énormité des moyens à mettre en œuvre pour s'en prémunir imposaient cependant de continuer à rechercher un minimum de coopération internationale. L'initiative fut reprise avec le fameux discours *Atoms for Peace* du président Eisenhower (8 décembre 1953) et soutenue cette fois par l'Union soviétique. Elle aboutit à l'organisation de la 1re conférence internationale des Nations unies sur l'utilisation de l'énergie à des fins pacifiques (Genève, août 1955), puis à la création d'une Agence internationale de l'énergie atomique (AIEA, entrée en vigueur le 29 juillet 1957) par un traité international déposé à Washington que l'URSS fut la première puissance atomique à ratifier. Très rapidement, deux autres organisations de coopération nucléaire ont été créées, dans un cadre régional cette fois : l'Euratom (Communauté européenne de l'énergie atomique, prévue par les traités de Rome, entrée en vigueur le 1er janvier 1958) ; l'Agence européenne pour l'énergie nucléaire de l'OCDE (entrée en vigueur le 1er février 1958). L'une et l'autre se proposaient de favoriser le développement de l'énergie nucléaire civile pour leurs membres.

• *L'AIEA est investie d'une double mission :* 1] favoriser l'accès de tous les pays aux bénéfices de l'énergie atomique ; 2] « s'assurer dans la mesure de ses moyens, que l'aide fournie, à sa demande ou sous sa direction ou sous son contrôle, n'est pas utilisée de manière à servir à des fins militaires » (art. 2 du statut).

Dans une première période, ses activités ont été essentiellement des activités normatives et d'assistance technique. L'AIEA a joué un rôle de premier plan dans la préparation de nombreuses conventions internationales en matière de protection sanitaire, de responsabilité et d'assistance mutuelle en cas d'accident nucléaire. Elle a aidé, et aide encore, les pays en développement à se doter des moyens nécessaires pour appliquer la technologie nucléaire, en médecine notamment. Depuis la chute du mur de Berlin, elle apporte, avec beaucoup d'autres, son aide technique dans le domaine de la sûreté nucléaire aux pays de l'Est.

Depuis l'adoption du Traité de non-prolifération des armes nucléaires (TNP, signé le 8 juillet 1968, en vigueur depuis le 5 mars 1970 pour une période initiale de 25 ans), l'activité majeure de l'Agence est une activité de contrôle. L'AIEA surveille les matières et installations nucléaires des États qui acceptent sa compétence et s'assure de leur utilisation à des fins exclusivement pacifiques. Pour cela, elle met en œuvre un système de « garanties » défini comme « un ensemble de mesures techniques et comptables permettant de déceler rapidement le détournement de quantités significatives de matières nucléaires vers la fabrication d'armes nucléaires» (Simone Courteix). Ces «garanties» sont négociées entre l'AIEA et les États. L'Agence opère des contrôles périodiques par l'intermédiaire d'inspecteurs chargés de visiter les installations nucléaires et de vérifier que les États respectent les garanties.

• *L'AIEA occupe une place à part dans l'ensemble onusien.* Elle ne fait pas partie des institutions spécialisées. Au terme de l'accord passé avec l'ONU, approuvé par l'Assemblée générale le 14 novembre 1957, elle a l'obligation de faire rapport sur ses activités à l'ECOSOC et à l'Assemblée générale. Sa spécificité tient surtout à ses rapports avec le Conseil de sécurité. En effet, l'AIEA a l'obligation de saisir le Conseil de sécurité, gardien de la paix et de la sécurité internationales, de tout constat d'anomalie indiquant qu'il pourrait y avoir «détournement de quantités significatives de matières nucléaires sous garanties, que ce soit pour la fabrication d'armes nucléaires, à d'autres fins militaires, pour la fabrication de tout autre dispositif nucléaire, ou à des fins inconnues». Ce lien direct avec le Conseil de sécurité place l'AIEA au cœur du dispositif international de contrôle des armements et fait des cinq membres permanents du Conseil, tous dotés de l'arme nucléaire, les interlocuteurs principaux de l'Agence. Dans les années récentes, les besoins de contrôle et de vérification en matière de prolifération nucléaire ont redonné à l'AIEA une place importante dans l'organisation des rapports internationaux. C'est ainsi que l'AIEA s'est trouvée au cœur de deux affaires majeures : le dossier irakien et la crise nord-coréenne. À la suite de la guerre du Golfe, le Conseil de sécurité n'a pas seulement chargé l'Agence d'inspecter les installations irakiennes et de faire rapport comme à l'ordinaire. La résolution 687 du 3 avril 1993 oblige l'Irak à placer tous matériaux qui pourraient servir à la production d'armes nucléaires «sous le contrôle exclusif de l'AIEA pour qu'elle en assure la garde et l'enlèvement». Depuis 1991, les inspections des experts de l'AIEA sont devenues un enjeu essentiel dans le maintien ou la levée des sanctions internationales décidées contre l'Irak. De la même façon, les contrôles de l'AIEA ont été au cœur de la crise nucléaire nord-coréenne de 1993-1994. La crise a commencé en mars 1993, lorsque l'AIEA a insisté auprès du gouvernement de la Corée du Nord pour procéder à des «inspections spéciales» sur des sites nucléaires non déclarés qui lui paraissaient suspects. Pyongang a refusé en menaçant de se retirer du TNP. La crise s'est dénouée de façon bilatérale, par un accord négocié entre les États-Unis et la Corée du Nord définissant les modalités d'inspection de l'Agence, qui n'a pu que s'incliner devant les résultats du marchandage.

Ces deux affaires ont donné du lustre à l'Agence en la portant sur le devant de la scène internationale, mais elles ont aussi montré ses limites. D'une part, l'AIEA ne contrôle qu'une partie des matières et installations nucléaires : celles que les États veulent bien déclarer et celles qui touchent à l'industrie nucléaire civile. Elle ne peut contrôler ni le développement de programmes autonomes ni les stocks d'armements nucléaires existants. Son rôle est donc limité. D'autre part, lorsque ce rôle est rehaussé, il est étroitement tributaire des intérêts stratégiques des grandes puissances nucléaires et de leur politique de non-prolifération.

Or, la conférence d'avril-mai 1995 sur la reconduction du TNP a montré encore une fois combien les pays en développement étaient sensibles au caractère « discriminatoire » de cette politique. Entre ceux qui lui reprochent de ne pas être assez « intrusive » et ceux qui la soupçonnent de faire le jeu des puissants, l'AIEA tente de rester, quoi qu'il en soit, un cadre d'échanges et d'expertise privilégié.

L'accord général sur les tarifs douaniers et le commerce : le GATT

Sur le plan économique, la reconstruction d'un ordre mondial après la guerre supposait que trois questions fussent traitées simultanément :

– la question des taux de change : le Fonds monétaire fut créé à cet effet ;

– le financement de la reconstruction des pays dévastés par la guerre : la Banque mondiale devait y pourvoir ;

– l'organisation des échanges internationaux de marchandise : une Organisation internationale du commerce aurait dû compléter le dispositif de Bretton Woods.

En février 1946, à l'initiative des États-Unis, l'ECOSOC, tout nouvellement installé, convoque une conférence mondiale sur le commerce et l'emploi visant à créer une Organisation internationale du commerce. Elle devrait avoir la même structure que les autres institutions spécialisées et se rattacher de la même façon au Conseil économique et social. Le projet a été préparé par l'administration américaine et les plans sont très avancés. La conférence se tient à La Havane et aboutit le 24 mars 1948 à l'adoption d'un acte final, traité longuement négocié, signé par 53 pays, s'intitulant « Charte de La Havane instituant une Organisation internationale du commerce ». Or, cette Charte ne fut jamais ratifiée et l'OIC ne fut jamais créée. Que s'était-il passé?

Trois ans après la fin de la guerre les grandes espérances se sont envolées. La foi dans les vertus des organisations internationales s'est émoussée. La mise en place d'un cadre institutionnel pour la coopération multilatérale n'est, à l'évidence, pas suffisant pour conduire à la paix un monde coupé en deux par l'antagonisme des blocs. Les tenants du multilatéralisme au sein de l'administration américaine ont de plus en plus de mal à se faire entendre. Déjà mal disposé à l'égard de ces « *international welfare boys* », le Congrès américain juge en outre les termes de la charte incompatibles avec ses principes de libéralisme, pas assez fermes vis-à-vis de la politique économique des pays communistes, pas assez sévères dans la condamnation des cartels internationaux, trop dirigistes, trop favorables à l'organisation des marchés des produits de base. Faute de trouver dans le projet une reproduction de la législation commerciale américaine étendue à l'échelle universelle, le Congrès refuse d'approuver le texte. Après deux années de bataille parlementaire, le président Truman retire le projet en décembre 1950. Aucun des États cosignataires n'avait engagé le processus de ratification : tous étaient suspendus à la décision américaine. La charte de La Havane fut enterrée définitivement en 1951.

Mais, parallèlement aux négociations sur l'OIC qui se déroulaient dans le cadre de l'ONU, les États-Unis avaient invité 23 pays à participer à des

« négociations sur la réduction des droits de douane et des autres obstacles au commerce international ». Après sept mois de discussions, à Genève, entre avril et octobre 1947, cette négociation tarifaire multilatérale sans précédent allait conduire à la première baisse concertée des droits de douane de l'histoire, sur un volume d'échanges représentant la moitié du commerce international. Et surtout, les 23 pays engagés dans la négociation décidaient d'adopter un traité devant servir de base au commerce international en attendant l'installation de la future organisation internationale du commerce. Cet Accord général sur les tarifs douaniers et le commerce, le GATT (*General Agreement on Tariffs and Trade*), reprenait une partie déjà rédigée de la charte de La Havane (partie IV, « Politique commerciale ») et inscrivait toute une série de concessions réciproques dans un vaste accord de commerce multilatéral. Il fut signé à Genève le 30 octobre 1947 et entra en vigueur le 1er janvier 1948.

Juridiquement le GATT est un accord, ce n'est pas une organisation ; *de facto*, le GATT a tous les traits d'une organisation internationale, car il a :

– un siège, avec privilèges et immunités ;

– un acte fondateur, l'Accord ;

– des participants, que l'on appelle « parties contractantes », puisqu'il s'agit d'un traité et non pas États membres ;

– une structure propre : la session plénière des parties contractantes qui se réunit une fois par an ; le Conseil des représentants, organe permanent qui gère les affaires courantes, assisté de comités et de groupes de travail sur des questions précises ; un organe de réflexion consultatif ; un secrétariat ;

– un budget propre alimenté par des contributions proportionnelles à la part des signataires dans le commerce mondial ;

– des objectifs : « Assurer la sécurité et la prévisibilité de l'environnement commercial international pour les milieux d'affaires et un processus continu de libéralisation du commerce qui soit propice au développement de l'investissement, à la création d'emplois et à l'expansion des échanges ».

Comme le souligne Daniel Jouanneau : « Si la charte de La Havane avait été approuvée par ses signataires, l'Accord général aurait perdu sa raison d'être. Au contraire, la charte abandonnée, l'Accord général est devenu par la force des choses l'unique cadre multilatéral des échanges internationaux. »

Les circonstances particulières de sa naissance ont toujours placé le GATT à part dans le système multilatéral. Il a été considéré comme l'incarnation même du « multilatéralisme » par rapport au protectionnisme individuel de l'entre-deux-guerres et aux accords de commerce bilatéraux. Ses relations avec l'ONU n'ont jamais été claires. Le statut de son personnel s'aligne sur celui des Nations unies, ce qui l'apparente à la « famille ». D'un autre côté, le GATT n'a pas conclu d'accord avec l'ONU au titre de l'article 63 de la Charte et nous verrons que, sous la pression des pays du tiers monde, les Nations unies ont tenu à se doter de leur propre instance de négociation en matière commerciale, la CNUCED (Conférence des Nations unies pour le commerce et le développement), en concurrence directe avec lui.

... DANS UN BIPOLARISME RIGIDE

L'Amérique est sortie de la guerre comme le grand vainqueur, le banquier du monde et la plus grande puissance exportatrice. Qu'il s'agisse de l'ordre social et de la vision des droits de l'homme (OIT), des principes économiques et monétaires adoptés à Bretton Woods (FMI) et à Genève (GATT), de l'établissement du nouveau système de sécurité collective négocié à San Francisco (ONU), le poids des États-Unis a été prépondérant dans l'organisation du nouvel ordre mondial. Il le reste dans l'évolution de cet énorme réseau institutionnel, en une période bientôt dominée par le conflit Est/Ouest. En face, l'URSS affirme son emprise dans les pays européens que son armée a libérés. Elle étend sa domination dans l'Europe centrale et orientale. Elle impose progressivement aux « démocraties populaires » d'abandonner leur modèle économique national pour s'aligner sur le modèle soviétique. À l'utopie libérale proposée au monde par les États-Unis, elle oppose l'utopie universaliste communiste. Deux mondes s'affrontent dont l'un se dit libre et l'autre défenseur de tous les opprimés. À partir de 1947, tout le dispositif de coopération internationale va être entraîné dans cette « guerre froide ». Loin d'« être un centre où s'harmonisent les efforts des nations vers des fins communes » (Préambule de la Charte des Nations unies), les organisations internationales vont servir d'instrument dans une compétition menée à l'échelle mondiale.

L'hégémonie américaine

Au cours de cette première période (1945-1960 environ), les États-Unis exercent une domination sans partage dans les organisations universelles.

• *Sur le plan idéologique,* ils définissent les principes directeurs de l'action commune et les font adopter par la majorité. Ces principes sont ceux d'un ordre libéral où le jeu de la concurrence et de la libre entreprise est présenté comme la meilleure garantie des droits de l'homme, où la libéralisation des échanges, favorable à la grande puissance exportatrice qu'ils sont devenus, est proposée comme un idéal profitable à tous. Leur capacité de déterminer les valeurs et les critères du souhaitable est sans contrepoids, sauf peut être à l'UNESCO, dans ses premières années. Cette organisation siège à Paris, elle rassemble des intellectuels avec les responsables gouvernementaux et vit encore son projet utopique : être la conscience intellectuelle des Nations unies, changer l'esprit des hommes par l'éducation et la politique par la raison, « les guerres prenant naissance dans l'esprit des hommes, c'est dans l'esprit des hommes que doivent être élevées les défenses de la paix » (Préambule de l'acte constitutif de l'UNESCO). Comme Jacques Maritain, le délégué de la France à la conférence générale de 1947, beaucoup cherchent comment fonder l'action « non pas sur une même conception du monde » qui n'existe pas, mais « sur une commune pensée pratique » à construire. Une telle ambition ne s'accommode pas des idéologies préfabriquées. Les États-Unis obtiendront cependant une modification significative du statut de l'UNESCO en 1954. Selon l'acte constitutif, les membres du Conseil exécutif devaient être un collège de personnalités siégeant en raison de leurs qualités propres au nom de la conférence de l'UNESCO tout entière. Malgré la très vive opposition de la France et de la Belgique, les États-Unis firent adopter une modification du statut faisant des membres du Conseil des délégués des gouvernements. La politisation était en marche…

• *Pendant quinze ans, le poids politique des États-Unis* leur assure un *leadership* incontesté dans le dispositif institutionnel. L'Europe de l'Ouest est peu présente à l'ONU pendant les dix premières années de l'après-guerre : l'Autriche, l'Espagne, l'Irlande, l'Italie, le Portugal ne rentreront dans l'Organisation qu'en 1955. Le tiers monde n'existe pas encore en tant que force politique, le « non-alignement » commence à peine (la conférence de Bandoung date de 1955) et ne touche que l'Afrique et l'Asie, alors faiblement représentées ; les pays du bloc communiste sont absents de nombreuses institutions spécialisées et, de toute façon, très minoritaires (URSS, Biélorussie, Ukraine, Pologne, Tchécoslovaquie sont membres originaires de l'ONU. Albanie, Bulgarie, Hongrie, Roumanie entrent en 1955). En revanche, les 20 pays latino-américains font bloc et forment une « clientèle » toujours mobilisable par Washington. Les États-Unis ne disposent pas d'une « majorité automatique » à proprement parler, ils leur arrive d'être en minorité. Mais lorsqu'un dossier les intéresse et lorsqu'ils se donnent la peine de faire campagne dans les couloirs d'une organisation, ils triomphent aisément.

• *Leur poids financier* est un instrument d'influence considérable. Les États-Unis sont le plus gros contributeur à l'ONU et dans toutes les institutions spécialisées. À l'origine, ils assuraient près de la moitié du financement du budget de l'ONU. Cette participation fut réduite d'abord à un maximum de 40 % (1948), puis au tiers (1952), puis à 31,52 % (1957). En 1972, l'Assemblée générale a décidé que la contribution maximale d'un État membre ne devait pas dépasser 25 %. Dans les années suivantes, les États-Unis ont réduit leur contribution de façon unilatérale et utilisé leur poids financier pour reprendre fermement le contrôle du système.

Les États-Unis ont la quote-part la plus importante dans les institutions de Bretton Woods où le nombre de voix dont dispose un pays est proportionnel au montant de sa participation au capital. En 1945, ils détenaient 32 % du capital du FMI, en 1960 : 25,2 %.

La régionalisation de la sécurité collective

Dès 1946, il apparaît que l'alliance du temps de guerre ne résistera pas à l'affrontement de deux systèmes idéologiques, politiques, économiques, radicalement opposés et prétendant chacun à l'universalisme. Progressivement le monde s'installe dans ce qui a été défini comme un « bipolarisme rigide » (Morton Kaplan) : deux grands acteurs au sommet de la puissance s'opposent et ce conflit majeur détermine toutes les possibilités de conflit et de coopération

L'ONU comprend six organes principaux prévus dans la Charte et un grand nombre d'organes subsidiaires créés par les organes principaux, essentiellement l'Assemblée générale et le Conseil économique et social.

L'Assemblée générale

Elle se compose de tous les membres des Nations unies. Chaque membre y est représenté par des délégués.

Elle tient une session par an qui se réunit à partir du 3e mardi de septembre et dure aussi longtemps que le demande l'ordre du jour (quatre mois environ, la tendance est à l'extension). Elle peut être convoquée en sessions extraordinaires.

Elle désigne son président pour chaque session et élit son bureau. Outre l'assemblée plénière, elle comporte de grandes commissions, répliques exactes de l'Assemblée dans leur composition et leur fonctionnement, spécialisées chacune dans un groupe de questions (politiques, économiques, sociales, administratives, juridiques)

Chaque membre de l'Assemblée générale dispose d'une voix.

Les décisions sur les questions importantes (énumérées par l'art. 18 de la Charte) sont prises à la majorité des deux tiers des membres présents et votants. Les autres décisions sont prises à la majorité simple. Le recours au consensus est de plus en plus fréquent.

L'Assemblée générale discute, étudie, attire l'attention du Conseil de sécurité sur les situations pouvant mettre la paix en danger, mais elle ne prend pas de décisions obligatoires. Elle n'émet que des recommandations.

Le Conseil de sécurité

Cet organe restreint se compose de 15 membres, cinq membres permanents désignés par la Charte : Chine, France, Russie (ex-URSS), Royaume-Uni, États-Unis; dix membres non permanents élus pour deux ans par l'Assemblée générale, renouvelés chaque année par moitié et choisis selon une répartition géographique mettant en jeu des phénomènes de groupes régionaux.

Le Conseil de sécurité est un organe permanent. Chaque État membre du Conseil est représenté par un ambassadeur, représentant permanent. Les débats sont organisés par un règlement intérieur établi par le Conseil. La présidence est assurée par rotation selon l'ordre alphabétique (en anglais) et change chaque mois.

Les décisions portant sur des questions de procédure sont prises par un vote affirmatif de neuf voix. Les décisions sur toutes les autres questions sont prises « par un vote affirmatif de neuf de ses membres dans lequel sont comprises les voix de tous les membres permanents » (art. 27), c'est ce que l'on appelle le « droit de veto ».

Le Conseil de sécurité est le seul organe des Nations unies qui prenne des décisions obligatoires pour tous les membres de l'Organisation (art. 25). Il a la responsabilité principale du maintien de la paix et de la sécurité internationales. En cas de différend, il peut recommander des modes de solution pacifiques (chap. VI). En cas d'agression ou de menace d'agression, il peut mettre en œuvre une action militaire et prendre des sanctions économiques (chap. VII).

Le Conseil économique et social

Il se compose de 54 membres élus par l'Assemblée générale pour trois ans avec renouvellement par tiers chaque année. Les cinq Grands sont toujours réélus *de facto*.

L'ECOSOC vote des recommandations à la majorité simple. C'est un organe consultatif. Il a créé un nombre considérable d'organes subsidiaires. Il devrait assurer la coordination de toutes les activités du système de l'ONU sur les sujets économiques, sociaux et la protection des droits de l'homme. Il n'a jamais pu y parvenir et la prolifération est devenue ingérable.

Le Conseil de tutelle

Cet organe politique composé selon la Charte des cinq membres permanents du Conseil de sécurité et d'un nombre d'États administrant égal à celui d'États non administrant a eu un rôle historique pour faciliter l'émancipation des peuples sous tutelle. Le régime de tutelle ayant disparu, le Conseil est réduit aux cinq membres permanents et n'existe plus en pratique. On parle parfois de le ranimer pour faire face au nouveau problème des États en situation d'effondrement politique.

Le Secrétariat

Le secrétaire général est le plus haut fonctionnaire de l'Organisation. Il est nommé par l'Assemblée générale sur recommandation du Conseil de sécurité. Son mandat est de cinq ans.

Le personnel est nommé par le secrétaire général selon un principe de répartition géographique qui l'emporte souvent sur le principe de compétence. Les États membres ont tendance à peser sur le recrutement.

Selon l'article 100 de la Charte, les fonctionnaires internationaux ne doivent accepter aucune instruction de leur gouvernement ou d'une autorité extérieure à l'Organisation. En cas de différend avec l'Organisation, ils peuvent avoir recours au tribunal administratif des Nations unies.

La Cour internationale de justice

La CIJ est l'organe judiciaire principal des Nations unies. Ses juges sont élus par les États membres. Ils doivent faire preuve d'indépendance et d'intégrité.

Seuls les États ont compétence pour se présenter devant la Cour. Elle rend alors un arrêt.

La Cour a également une compétence consultative au profit des organisations internationales. Elle rend alors un avis.

des autres acteurs. Tous les conflits régionaux sont absorbés par le conflit dominant. Tous les acteurs « secondaires » sont reliés à l'un ou l'autre des deux Grands par une alliance de fait ou de droit. Cette mondialisation immédiate des conflits locaux et l'absence de possibilité de non-alignement imposent une sérieuse limite au fonctionnement des organisations à vocation universelle.

À l'ONU, le jeu de la coopération qui avait relativement bien commencé et remporté quelques succès dans les deux premières années est devenu un jeu à somme nulle. L'adoption d'un projet de résolution n'est plus analysé comme un succès de la communauté mondiale et de l'esprit de coopération, mais comme la victoire d'un camp sur un autre. Le mécanisme de sécurité collective, qui repose sur l'entente des membres permanents, se grippe. La mise en œuvre des mesures prévues par le chapitre VII de la Charte est suspendue. Les deux grands engagements militaires de l'ONU pendant cette période — Corée en 1950, Congo en 1960 — sont des opérations du bloc occidental contre l'URSS et le communisme, conduites en dehors du schéma prescrit par la Charte. Les institutions spécialisées n'échappent pas au conflit Est-Ouest. Qu'il s'agisse de l'OIT, de l'UNESCO, de la FAO, toutes sont politisées et utilisées par le « monde libre » pour faire le procès de l'Union soviétique, de son impérialisme et de son système, contraire aux droits de l'homme.

• *Le système de sécurité collective des Nations unies se trouve paralysé.* Il a été fondé tout entier sur la responsabilité conjointe des cinq grandes puissances désignées comme membres permanents du Conseil de sécurité dans la charte de San Francisco : la Chine, la France, le Royaume-Uni, les États-Unis, l'URSS. Dans l'éventualité d'une menace contre la paix et d'un acte d'agression, le Conseil de sécurité avait à sa disposition toute une gamme de sanctions, économiques (art. 41) et militaires (art. 42). Au cas où l'agression devrait être dissuadée par la force, il était prévu qu'un comité d'état-major composé des chefs d'état-major des membres permanents du Conseil de sécurité ou de leurs représentants serait responsable de la direction stratégique des forces armées mises à la disposition du Conseil (art. 47). Ce comité d'état-major existe mais a cessé de fonctionner depuis 1947. Il était prévu que des accords spéciaux seraient conclus entre le Conseil de sécurité et les États membres de l'ONU aux termes desquels les États membres mettraient à la disposition du Conseil les moyens militaires nécessaires au maintien de la paix et de la sécurité internationales (art. 43). Ces accords n'ont jamais été conclus. Il était prévu que des membres des Nations unies maintiendraient des contingents nationaux de forces aériennes « immédiatement utilisables en vue de l'exécution combinée d'une action coercitive internationale » (art. 45). Aucun des États membres n'a rien fait de tel.

Il était prévu que le Conseil de sécurité avait la « responsabilité principale du maintien de la paix et de la sécurité internationales » (art. 24), que les membres de l'Organisation avaient l'obligation d'appliquer les décisions du Conseil (art. 25), que ces décisions seraient prises par un vote affirmatif de sept de ses membres dans lequel seraient comprises les voix de tous les membres permanents — le droit de veto — et donc qu'aucune décision de fond ne pouvait être prise si un membre permanent s'y opposait. Par une interprétation laxiste et contestable de la Charte, la coutume a voulu que l'abstention ou l'absence d'un membre permanent ne fasse pas obstacle à l'adoption d'une résolution.

La composition du Conseil de sécurité était initialement de 11 membres, cinq permanents, six non permanents. Le nombre des non-permanents a été porté à dix en 1965 pour tenir compte de l'augmentation du nombre d'États rentrés à l'ONU et rendre le Conseil plus représentatif. Le vote affirmatif de neuf membres « dans lequel sont comprises les voix de tous les membres permanents » est nécessaire depuis cette date. L'URSS a utilisé 100 fois son droit de veto entre 1946 et 1962. Les États-Unis n'en ont pas eu besoin avant 1970.

• *Très vite, les deux camps s'organisent.* La sécurité se régionalise. De grandes alliances défensives se mettent en place, bloc contre bloc. Sur le continent américain, le système de sécurité interaméricain institué dans les années trente dans le cadre de la politique de « bon voisinage » du président Roosevelt a été renforcé. En septembre 1947, le pacte de Rio a jeté les bases d'un système de sécurité collective : les États latino-américains acceptent de considérer toute attaque armée contre l'un des États de la région, toute agression contre « la souveraineté ou l'indépendance politique » de l'un d'entre eux comme une attaque contre tous les autres. Cet engagement est repris en 1948, lorsque la charte de Bogota transforme l'ancienne Union panaméricaine en Organisation des États américains (OEA). Mais l'OEA ne dispose pas de forces permanentes. En réalité, plus qu'un système de sécurité collective, l'OEA est d'abord une alliance contre le communisme. « L'alignement de la politique étrangère des États latino-américains sur celle des États-Unis est d'ailleurs particulièrement sensible dans les premières décennies de l'Organisation, et l'on peut citer à l'appui de cette affirmation : le mutisme de l'OEA lors du coup d'État contre le gouvernement Arbenz au Guatemela en 1954, l'opposition de l'Organisation au régime castriste dès le début des années 1960 et son appui à l'intervention américaine en République dominicaine en 1965... L'Organisation sert avant tout de plate-forme pour légitimer les positions américaines » (Michel Fortman et Jean-Philippe Thérien).

Aux Européens de l'Ouest qui s'inquiètent de plus en plus de leur sécurité après le « coup de Prague » (février 1948) consacrant l'emprise de l'URSS sur la Tchécoslovaquie et qui cherchent une formule d'union occidentale, Washington suggère de prendre en modèle le traité de Rio, qui ne désigne pas l'ennemi à l'avance et constitue une alliance de défense collective contre « toute » agression. Le traité de Bruxelles signé par la Belgique, la France, le Luxembourg, les Pays-Bas et le Royaume-Uni, le 17 mars 1948, est le premier traité de défense et de sécurité en Europe de l'Ouest. Il mentionne l'Allemagne dans son préambule (les pays signataires se déclarent résolus « à prendre les mesures jugées nécessaires en cas de reprise d'une politique d'agression de la part de l'Allemagne ») mais non dans ses articles. En réalité, l'objectif des signataires est surtout d'amener les États-Unis à participer à la défense de l'Europe occidentale contre la menace soviétique dans un système de sécurité commune. Le blocus de Berlin (juin 1948-mai 1949) accélère les négociations : le Sénat américain vote en juin 1948 l'amendement Vandenberg qui autorise les États-Unis à entrer dans un système d'alliance régionale hors du continent américain en temps de paix, véritable rupture avec la tradition isolationniste de la politique étrangère américaine. Il apparaît bien vite que l'alliance doit s'étendre au-delà des cinq européens et des deux nord-américains. Les pourparlers devant aboutir à la signature du traité de l'Atlantique nord s'ouvrent dès juillet 1948.

• *Le traité de Washington créant l'Organisation du traité de l'Atlantique nord (OTAN, 4 avril 1949)* lie 12 États (les sept, plus le Danemark, l'Islande, l'Italie, la Norvège et le Portugal), auxquels viendront s'adjoindre la Grèce et la Turquie en 1952, l'Allemagne fédérale en 1955 et l'Espagne en 1982. Son siège est à Bruxelles. Il s'agit d'une véritable organisation de défense collective dont les structures civiles et militaires deviendront de plus en plus complexes au fil du temps. L'article 5 du traité prévoit qu'une attaque armée contre l'une des parties « sera considérée comme une attaque dirigée contre toutes les parties ». Chacune s'engage à assister la partie ainsi attaquée en entreprenant aussitôt, individuellement et collectivement, toute action jugée nécessaire « y compris l'emploi de la force armée, pour rétablir et assurer la sécurité dans la région de l'Atlantique nord ». Il n'y a donc pas automatisme, une certaine liberté d'appréciation est laissée aux États parties.

L'Organisation atlantique va remplir sur le plan régional des fonctions qui avaient été confiées aux Nations unies sur le plan universel et réussir là où le Conseil de sécurité a échoué. Son Comité militaire, organe militaire suprême, est l'équivalent du Comité d'état-major des Nations unies et remplit des fonctions comparables. Tout une série d'accords spéciaux semblables à ceux que le Conseil de sécurité auraient dû conclure au titre du chapitre VII ont été conclus entre l'OTAN et ses membres. L'Organisation atlantique dispose de forces qui lui sont affectées en temps de paix et sont constamment soumises au contrôle opérationnel de son commandement, essentiellement des forces terrestres et aériennes ; elle dispose aussi de forces « désignées à l'avance » pour être mises à sa disposition en cas d'événements graves, essentiellement des forces navales et de réserve.

Mais, autant qu'une organisation de défense, l'OTAN est une alliance politique, symbole et incarnation des relations transatlantiques, de l'intérêt américain pour le sort des Européens. Les États membres de l'Alliance se concertent sur leurs politiques de sécurité, procèdent à des échanges de vues et d'informations de façon permanente dans le cadre du Conseil de l'Atlantique nord. Cette instance se réunit deux fois par an à l'échelon des ministres des Affaires étrangères ou des chefs d'État et de gouvernement, et de façon régulière à l'échelon des ambassadeurs permanents qui se retrouvent en session au moins une fois par semaine. Par ailleurs, divers comités assistent le Conseil dans ses tâches. Le secrétaire général de l'OTAN est non seulement à la tête d'un important secrétariat international chargé d'assurer la coordination de ces divers comités, il est aussi le président du Conseil atlantique, ce qui lui donne une grande importance politique. Malgré le poids évident des États-Unis, l'OTAN est un organisme interallié dans lequel la consultation collective est la règle, où les membres travaillent sur un pied de stricte égalité, où les décisions sont prises à l'unanimité, où le secrétaire général n'est pas nécessairement de la nationalité du pays le plus puissant. Cela explique en grande partie sa longévité et sa survie dans un contexte stratégique totalement différent de celui qui avait entraîné sa création.

• *La grande alliance rivale, le pacte de Varsovie, se présentait comme la réplique exacte du traité de l'Atlantique nord.* Signé le 14 mai 1955 par l'URSS, la Pologne, la RDA, la Hongrie, la Bulgarie, la Tchécoslovaquie, l'Albanie, il constituait un système est-européen symétrique du système euro-atlantique, à la différence près qu'un membre qui voulait s'en retirer, comme la France s'était retirée des organes intégrés de l'OTAN en 1966, ne pouvait le faire sans encourir une intervention armée (Hongrie, 1956) ou des représailles économiques (Albanie, 1961), et cela faisait toute la différence. L'armement des pays membres était étroitement standardisé, le secrétariat siégeait à Moscou, le commandant en chef était toujours soviétique, les troupes soviétiques stationnaient dans tous les pays membres. Le pacte de Varsovie a été le bras armé et le symbole de l'impérialisme soviétique dans les pays de l'Est. Il a servi à légitimer l'intervention en Tchécoslovaquie en 1968 et la répression brutale du «Printemps de Prague» au nom de la défense des conquêtes du socialisme. Autant qu'une organisation de défense, le pacte de Varsovie était un outil politique assurant la domination du Grand-Frère soviétique sur les pays considérés comme faisant partie de son glacis de sécurité. Il n'a pas survécu à l'effondrement du système communiste en Europe. Il a commencé à se désagréger en 1990 et a été officiellement dissous en juillet 1991.

• *Dans les années cinquante*, face à l'ennemi communiste contre lequel ils se battent en Corée sous la bannière des Nations unies, les États-Unis ambitionnent aussi de constituer une vaste ceinture défensive de l'Océanie à l'Europe en multipliant les accords de sécurité et d'assistance mutuelle. Avec ce que l'on appelé la «pactomania» du secrétaire d'État, Foster Dulles, les traités se multiplient :

– le traité ANZUS relie l'Australie, la Nouvelle-Zélande et les États-Unis (1er septembre 1951);

– des traités bilatéraux sont conclus avec la Corée du Sud, le Pakistan, la Chine de Formose en 1951-1952;

– au lendemain des accords de Genève qui ont mis fin à la première guerre d'Indochine, un vaste traité de défense collective crée l'OTASE (Organisation du traité de l'Asie du Sud-Est), regroupant les États-Unis, la France, la Grande-Bretagne, l'Australie, la Nouvelle-Zélande, les Philippines, le Pakistan et la Thaïlande (traité de Manille, 8 septembre 1954); il s'agit de protéger la région du danger communiste après le départ des troupes françaises;

– en 1955, le pacte de Bagdad signé entre l'Irak et la Turquie, puis le Pakistan et l'Iran, est poussé par la Grande-Bretagne et les États-Unis qui le voient comme un renforcement du système de défense occidentale, entre l'OTASE et l'OTAN.

Ces vastes projets ont connu des fortunes diverses et n'ont pas engendré de structures institutionnelles stables transformant des pactes classiques d'assistance mutuelle en véritables organisations. Ils ont disparu les uns après les autres.

La division européenne institutionnalisée

En Europe, un processus de création institutionnelle très vigoureux se met en œuvre pendant cette période. À l'Ouest, des organisations nouvelles naissent du besoin de se reconstruire et de bâtir entre systèmes politiques proches un type nouveau de communauté. Elles engendrent un mode de coopération original, souvent différent des mécanismes classiques d'action concertée que l'on connaissait jusque-là. À l'Est, les organisations internationales sont surtout l'expression de la domination et la poursuite du conflit par d'autres moyens.

• *Dans un premier temps, comme le souligne Philippe Moreau Defarges, « les premières institutions européennes à l'Ouest ont été euro-atlantiques ».*

L'Organisation européenne de coopération économique (OECE) a été la première institution européenne de l'après-guerre. Elle fut créée le 16 avril 1948 pour encadrer l'acheminement de l'aide américaine dispensée dans le cadre du plan Marshall. Sa mission était de contribuer au redressement des économies ouest-européennes en aidant au développement des échanges et au retour progressif à la convertibilité des monnaies. Cette mission fut remplie. Les États-Unis et le Canada ne faisaient pas partie de l'OECE mais y étaient représentés par des observateurs. En revanche, la Turquie en était membre, ainsi que la Suisse. L'Allemagne y fut représentée en 1948 par les trois commandements en chef occidentaux des zones d'occupation, puis à part entière à partir du 31 octobre 1949. Avec l'Espagne admise en 1959, l'OECE comptait 18 États en 1961 lorsqu'elle fut remplacée par l'Organisation de coopération et de développement économique. Cette dernière hérita d'une organisation d'harmonisation où les États ouest-européens avaient pris l'habitude de réfléchir et de discuter ensemble des politiques économiques. Ils avaient développé des méthodes de travail qui furent reprises : un examen annuel et une analyse critique des politiques suivies à partir des informations fournies par les pays ; la réunion périodique des conseillers économiques des gouvernements ; l'étude de problème sectoriels à travers divers comités verticaux.

L'URSS avait refusé en 1947 les propositions du plan Marshall et contraint les pays de l'Est à en faire autant (la Tchécoslovaquie avait accepté, elle dut se récuser). Jusqu'à la fin de la guerre froide, la seule instance de coopération paneuropéenne dans le domaine économique a été la Commission économique pour l'Europe de l'ONU (CEE-ONU), créée à titre provisoire pour quatre ans par l'ECOSOC, le 28 mars 1947, et toujours reconduite. Elle regroupe à Genève tous les pays européens, y compris la Suisse et la Turquie, plus les États-Unis et le Canada. Son action a toujours été discrète. Son principal mérite est d'avoir maintenu un lieu de dialogue régulier entre pays de l'Est et pays de l'Ouest et d'avoir aidé les opérateurs économiques à conserver des contacts bilatéraux dans les moments de tension les plus durs.

Mais la grande question de cette période est celle de l'Allemagne. Elle est au cœur de la division de l'Europe et, paradoxalement, du processus de construction institutionnelle sur le vieux continent. Très vite, en effet, la question du relèvement de l'Allemagne de l'Ouest se pose aux Occidentaux, avec celle de sa contribution à la défense commune. Les États-Unis souhaitent le réarmement de la République fédérale et son entrée dans l'Alliance atlantique. Cette idée effraye encore une grande partie de l'opinion en France et en Grande-Bretagne. Toute la question est de savoir comment faire participer l'Allemagne au relèvement de l'Europe et au renforcement du camp occidental tout en contrôlant son potentiel. La réponse est trouvée dans la création d'organisations internationales.

• *Le besoin de structures spécifiquement européennes se fait sentir dès le lendemain de la guerre.* Un grand congrès a réuni à La Haye (7-10 mai 1948) le premier rassemblement des mouvements européens privés militant pour l'unification de l'Europe. Le succès a été retentissant. Dans une atmosphère d'espoir et de ferveur, près de 800 personnes venues de presque tous les pays d'Europe de l'Ouest, écrivains, syndicalistes, industriels, parlementaires, hommes politiques ont imaginé les premières institutions européennes, les principes généraux d'un marché commun, une charte des droits de l'homme, une cour de justice internationale pour faire respecter ces droits. Un « Mouvement européen » fédérateur est créé, qui agit comme groupe de pression et soumet des plans détaillés aux gouvernements pour une organisation de coopération politique et parlementaire. De cette pression, relayée par des initiatives gouvernementales en France et en Grande-Bretagne, va sortir le Conseil de l'Europe, la plus ancienne organisation de coopération politique européenne. Le traité constitutif est signé le 5 mai 1949 par dix pays (Benelux, France, Grande-Bretagne, Danemark, Irlande, Italie, Norvège, Suède). La Grèce et la Turquie adhèrent trois mois plus tard. La République fédérale est admise en 1951, suivie de l'Autriche en 1956, etc. Le Conseil de l'Europe s'est élargi progressivement à toute l'Europe occidentale. Il s'est ouvert aux pays d'Europe centrale et orientale au fur et à mesure qu'ils établissaient un régime démocratique et s'engageaient à respecter les droits de l'homme : la Hongrie fut la première admise (novembre 1990), suivie d'une dizaine de nouveaux entrants entre 1991 et 1993. Le Conseil de l'Europe comptait 32 membres au début de l'année 1994 et les candidats à l'adhésion étaient encore nombreux du côté des États nés de la dislocation de l'empire soviétique.

Le siège est fixé à Strasbourg pour symboliser le rapprochement franco-allemand. La structure est originale sans être révolutionnaire : un Comité des ministres où se prennent les décisions, une Assemblée consultative faisant des recommandations, formée de représentants des parlements nationaux. Beaucoup d'espoirs avaient été mis dans cette institution qui devait, pour certains, conduire à de futurs États-Unis d'Europe. Trop faible pour cette ambition, elle a surtout fonctionné comme un club de pays attachés aux valeurs « spirituelles et morales qui sont le patrimoine commun de leur peuples et qui sont à l'origine des principes de liberté individuelle, de liberté politique et de prééminence du droit sur lesquels se fonde toute démocratie véritable » (Statut du Conseil de l'Europe). Son activité est surtout normative : plus de cent cinquante conventions ont été élaborées et proposées à la signature des pays membres dans les domaines les plus vastes, à l'exclusion de l'économie et de la défense. Cela va de la prévention de la violence dans les stades à la protection de l'environnement.

La plus grande réalisation du Conseil de l'Europe a été la rédaction de la Convention européenne des droits de l'homme, adoptée le 4 novembre 1950, en vigueur depuis le 3 septembre 1953. Cette convention énonce et définit un certain nombre de libertés individuelles et précise les droits de l'homme (vie, sûreté, conscience, religion, expression, réunion, association, mariage, propriété, éducation, élections). Elle s'impose à tous les États membres, et surtout, elle institue des mécanismes de protection précis. Une Commission européenne des droits de l'homme peut être saisie de plaintes déposées par tout individu soumis à la juridiction de l'un des États membres. Elle rend un rapport au Conseil des ministres qui statue sur la violation de la Convention et sur les mesures à prendre éventuellement. Si nécessaire, la Commission peut saisir à son tour la Cour européenne des droits de l'homme qui rend un arrêt définitif et obligatoire. Cette activité contentieuse est très importante : la Commission rend plusieurs centaines de décisions par an, la Cour, plusieurs dizaines.

• *Pour significative qu'elle soit, cette première institution européenne n'est pas assez forte pour répondre aux questions posées par le relèvement de l'Allemagne et au « besoin d'Europe » des années 1950.* Pour conjurer le spectre d'une Allemagne remilitarisée et indépendante dans ses choix, le gouvernement français cherche d'abord une intégration dans le domaine militaire. Il propose, en octobre 1950, la création d'une armée européenne placée sous l'autorité d'institutions politiques supranationales dans laquelle seraient intégrées les unités allemandes : c'est le plan Pleven d'une Communauté européenne de défense (CED). Le projet est discuté, négocié, signé avec les partenaires de la France en 1952 et... repoussé par l'Assemblée nationale française le 30 août 1954. L'occasion historique de constituer une communauté européenne de défense est manquée.

À la place est proposée une Union de l'Europe occidentale, suggestion de remplacement avancée par les Britanniques afin de permettre à la RFA de se réarmer et de rentrer dans l'OTAN à des conditions rassurantes pour les opinions européennes. Il s'agit de modifier le traité de Bruxelles de 1948 de façon à l'élargir à l'Italie (déjà membre de l'OTAN) et à la RFA (appelée à adhérer à l'Alliance atlantique), de tracer les contours d'une organisation européenne permettant le contrôle des armements, de préciser les interdictions de fabrication auxquelles doit se soumettre la République fédérale, de fixer les principes de l'intégration des forces armées nationales dans l'OTAN et les relations entre la nouvelle Union occidentale et l'Organisation atlantique. Ces différents points sont consignés dans les accords de Paris du 23 octobre 1954. L'UEO constitue une alliance défensive contraignante, puisque les États signataires ont l'obligation d'aider et d'assister « par tous leurs moyens en leur pouvoir, militaires et autres », celui d'entre eux qui ferait l'objet d'une agression armée en Europe (art. 5). Cette clause demeure « le seul engagement contractuel fondant une défense de l'Europe par les Européens jusqu'à ce jour» (Charles Goerens, ancien président de l'Assemblée de l'UEO). L'article 4 du traité de Bruxelles modifié prévoit une «coopération étroite» des États membres de l'UEO et des organes créés par elle avec l'OTAN.

Coincée entre l'OTAN et le Marché commun, l'UEO resta pendant près de trente ans une organisation somnolente. Son rôle le plus marquant fut, cependant, celui que l'on avait attendu : contrôler les forces militaires et armements de ses membres, et notamment les limitations acceptées par la RFA aux termes des accords de Paris; assurer une transparence et donc instaurer un climat de confiance réciproque entre les Européens par l'intermédiaire de son Agence pour le contrôle des armements. Il fallut attendre le milieu des années quatre-vingt pour qu'elle suscite un regain d'intérêt et qu'une nouvelle mission soit envisagée pour elle, comme nous le verrons (voir p. 157).

• *La seconde réponse institutionnelle à la question allemande, dans le domaine économique cette fois,* est la création de la première communauté européenne dans deux branches limitées mais particulièrement sensibles, le charbon et l'acier. Elle concrétise des idées débattues depuis plusieurs mois sur la nécessité d'organiser l'Europe et d'y faire participer la RFA afin de mieux l'encadrer en commençant par le secteur des industries de base. L'Allemagne a retrouvé une personnalité politique depuis mai 1949, son économie reprend vigueur, sa sidérurgie se reconstruit, il est temps d'agir. Le ministre des Affaires étrangères français, Robert Schuman, lance, le 9 mai 1950, le plan auquel son nom restera attaché. Sa déclaration adopte la démarche fonctionnaliste inspirée par Jean Monnet (responsable de la reconstruction de l'industrie française après la Libération) : «L'Europe ne se fera pas d'un coup, ni dans une construction d'ensemble : elle se fera par des réalisations concrètes créant d'abord des solidarités de fait». Elle propose de «placer l'ensemble de la production franco-allemande de charbon et d'acier sous une Haute Autorité commune, dans une organisation ouverte à la participation des autres pays d'Europe… Ainsi sera réalisée simplement et rapidement la fusion des intérêts indispensable à l'établissement d'une communauté économique et introduit le ferment d'une communauté plus large et plus profondes entre des pays longtemps opposés par des divisions sanglantes.» Le traité instituant la CECA est signé le 18 avril 1951 entre 6 pays : la Belgique, la France, l'Italie, le Luxembourg, les Pays-Bas, la RFA. La Grande-Bretagne refuse de participer à cette construction en raison, notamment, de son caractère supranational. La CECA organise, en effet, le transfert de responsabilités gouvernementales à une instance commune construite à cet effet, une Haute Autorité indépendante des États dont les décisions s'appliquent directement aux entreprises et aux ressortissants des pays membres. Ce caractère supranational est renforcé par un système de financement prévoyant un impôt européen prélevé directement sur les firmes du charbon et de l'acier et payé aux organes communautaires sans passer par les États membres. À côté de la Haute Autorité, composée de neuf membres indépendants chargés d'appliquer le traité «dans un esp[…] péen», un Conseil spécial des ministres est institué, une Assemblée c[…]

une Cour de justice. Ce dispositif institutionnel va être repris à l'identique dans les traités de Rome du 25 mars 1957 créant deux nouvelles communautés européennes : la Communauté économique européenne (CEE, Marché commun) et la Communauté européenne de l'énergie atomique (Euratom).

Paradoxalement, l'échec de la CED a relancé la construction européenne. Puisque l'Europe ne pouvait pas se faire par la défense ou la politique étrangère, il convenait d'étendre les « solidarités de fait » selon la « méthode Jean Monnet ». L'Allemagne fédérale et les pays du Benelux, exportateurs de produits industriels plus que la France, souhaitaient étendre ces solidarités dans le domaine commercial et créer un véritable marché commun. La France voulait, au contraire, une intégration par secteur, notamment dans le domaine de l'énergie nucléaire. La conférence de Messine, qui réunit les ministres des Affaires étrangères des six pays de la CECA (1er-3 juin 1955), lance les négociations qui aboutiront deux ans plus tard. La Grande-Bretagne, une fois encore, se tient à l'écart. L'ambition du traité CEE est très vaste puisqu'il prévoit l'établissement d'un marché commun pour l'ensemble des productions industrielles et agricoles ainsi que des politiques communes dans les domaines de la concurrence, des transports, de l'agriculture et de l'énergie. En fait, les « deux piliers » de la CEE sont l'Union douanière et la Politique agricole commune (PAC) autour desquels va se dérouler la majeure partie de l'histoire communautaire jusqu'au traité de Maastricht.

Avec la création et le fonctionnement des trois communautés européennes (dont les exécutifs seront fusionnés en 1965) l'histoire des organisations internationales franchit une étape. On passe, en effet, de la coopération intergouvernementale et des transferts de compétence librement consentis aux notions de supranationalité et d'intégration.

5 *Les transformations du système multilatéral*

Pendant quarante ans, le nombre des organisations internationales n'a cessé d'augmenter à un rythme soutenu. Ce phénomène de prolifération institutionnelle restera l'une des caractéristiques des relations internationales de la seconde moitié du siècle.

Depuis le milieu des années quatre-vingt, le mouvement s'est ralenti et la courbe semble s'inverser, comme si un nouveau cycle s'était amorcé dans l'évolution du système international et dans les modes d'arrangement entre les acteurs.

Entre-temps, le système multilatéral a traversé différentes phases : une phase d'adaptation avec l'arrivée du tiers monde sur la scène internationale, la création de multiples organisations régionales et un début de contestation de l'hégémonie américaine (1960-1970) ; une phase de crise et de remise en cause avec l'effondrement du système de Bretton Woods (1971), les faux-semblants du dialogue Nord-Sud (1973-1981), l'« euro-pessimisme » (1972-1985) et le retour de la géopolitique dans les organisations internationales ; une phase de redéfinition et d'expectative ouverte depuis 1988-1989 et dans laquelle de nouvelles formes de coopération internationale sont en cours d'élaboration.

Évolution du nombre des organisations internationales

	1909	*1956*	*1960*	*1968*	*1981*	*1985*	*1987*	*1992*
OIG	37	132	154	222	337	378	311	286
ONG	176	973	1 255	1 899	4 265	4 676	4 546	4 696

(*Source : Yearbook of International Organizations,* 1992/1993)

LES PREMIÈRES INNOVATIONS

L'évolution de l'énorme réseau de coopération multilatérale mis en place au lendemain de la guerre reflète les grandes transformations du système mondial depuis 1945. Mais les organisations internationales ne sont pas seulement le miroir plus ou moins fidèle de leur environnement. Elles participent à ses mutations. Elles sont très vite apparues comme des instruments collaborant au changement politique dans le jeu international.

La légitimation collective

Dès le début, les organisations mondiales sont reconnues comme des forums, des caisses de résonance où se répercutent les grands frémissements parcourant la planète et notamment l'aspiration des peuples colonisés à l'indépendance. Les mouvements de libération nationale ont trouvé à l'ONU, en particulier, une tribune où exprimer leur désir d'émancipation, un lieu de reconnaissance et de soutien pour leurs revendications. Le concept de « légitimation collective » (avancé pour la première fois par Inis Claude) décrit une fonction politique essentielle de l'organisation mondiale : au nom de la communauté internationale, elle porte un jugement, qualifie ce qui est juste et ce qui ne l'est pas, approuve ou désapprouve. Elle rend légitime ou illégitime une situation, une décision, une revendication.

Par son action de légitimation collective, l'ONU a certainement accéléré le rythme de la décolonisation en rendant le coût politique du *statu quo* exorbitant pour les puissances coloniales. Il n'est pas sûr qu'elle ait retrouvé depuis un rôle historique d'aussi grande ampleur. L'Assemblée générale et la CNUCED ont essayé pendant plusieurs années de faire apparaître une nouvelle légitimité internationale dans le domaine des échanges économiques, distincte de celle qu'avait imposée le GATT. Elles n'ont que très partiellement atteint cet objectif (voir p. 105).

La fonction de légitimation collective continue pourtant à s'exercer. Elle joue en faveur des coalitions majoritaires dans l'organisation. En 1991, la guerre du Golfe en a fourni une nouvelle illustration : selon les vœux des États-Unis et de leurs alliés, l'opération a été autorisée par l'ONU sans être une guerre de l'ONU. Depuis cette date, les gouvernements ont pris l'habitude de se tourner vers les Nations unies pour leur demander l'autorisation de conduire des opérations militaires dans des pays étrangers qu'ils auraient vraisemblablement menées de toute façon (France au Rwanda, États-Unis en Haïti). La caution de l'organisation mondiale permet d'alléger le coût politique de ces opérations devant l'opinion publique.

Le fonctionnaire international comme acteur politique

Un nouvel acteur s'est imposé sur la scène internationale : le plus haut fonctionnaire des grandes organisations. À l'OTAN, le secrétaire général préside le Conseil de l'Atlantique nord et le Comité des plans de défense, qu'ils se réunissent à l'échelon ministériel ou à celui des représentants permanents. Il préside également les comités militaires où siègent les chefs d'état-major ou leurs représentants. Dès 1956, il s'est vu habilité à prendre des initiatives et exercer ses bons offices pour tout différend opposant les membres de l'Alliance, ce qui lui donne un rôle politique non négligeable. Ainsi, Manfred Wörner, qui était à la tête de l'OTAN (juillet 1988 - août 1994) dans une période cruciale, a-t-il joué un rôle important dans la redéfinition des missions de l'Alliance, leur extension « hors zone » et le concours prêté aux Nations unies (voir chap. 7, p. 151).

Dans la Communauté économique européenne, le premier président de la Commission, Walter Hallstein, a donné immédiatement à sa fonction une importance qui a fait de ce poste un élément clé de la construction européenne (au point de s'attirer les foudres du général de Gaulle, peu enclin à laisser des fonctionnaires internationaux empiéter sur les prérogatives des États). Trente ans après, une boutade circulant à Bruxelles faisait de Jacques Delors, non sans raison, le « treizième membre » du Conseil des ministres. Nul ne s'étonne plus de voir le président de la Commission européenne participer aux sommets du G7, donner son avis sur les grands problèmes du monde et tenter d'influencer le processus de construction communautaire.

À l'ONU, le premier secrétaire général, Trygve Lie (de Norvège, 1946-1953), a conquis le droit de s'adresser aux organes délibérants de l'ONU et de prendre des initiatives à partir de la base très ténue que l'article 99 de la Charte donne au pouvoir du secrétaire général : « Le secrétaire général peut attirer l'attention du Conseil de sécurité sur toute affaire qui, à son avis, pourrait mettre en danger le maintien de la paix et de la sécurité internationale ». Le second secrétaire général, Dag Hammarskjoeld (de Suède, 1953-1961), a donné à sa fonction un prestige considérable. Il s'est imposé avec succès comme « médiateur en chef » dans de nombreux conflits. Il a fait admettre la notion de « diplomatie préventive » et le droit du secrétaire général de procéder à des enquêtes et d'envoyer des représentants spéciaux à cet effet. Il a défini les conditions de mise en œuvre des premières opérations de maintien de la paix. Il s'est affirmé comme une autorité politique sur la scène internationale, avant de mourir dans un accident d'avion, dans des conditions mystérieuses, en se rendant au Congo où l'ONU se trouvait en difficulté dans une opération contestée. Ses successeurs (U Thant, K. Waldheim, J. Perez de Cuellar, B. Boutros-Ghali) ont géré cet héritage avec plus ou moins de panache, mais tous ont pris soin de défendre les prérogatives du secrétaire général comme acteur sur la scène internationale, son droit de présence, de parole et d'initiative.

Les batailles politiques qui se livrent autour du choix des plus hauts fonctionnaires des organisations internationales illustrent bien l'importance qu'a prise la fonction publique internationale. Il n'en va pas seulement du prestige de telle ou telle nation désireuse de tenir un poste de haut niveau, il en va de l'évolution des structures de coopération multilatérale et de la culture politique dont elles s'inspirent.

Les opérations de maintien de la paix

La troisième nouveauté introduite sur la scène internationale a été l'invention de « soldats de la paix », dépêchés sur les lieux des conflits avec une mission très particulière.

Le système de sécurité collective prévu par la Charte des Nations unies reposait sur la responsabilité principale des grandes puissances membres permanents du Conseil de sécurité. L'affrontement des deux blocs en paralysa très tôt le fonctionnement. L'Organisation se révéla impuissante dans les

OPÉRATIONS DE MAINTIEN DE LA PAIX ET MISSIONS D'OBSERVATION - OPÉRATIONS TERMINÉES

SIGLES	NOM DE LA FORCE	LIEUX D'OPÉRATION	CRÉATION	PÉRIODE D'ACTIVITÉ	EFFECTIFS	PERTES	COÛT TOTAL ($)	ÉTATS CONTRIBUTEURS
FINU I	Première force d'urgence des Nations unies	Sinaï, Bande de Gaza, Canal de Suez	Rés./1/998 (ES-1) - (1956)	nov. 1956-juin 1967	6 073 (fév. 1957)	90	214 millions	10
GONUL	Groupe d'observation des Nations unies au Liban	Frontière libano-syrienne	Rés./128 (1958)	juin-déc. 1958	591 (nov. 1958)	0	3,7 millions	20
ONUC	Opération des Nations unies au Congo	Congo	Rés./143 (1960)	juil. 1960-juin 1964	19 828 (jui. 1961)	234	400 millions	30
FSNU	Force de sécurité des Nations unies en Nouvelle-Guinée occidentale	Iran occidental (Indonésie)	Rés./A/1752 (XVII) - 1962	oct. 1962-avr.1963	1 576	0	Payé en totalité par les Pays-Bas et l'Indonésie	3
UNYOM	Mission d'observation des Nations unies au Yémen	Yémen	Rés./179 (1963)	juil. 1963-sept. 1964	189 (oct. 1963)	0	1,8 million	11
DOMREP	Mission du représentant du secrétaire général en République dominicaine	République Dominicaine	Rés./203 (1965)	mai 1965-oct. 1966	2	0	0,3 million	3
UNIPOM	Mission d'observation des Nations unies en Inde et au Pakistan	Frontière indo-pakistanaise	Rés./211 (1965)	sept. 1965-mars 1966	96 (oct. 1965)	0	1,7 million	19
FUNU II	Deuxième force d'urgence des Nations unies	Sinaï, Canal de Suez	Rés./340	oct. 1973-juil. 1979	6 973 (fév. 1974)	52	446 millions	13
GANUPT	Groupe d'assistance des Nations unies pour la période de transition	Namibie, Angola	Rés./435 (1978)	avr. 1989-mars 1990	6 000 (nov. 1989)	19	368,3 millions	50
GOMNU II	Groupe d'observateurs militaires des Nations unies pour l'Iran et l'Irak	Iran, Irak	Rés./619 (1988)	août 1988-février 1991	400 (nov. 1988)	1	171,4 millions	26
UNGOMAP	Mission de bons offices des Nations unies en Afghanistan et au Pakistan	Afghanistan, Pakistan	Rés./622 (1988)	mai 1988-mars 1990	50 (mai 1988)	0	14 millions	10
UNAVEM I	Mission de vérification des Nations unies en Angola	Angola	Rés./626 (1988)	janv. 1989-juin 1991	70 (avr./déc. 1989)	0	16,9 millions	10
ONUCA	Groupe d'observateurs des Nations unies en Amérique Centrale	Costa Rica, El Salvador, Guatemala, Honduras, Nicaragua	Rés./644 (1989)	oct. 1989-janv.1992	1 098 (mai 1990)	0	90,5 millions	10
MIPRENUC	Mission préparatoire des Nations unies au Cambodge	Cambodge	Rés./717 (1991)	oct. 1991-mars 1992	222 (nov. 1991)	0	20 millions	25
ONUSOM I	Opération des Nations Unies en Somalie	Somalie	Rés./751 (1992)	avr. 1992-avr. 1993	696 (janv. 1993)	0	109,7 millions	16
APRONUC	Autorité provisoire des Nations unies au Cambodge	Cambodge	Rés./745 (février 1992)	fév. 1992-sept. 1993	19 630 (juin 1993)	56	1,4 milliard	46
MONUOR	Mission d'observation des Nations unies en Ouganda	Ouganda	Rés./846 (juin 1994)	juin 1993-sept. 1994	81 (juil. 1994)	0	8 millions	8
GONUBA	Groupe d'observateurs des Nations unies dans la Bande d'Aouzu	Tchad	Rés./915 (mai 1994)	mai 1994-juin 1994	9 obser. militaires	0	400 000	6

(*Source* : Centre d'information des Nations unies - Données mises à jour : 30 septembre 1994. * Le chiffre des effectifs est celui du déploiement maximum des forces militaires et de police. Il ne comprend pas les éléments de logistique et le personnel administratif.)

OPÉRATIONS DE MAINTIEN DE LA PAIX ET MISSIONS D'OBSERVATION DES NATIONS UNIES - OPÉRATIONS EN COURS

SIGLES	NOM DE LA FORCE	LIEUX D'OPÉRATION	CRÉATION	EFFECTIFS	PERTES	COÛT ANNUEL APPROXIMATIF ($)	ÉTATS CONTRIBUTEURS
UNMOGIP	Groupe d'observateurs des Nations unies dans l'Inde et le Pakistan	Frontière Inde/Pakistan	Rés./47 (avril 1948)	38 102 (1965)*	6	8 millions	8
ONUST	Organisme des Nations unies chargé de la surveillance de la trêve en Palestine	Israël, Jordanie, Liban, Syrie, Égypte	Rés./50 (mai 1948)	220 572 (1948)*	28	30 millions	19
UNFICYP	Force des Nations unies chargée du maintien de la paix à Chypre	Chypre	Rés./186 (mars 1964)	1 237 6 411 (1964)*	163	47 millions	7
FNUOD	Force des Nations unies chargée d'observer le dégagement	Hauteurs du Golan	Rés./350 (avril 1974)	1 043 1 450 (1974)*	37	35 millions	3
FINUL	Force intérimaire des Nations unies au Liban	Sud-Liban	Rés./425 (mars 1978)	5 240 7 000 (1978)	200	138 millions	9
MONUIK	Mission d'observation des Nations unies pour l'Irak et le Koweit	Frontière Irak/Koweit	Rés./689 (avril 1991)	1 123 (3 645 autorisés)	3	70 millions	32
MINURSO	Mission des Nations unies pour le référendum au Sahara occidental	Sahara occidental	Rés./690 (avril 1991)	324 (1 609 autorisés)	4	40 millions	27
ONUSAL	Groupe d'observateurs des Nations unies en El Salvador	El Salvador	Rés./693 (mai 1991)	162	2	24 millions	12
UNAVEM II	Mission de vérification des Nations unies en Angola	Angola	Rés./696 (mai 1991)	79 (476 autorisés)	4	25 millions	16
FORPRONU	Force de protection des Nations unies	Croatie, Bosnie-Herzégovine, Macédoine	Rés./743 (fév. 1992)	39 922	117	1,9 milliard	36
ONUMOZ	Opération des Nations unies au Mozambique	Mozambique	Rés./797 (déc. 1992)	5 522 (6 843 autorisés)	17	327 millions	39
ONUSOM II	Opération des Nations unies en Somalie	Somalie	Rés./814 (mars 1993)	18 525 29 209 (nov. 1993)*	132	1 milliard	20
MONUG	Mission d'observation des Nations unies en Géorgie	Géorgie	Rés./858 (août 1993)	67	0	5 millions	13
MONUL	Mission d'observation des Nations unies au Liberia	Liberia	Rés./866 (sept. 1993)	295	0	65 millions	13
MINUHA	Mission d'observation des Nations unies en Haïti	Haïti	Rés./867 (sept. 1993)	16 (1 267 autorisés)	0	0,5 million	6
MINUAR	Mission des Nations unies pour l'assistance au Rwanda	Rwanda	Rés./872 (oct. 1993)	4 298 2 485 (mars 94) (5 500 autorisés)	15	90 millions	25

(*Source :* Centre d'information des Nations unies/Paris - Données mises à jour : 30 septembre 1994. * Ce chiffre est celui du déploiement maximum des forces militaires et de police. Il ne comprend pas les éléments de logistique et le personnel administratif. ** Il s'agit d'États contributeurs en troupes.)

crises les plus graves : invasion de la Hongrie par les chars soviétiques (1956), crises de Berlin (1958, 1961), crise des missiles (1962) ou guerre du Viêt-nam (1965-1971). L'ONU ne pouvait intervenir dans les conflits opposant directement les deux Grands qu'au prix d'un détournement de la Charte permettant de contourner le droit de veto. L'intervention des Nations unies en réponse à l'agression de la Corée du Sud par la Corée du Nord (le 25 juin 1950) ne fut possible que parce que le représentant soviétique boycottait le Conseil de sécurité pour protester contre la représentation de la Chine par Taiwan et n'était pas présent au moment du vote. Lorsqu'il reprit sa place, le Conseil se trouva paralysé. Le secrétaire d'État américain fit alors adopter une résolution qui a gardé son nom — résolution Acheson — permettant à l'Assemblée générale d'être saisie des affaires relatives au maintien de la paix et d'agir lorsque le Conseil de sécurité se trouvait paralysé par le veto (résolution Union pour le maintien de la paix, 377 (V), 3 novembre 1950). Ce mécanisme fut utilisé dans l'affaire de Suez à l'encontre de la France et de la Grande-Bretagne en 1956, mais, surtout, pour contourner le veto soviétique : affaire de Hongrie (1956), du Liban (1958), du Congo (1960). Non seulement la résolution Acheson n'a pas rendu l'ONU plus efficace, mais sa légalité a toujours été contestée.

Pour éviter que l'échec de la sécurité collective ne fasse subir à l'ONU le même sort que la SDN dans une atmosphère de grand découragement né de la simultanéité de deux crises (Suez et Hongrie) bafouant l'autorité des Nations unies, le représentant du Canada, Lester Pearson, appuyé par les États-Unis, convainquit le secrétaire général Dag Hammarskjoeld de proposer la création de forces armées d'un type nouveau pour des interventions d'une nature non prévue par la Charte. La première opération de maintien de la paix fut inaugurée en 1956 pour surveiller le retrait des forces anglaises, françaises et israéliennes du Sinaï et instaurer une zone tampon entre l'Égypte et Israël. À partir de cette première expérience, s'est construite une doctrine du « maintien de la paix » (*peacekeeping*) totalement différente de la sécurité collective.

• *Le maintien de la paix repose sur trois principes :*

–1] Le consentement des parties. Le déploiement d'une force des Nations unies ne s'opère qu'avec le consentement des parties au différend.

–2] L'impartialité. Dans le système de sécurité prévu par la Charte, lorsqu'une agression est constatée, l'agresseur est désigné et des mesures coercitives sont adoptées. Dans l'esprit du maintien de la paix, au contraire, la Force des Nations unies ne doit pas se mêler du conflit. Elle n'est pas coercitive, elle n'a pas la mission de punir l'agresseur et de départager les adversaires sur le terrain. Elle est une Force tampon déployée après la conclusion d'une trêve ou d'un cessez-le-feu pour s'interposer entre les belligérants et éviter une reprise des hostilités. Son rôle est de « geler » la situation afin de donner à la diplomatie le temps de négocier une solution politique sur la substance du conflit.

–3] Le non-recours à la force. Là encore, le *peacekeeping* se différencie de la sécurité collective. La mission de la Force n'est pas de livrer combat. Soit elle s'apparente à une mission de police : les Casques bleus sont dotés d'armes légères défensives dont ils n'ont l'autorisation de se servir qu'en cas de légitime défense. Soit elle est une mission d'observation : les Bérets bleus sont des militaires chargés d'observer le déroulement du cessez-le-feu et de faire rapport. Ils ne sont pas armés.

• *Les premières opérations de maintien de la paix ont été considérées comme une innovation intéressante et un succès pour l'ONU.* Elles permettaient à l'Organisation de sortir de l'impuissance à laquelle la condamnait l'affrontement Est-Ouest et de jouer un rôle secondaire mais utile dans les conflits régionaux. Elles participaient du jeu subtil auquel se livraient les deux Grands : poursuivre la compétition partout dans le monde, mais toujours en évitant l'escalade.

• *Pourtant leur base juridique était fragile.* Elles reposaient sur ce que l'on appelle parfois un « chapitre VI et demi » de la Charte, un système d'assistance à la paix non codifié, intermédiaire entre le règlement pacifique des différends prévu par le chapitre VI de la Charte et le système de sécurité organisé par le chapitre VII. Cette construction purement coutumière était toujours susceptible d'être remise en cause. Leur financement n'était pas assuré. Chaque opération était lancée sur une base *ad hoc* parfois contestable et souvent contestée. La France et surtout l'URSS refusèrent longtemps d'en acquitter le coût au prétexte qu'elles étaient contraires à la Charte et donnaient au secrétaire général des compétences exorbitantes. La crise du Congo (1960-1964) fit éclater toutes les contradictions de ce genre d'opérations. Pour la première fois, les Nations unies se virent confrontées sur le terrain à une situation de guerre civile dans laquelle ne pas intervenir revenait à laisser sacrifier le plus faible (elles furent accusées d'avoir laissé assassiner Lumumba en refusant aux avions soviétiques d'atterrir et d'apporter du renfort à ce leader politique). Pour la première fois, les Casques bleus se virent attaqués, obligés de livrer bataille et autorisés à faire usage de la force de façon à la fois tardive et ambiguë. Il ne s'agissait plus de « maintien de la paix » (*peacekeeping*), ni même de « rétablissement de la paix » (*peacemaking*), mais bel et bien d'« imposition de la paix » (*enforcement*). Cette opération des Nations unies au Congo (ONUC) fut un succès pour le camp occidental, car elle empêcha l'URSS de prendre pied sur le continent africain, mais elle fut désastreuse pour les Nations unies. L'Organisation ne s'est jamais remise de la crise financière ouverte par cette opération. Le secrétariat a été durablement ébranlé par la mort de Dag Hammarskjoeld et les graves attaques portées contre lui. Son successeur, U Thant, eut pour première préoccupation de sortir l'ONU du guêpier congolais et de ne pas lancer l'Organisation dans de nouvelles aventures armées. Cette prudence excessive allait l'inciter à retirer les Casques bleus de la FUNU à la demande de Nasser, en 1967, sans en référer au Conseil de sécurité, ce qui lui valu l'accusation d'être responsable du déclenchement de la guerre des Six Jours et une fin de mandat marquée par l'impuissance et la morosité.

L'IRRUPTION DU TIERS MONDE ET SES RÉPERCUSSIONS

Avec la décolonisation, l'arrivée massive des pays du tiers monde a bouleversé la physionomie des organisations mondiales. Les pays en développement sont devenus majoritaires dans les années soixante et, par conséquent, maîtres de l'agenda dans un grand nombre d'organisations. Ils ont imposé leurs thèmes et leurs préoccupations qui, peu à peu, ont débordé sur l'ensemble du système multilatéral.

Le poids de ces pays à l'intérieur des organisations internationales ne correspondait pas à la réalité des rapports de force sur la scène mondiale. Il engendra pourtant un semblant de dialogue — dit « dialogue Nord-Sud » — qui dura une quinzaine d'années et modifia durablement la configuration de ces organisations.

De nouvelles créations institutionnelles

Aux Nations unies, les questions économiques prennent le pas sur les problèmes de sécurité dans les années soixante.

Après avoir été encouragés par l'Organisation mondiale à conquérir leur indépendance politique, les pays en développement (PED) entendent utiliser les instances internationales pour conquérir leur indépendance économique. Sur le plan théorique, le concept de développement tend à remplacer celui de croissance. Les dogmes de l'économie libérale sont remis en cause. La Commission économique pour l'Amérique latine (CEPAL) diffuse des thèses tout à fait novatrices sur les conditions du développement, en s'opposant à la théorie du commerce international prévalant jusque-là selon laquelle le libre-échange, en lui-même, permet la réduction des inégalités internationales. Les notions d'échange inégal et de dépendance se répandent et entrent dans le langage diplomatique.

Sur le plan institutionnel, la majeure partie de l'activité multilatérale se trouve réorientée vers les problèmes du développement, de l'aide et des échanges commerciaux. Quantité de nouvelles instances sont créées à cette fin, à l'échelle mondiale et à l'échelle régionale.

- *À l'échelle mondiale*

Malgré les réticences des grands pays occidentaux, les pays du tiers monde obtiennent, en 1964, la création de la CNUCED (Conférence des Nations unies pour le commerce et le développement) pour faire contrepoids au GATT qu'ils jugent servir exclusivement les intérêts des puissances industrielles. Cette nouvelle institution doit être un lieu où se négocieront toutes les questions relevant de ce que l'on commence à appeler les relations Nord-Sud et où seront définies de nouvelles règles de l'échange international plus favorables au tiers monde. Son premier secrétaire général, l'économiste argentin Raúl Prebisch, vient de la CEPAL et donne à la CNUCED une orientation résolument offensive : il s'agit d'adopter des règles nouvelles, dérogatoires au droit international commun pour le commerce et le financement des pays en développement. La CNUCED fonctionne comme une réplique de l'Assemblée générale. Les pays du tiers monde l'utilisent comme un forum, une tribune pour leurs revendications. Le secrétariat de la CNUCED est à leur service, c'est lui qui rédige leurs propositions et leur catalogue de revendications. C'est à la CNUCED également que sont officialisées les négociations par groupe : les pays d'Afrique, d'Asie et d'Amérique latine forment le « Groupe des 77 » (ils sont en réalité plus d'une centaine), auquel se sont joints Malte, Chypre et la Yougoslavie ; les pays industrialisés à économie de marché (les membres de l'OCDE) font partie du « Groupe B » ; les pays communistes font partie du « Groupe C ». La Chine est un groupe à elle seule. La CNUCED est essentiellement un organisme de discussion et de délibération où les décisions sont prises par consensus. Elle a pour fonction principale de donner l'impulsion à des négociations sur des thèmes importants pour les pays en développement : accords sur les produits de base, préférences commerciales, code de conduite des conférences maritimes (le problème du fret), aide aux pays les moins avancés (PMA).

Les PED n'ont jamais réussi à obtenir du Groupe B que la CNUCED soit transformée en institution spécialisée de l'ONU. Elle reste un « organe de l'Assemblée générale ». En réalité, elle jouit d'une relative autonomie institutionnelle, dont elle ne sait plus très bien que faire aujourd'hui. Très attaquée par les États-Unis dans les années quatre-vingt pour son idéologie interventionniste contraire au libéralisme, affaiblie par les échecs du dialogue Nord-Sud, elle s'est progressivement vidée de sa fonction de délibération et de négociation : sur le commerce, la dette, les vraies négociations se passent maintenant ailleurs. Certes, la CNUCED reste le lieu où se retrouvent producteurs et consommateurs d'un certain nombre de produits de base pour négocier des accords plus ou moins contraignants. Elle facilite les discussions et contribue à mettre en forme les termes des accords. Elle souffre malgré tout d'une désaffection certaine de la part d'une grande majorité de ses membres : découragement pour les pays du Sud, négligence, voire franche hostilité pour les pays du Nord. Son principal intérêt reste de fonctionner comme un bureau d'études pour le Sud et de fournir des rapports de qualité tranchant avec le conformisme ambiant par un keynésianisme résolu.

En 1966, les pays en développement avaient réussi à faire créer par l'Assemblée générale une Organisation des Nations unies pour le développement industriel (ONUDI), puis à la voir transformer en institution spécialisée en... 1985, après vingt ans d'effort. Victoire à la Pyrrhus : les pays industrialisés ont peu de sympathie pour cette organisation. Elle n'a commencé à fonctionner qu'en 1972 et elle est restée d'une taille réduite. Le Fonds de développement industriel alimenté par des contributions volontaires, qui doit lui permettre de répondre aux besoins d'industrialisation du tiers monde, stagne en valeur réelle. L'ONUDI demeure une organisation marginale se concentrant essentiellement sur l'Afrique, pour des tâches d'assistance technique, dans des projets approuvés et financés par l'intermédiaire du PNUD.

De plus en plus, en effet, le Programme des Nations unies pour le développement (PNUD) s'avère la pièce maîtresse du dispositif onusien en matière d'aide au développement. Il a été créé en 1965 par la fusion des deux premiers grands instruments d'assistance technique dont s'était dotée l'ONU : le PEAT (Programme élargi d'assistance technique), chargé de donner des conseils techniques aux PED, et le Fonds spécial des Nations unies (FSNU), chargé de recenser les projets d'investissement viables et d'aider à leur promotion. Une grande réforme, en 1970, en a fixé les traits essentiels. Le PNUD a un rôle de programmation, de coordination, de financement et d'évaluation. Placé, en principe, sous l'autorité de l'ECOSOC, il dispose en réalité d'une grande autonomie. Il est dirigé par un Conseil d'administration, comité intergouvernemental composé de 48 États (27 PED, 21 États industrialisés), élus par l'ECOSOC pour trois ans et rééligibles. Le Conseil se réunit deux fois par an, soumet des recommandations à l'ECOSOC. En principe, il fixe les priorités et procède aux évaluations. Les véritables responsabilités sont exercées par le directeur (« Administrateur ») du PNUD, nommé par le secrétaire général des Nations unies avec l'approbation de l'Assemblée générale. Il est responsable de toutes les activités du PNUD et doit en rendre compte au Conseil d'administration. Le PNUD est représenté sur le terrain par des « représentants-résidents » qui assurent la gestion et la coordination sur place des différents projets et dont les prérogatives ne sont pas négligeables. Ils évaluent la situation et les besoins locaux. Ils assurent le lien entre le pays d'accueil et le Programme. Ils ont le pouvoir d'approuver ou de rejeter des projets d'un montant inférieur à 400 000 $. Les bureaux extérieurs du PNUD sont formés de fonctionnaires internationaux, mais ils recrutent sur le plan local des agents d'administration et de la main-d'œuvre subalterne. Dans les quelque 112 pays où ils sont installés, ils assurent une présence de l'ONU forte et tangible.

Le PNUD est l'organe central des Nations unies en matière de planification, de financement et de coordination de la coopération technique. Sa mission est de financer l'aide multilatérale sous forme d'une assistance technique fournie à titre gratuit au travers de programmes et de projets de coopération. Ses ressources proviennent des contributions volontaires annuelles des États. Chaque année, dans une « conférence d'annonces des contributions », les pays développés et certains pays en développement annoncent les sommes qu'ils s'engagent à verser en monnaie convertible. Elles peuvent être différentes d'une année à l'autre pour le même pays. Depuis 1993, le PNUD doit faire face à une relative diminution de ses ressources globales. Ses ressources de base se sont contractées de 15 %. Le montant total des fonds gérés par le PNUD en 1993 représentait 1,4 milliard de dollars. Ces fonds sont répartis dans les pays bénéficiaires (150 en 1994) sur la base d'un programme de coopération négocié pour cinq ans établi sur des priorités définies en concertation (pour le cycle 1992-1996, 42 % du budget PNUD est destiné à l'Afrique, soit 1 317 millions de dollars). Un projet du PNUD implique généralement trois parties prenantes : le gouvernement, le PNUD, une organisation chargée de l'exécution du projet : FAO, BIT, UNICEF, ONG, voire une institution nationale lorsque cela est possible. L'approche par programme retenue depuis quelques années par le PNUD s'inscrit dans une tendance générale des bailleurs de fonds qui formulent leurs budgets de développement en termes de priorités. Après des années de saupoudrage et de chevauchements, l'accent est mis sur les stratégies et politiques de développement plutôt que sur les petits projets et l'acceptation de demandes éparpillées et incohérentes. Cette approche permet une meilleure coordination des divers intervenants, qu'ils appartiennent au système des Nations unies ou bien aux institutions régionales. Par l'organisation de ses « tables rondes », le PNUD cherche à jouer un rôle de catalyseur pour amener les différents bailleurs de fonds à appuyer conjointement les programmes de développement. Depuis l'été 1994, l'administrateur du PNUD, M. James Gustave Speth, a été chargé par le secrétaire général des Nations unies « d'améliorer la coordination des activités de développement » de l'Organisation. Des réaménagements sont en cours. Toutes les organisations de la famille des Nations unies en sont affectées. Le rôle central du PNUD dans le dispositif onusien en est encore affermi.

• *À l'échelle régionale*

Tout en investissant massivement les organisations mondiales déjà existantes, les pays en développement ont tenté de s'organiser entre eux comme l'avaient fait les pays de l'Europe de l'Ouest et la Communauté atlantique. Les tentatives d'organisation régionale et sous-régionale ont proliféré pendant les décennies 1960-1970-1980, dans une perspective tantôt de coopération politique, tantôt d'intégration économique, en utilisant tantôt une approche institutionnelle (intégration par les structures organisationnelles), tantôt les mécanismes de l'union douanière (intégration par le marché).

– *Sur le continent africain*

Le continent africain est celui où la prolifération des organisations régionales a été la plus forte : on peut y dénombrer quelque 200 organisations dont 80 % sont de nature intergouvernementale. Trente ans après les indépendances, il faut bien admettre que les résultats sont loin d'être proportionnels à cette débauche organisationnelle.

L'Organisation de l'Unité Africaine (OUA) a vu le jour en 1963, son siège est à Addis-Abbeba. Cette organisation panafricaine a toujours été en difficulté. Elle cherche encore sa définition. Le seul principe qui unissait ses membres était celui de l'intangibilité des frontières héritées de la période coloniale (art. 3 de la charte de l'OUA); ce principe est maintenant ébranlé. La seule politique commune était une politique déclaratoire contre l'Afrique du Sud et sa politique d'apartheid; l'apartheid a désormais disparu. Le manque d'entente entre ses membres et la faiblesse de leurs moyens font que l'OUA est une organisation sans ressources financières, sans archives, sans prestige. Elle s'illustre pourtant de temps en temps : une intéressante Charte africaine des droits de l'homme et des peuples a été adoptée en son sein en 1981 (entrée en vigueur en 1986). Elle reprend les instruments internationaux préexistants relatifs aux droits de l'homme, mais elle exprime aussi une certaine conception africaine des droits de l'homme : le rôle de la famille en tant que cellule de base de la société est, par exemple, affirmé et l'État a le devoir de la protéger (art. 18).

Dans le domaine du développement, l'OUA s'est signalée en 1980 par une retentissante déclaration connue sous le nom de « plan de Lagos » sur le thème de « l'autosuffisance nationale et collective dans le domaine économique et social en vue de l'instauration d'un nouvel ordre économique ». Il s'agissait de préparer l'établissement d'un marché commun à l'échelle sous-régionale d'ici l'an 2000 par un programme en trois phases : 1] libéralisation des échanges ; 2] union douanière ; 3] communauté économique. En 1991, les chefs d'État de l'OUA ont adopté un nouveau schéma-cadre (traité d'Abuja) remplaçant le plan de Lagos et visant à l'instauration d'une Communauté économique panafricaine (CEPA) d'ici l'an 2025. Ce projet est encore plus ambitieux que le précédent, mais sa faisabilité laisse les observateurs sceptiques. Il est conçu selon un mode rigide d'intégration « par le haut » donnant la primauté aux États et à l'intergouvernementalisme tout en reflétant une vision du développement en terme de substitution aux importations et de déconnexion du système international largement dépassée. Il ne s'appuie pas sur une dynamique existante et sous-estime la force présente des flux commerciaux transfrontaliers informels.

En matière de sécurité collective, il n'existe pas dans l'OUA de pacte de défense panafricain comparable au traité interaméricain d'assistance mutuelle qui autorise l'Organisation des États américains (OEA) à prendre toute mesure nécessaire pour rétablir ou maintenir la paix et la sécurité entre deux ou plusieurs de ses membres (art. 7). Alors que la Ligue des États arabes (qui existe depuis 1945) a signé en 1950 un pacte de défense collective établi sur le modèle de l'OTAN (et d'une remarquable inefficacité), les pays membres de l'OUA n'ont pas réussi à s'entendre sur la notion même de sécurité collective. Il est vrai que, pour ces pays, la menace ne vient pas de l'extérieur du continent africain, mais de conflits intérieurs et de conflits frontaliers, ce qui ne favorise pas une perception commune de la sécurité. Des cultures militaires différentes, le sous-équipement militaire de nombreux pays, l'absence de moyens de transmission et de renseignement, des difficultés financières rendent improbable la construction d'une défense collective. En trois occasions, cependant, des forces interafricaines ont été constituées : lors de la deuxième guerre du Shaba, en 1978 ; pendant l'un des nombreux épisodes de la guerre civile au Tchad, en 1981 ; et surtout, pour donner une solution africaine au conflit du Liberia, depuis 1990. De ces trois expéditions, seule la mise sur pied de la force interafricaine au Tchad a été négociée dans le cadre de l'OUA. L'intervention au Shaba a été montée à l'initiative de la France. La force d'interposition ouest-africaine au Liberia, connue sous le nom d'ECOMOG (pour *ECOWAS Monitoring Group*), a été envoyée par la CEDEAO (Communauté économique des États de l'Afrique de l'Ouest, *ECOWAS* en anglais). Elle compte quelque 20 000 soldats fournis par huit pays africains. Le Nigeria en est le *leader* et le principal contributeur en hommes et en matériel. L'ECOMOG était à l'origine une opération de maintien de la paix; elle a dû se transformer en opération d'imposition de la paix et utiliser la force en 1992, non sans un certain succès puisque les combattants ont été amenés à entamer des négociations en juillet 1993. Cette première opération de *peacekeeping* africaine n'a ni mieux ni moins bien réussi que les opérations de *peacekeeping* de l'ONU. Elle a eu le mérite de créer un précédent : les pays africains ont pris leur destin en main et géré eux-mêmes un conflit local. À son 29e sommet, au Caire, en juin 1993, l'OUA a proclamé son intention de transposer à l'échelle du continent ce que la CEDEAO avait fait à l'échelle subrégionale en prenant l'ECOMOG comme modèle.

Il n'est pas impossible que l'entrée de l'Afrique du Sud, en juin 1994, ne permette de donner un nouveau souffle à l'OUA. Elle marque un tournant dans l'histoire de cette organisation.

Les expériences de coopération interafricaines ont été plus convaincantes au niveau subrégional. Elles ont été nombreuses. Les organisations de coopération subrégionale africaines se comptent par dizaines et traduisent une volonté d'intégration jusqu'à présent peu suivie d'effet. Elles composent une série d'ensembles et de sous-ensembles assez flous qui se chevauchent sur des espaces mal définis.

Dans l'Afrique subsaharienne, les tentatives se sont structurées essentiellement autour de trois pôles d'influence : 1] la zone franc; 2] le Nigeria; 3] l'Afrique du Sud.

1] La zone franc est un système de coopération original entre la France et 14 pays africains regroupés (sauf quelques exceptions, dont les Comores) dans deux unions monétaires centre-africaine et ouest-africaine émettant une monnaie commune, le CFA (franc de la Communauté financière). À l'intérieur de l'espace ainsi délimité, l'intégration sous-régionale a été encouragée.

En Afrique centrale, l'UDEAC, Union douanière des États de l'Afrique centrale (fondée en 1964), qui siège à Bangui, regroupe Congo, Gabon, République centrafricaine, Tchad, Cameroun, Guinée équatoriale. Le but de l'Union est de réaliser un marché commun entre ses membres. Elle a créé en 1975 la BDEAC, Banque de développement des États de l'Afrique centrale. À la suite de conventions monétaires entre ces pays et la France, les pays membres de l'Union ont réalisé leur union monétaire par la création de la BEAC, Banque des États de l'Afrique centrale (1972), mécanisme de coopération monétaire assurant la relation entre le franc français et la monnaie commune, le franc CFA; son siège est à Yaoundé.

Depuis la décision de dévaluer le CFA de 50 % en janvier 1994, les pays membres de l'UDEAC ont créé (le 16 mars 1994) la CEMAC, Communauté économique et monétaire d'Afrique centrale avec la BEAC comme banque centrale.

En Afrique de l'Ouest, la CEAO, Communauté économique de l'Afrique de l'Ouest, a été instituée en 1973 et siège à Ouagadougou. Elle regroupe les pays francophones de la région : Burkina-Faso, Côte-d'Ivoire, Mali, Mauritanie, Niger, Sénégal, Bénin. Le Togo et la Guinée sont observateurs. À l'exception de la Mauritanie, ses membres ainsi que le Togo font partie de l'UMOA, Union monétaire ouest-africaine créée en 1962. L'émission de la monnaie commune à l'intérieur de la zone est confiée à la BCEAO, Banque centrale des États de l'Afrique de l'Ouest dont le siège est à Dakar.

Depuis le 1er août 1994, l'UMOA a été remplacée par l'UEMOA, Union économique et monétaire ouest-africaine, avec la BCEAO comme banque centrale.

La zone franc constitue un vaste système d'union monétaire. Elle instaure une fixité du taux de change avec le franc français, une convertibilité illimitée du franc CFA, la centralisation des réserves de change sur un compte d'opération géré par le Trésor français. Depuis le milieu des années 1980, la zone franc est entrée dans une période de turbulence : l'endettement massif des États africains, la chute de leurs recettes d'exportation, la faillite des banques commerciales en Afrique, le relâchement des disciplines budgétaires se sont conjugués pour faire peser de fortes tensions sur ses mécanismes. Les vertus qui lui sont reconnues (stabilité monétaire et maîtrise de l'inflation propres à attirer la confiance des investisseurs) ne compensent plus ses rigidités. Après la dévaluation du CFA, intervenue en janvier 1994, une seconde dévaluation n'est pas à exclure. L'avenir de la zone est devenu incertain.

À l'instigation de la France, une nouvelle relance de l'intégration régionale est recherchée dans le cadre de la CEMAC et de l'UEMOA par une « harmonisation des règles » notamment dans le domaine des assurances, de la protection sociale, du droit des affaires. Comme le souligne Daniel Bach : « Pour la première fois depuis leurs indépendances il est demandé aux États des unions monétaires ouest et centrafricaines de programmer des transferts de souveraineté au profit d'organes communautaires africains. L'objectif recherché équivaut à une internalisation des impératifs d'ajustement, les mécanismes de surveillance fiscalo-budgétaires ayant vocation à se substituer aux conditionnalités classiques des bailleurs de fonds. »

2] Le pôle nigérian. Les relations de la France, ancienne puissance coloniale très présente en Afrique de l'Ouest, et du Nigeria, première puissance sous-régionale de la zone, ont toujours été difficiles. La CEDEAO, Communauté économique des États d'Afrique de l'Ouest, a été créée à Lagos en 1975 (entrée en vigueur en 1977), à l'initiative du Nigeria pour contrer l'influence française chez ses voisins francophones.

La CEDEAO regroupe : Bénin, Burkina Faso, Cap-Vert, Côte-d'Ivoire, Gambie, Ghana, Guinée, Guinée-Bissau, Liberia, Mali, Mauritanie, Niger, Nigeria, Sénégal, Sierra Leone, Togo. Depuis vingt ans, elle n'a enregistré aucun progrès significatif des échanges commerciaux officiels entre ses 16 pays membres. Le projet de création de zone monétaire n'a pas avancé. Le Nigeria n'a pas réussi à servir de moteur à l'intégration d'une Communauté où coexistent dix monnaies différentes dont la plupart ne sont pas convertibles. Le programme communautaire de liberté de circulation, de résidence et d'établissements entre ressortissants des pays de la CEDEAO est resté lettre morte. Seuls quelques pays s'acquittent de façon régulière de leur contribution au budget communautaire.

La CEDEAO s'est surtout illustrée comme forum diplomatique et comme instance de médiation dans des conflits régionaux : Guinée/Côte-d'Ivoire, Sénégal/Mauritanie. Son intervention au Liberia lui a valu un regain de considération. Elle a relancé la problématique de l'intégration sous-régionale en créant des liens de type nouveaux entre les pays ayant participé à l'ECOMOG et au processus de négociation, tous confrontés à un problème commun, qu'ils soient francophones ou anglophones.

3] Le pôle sud-africain. Dans l'Afrique australe, particulièrement riche en ressources minières et en ressources agricoles, l'Afrique du Sud est la grande puissance économique et militaire. Son emprise ne se limite pas aux seuls pays de la sous-région : malgré les sanctions économiques réclamées contre le pays de l'apartheid, la quasi-totalité des pays africains n'a jamais cessé d'entretenir des relations commerciales étroites avec elle. Depuis ses récentes transformations politiques, de grands espoirs sont mis dans la capacité de Pretoria à constituer un nouveau pôle d'intégration et de restructuration en Afrique.

La zone de coopération douanière et monétaire instituée par l'Afrique du Sud avec quatre États limitrophes (Bostawana, Lesotho, Swaziland, Namibie depuis 1991) constitue un pôle économique et géopolitique important. La SACU (*Southern African Custom Union*) est une construction d'origine coloniale renégociée en 1969 pour tenir compte des indépendances. Elle rapporte des revenus substantiels aux pays voisins de la République sud-africaine qui y sont très attachés (50 % du budget national du Swaziland proviendrait des recettes de ce *pool* douanier), au point d'être prêts à consentir des limitations de souveraineté tarifaire pour la maintenir (relevé par Daniel Bach, « Les dynamiques paradoxales de l'intégration... », art. cit.).

Les fondements de cette Union sont depuis peu menacés par la perspective d'un assouplissement du tarif extérieur commun dans le cadre d'une libéralisation générale des échanges en Afrique australe. L'Afrique du Sud a décidé, en effet, de devenir le onzième membre de la SADC, récemment constituée en remplacement de la SADCC.

La SADCC *(Southern Africa Development Coordination Conference,* Conférence pour la coordination du développement en Afrique australe) avait été créée en 1980 par neuf pays désireux de réduire leur dépendance à l'égard de l'Afrique du Sud (Angola, Bostwana, Lesotho, Mozambique, Malawi, Swaziland, Tanzanie, Zambie, Zimbabwe). La Namibie a adhéré en 1991. Le Zaïre n'a pas été admis, mais il siège comme observateur dans certaines réunions de la Conférence dont le siège est à Gaborone (Bostwana). Dépendance économique mais aussi stratégique : depuis l'indépendance des anciennes colonies portugaises, la politique régionale de l'Afrique du Sud consistait à tout faire pour éviter que ses voisins ne s'unissent dans une commune opposition à son régime et à entretenir les guerres intestines en fournissant de l'aide aux mouvements d'opposition armée en Angola et au Mozambique.

L'absence de complémentarité entre les économies des pays membres de la SADCC et l'effondrement politique de plusieurs d'entre eux n'ont pas permis le développement des échanges intercommunautaires. L'emprise de l'Afrique du Sud sur les économies de l'Afrique australe est restée décisive. L'existence d'une zone de coopération monétaire très fortement intégrée autour du pôle sud-Africain à l'intérieur de la SADCC a encore renforcé les asymétries.

Dans un nouvel effort pour rendre ces relations moins asymétriques et relancer le développement de la région, la SADCC s'est transformée en SADC (*Southern Africa Development Community*) en 1992. L'objectif de la SADC n'est plus l'opposition à l'Afrique du Sud, mais la structuration de la région à la fois sur le plan économique et politique. La SADC envisage l'établissement d'un vaste traité régional qui conduirait, à terme, à la libre circulation des biens, des capitaux et des services entre les États membres. Cependant, une telle zone de libre échange n'est pas envisageable avant de longues années. L'Afrique du Sud représente à elle seule 75 % du PIB de la région et les modalités des démantèlements tarifaires sont loin d'être simples. Sur le plan politique, la SADC souhaite se constituer en force régionale et jouer un rôle de médiateur dans les conflits locaux. Les attentes de ses membres vis-à-vis de l'Afrique du Sud « post-apartheid » sont considérables. Le changement politique intervenu en Afrique du Sud a radicalement modifié les données. Le pays a rompu avec quarante-six ans d'apartheid et de discrimination raciale constitutionnelle. Il a connu ses premières élections multiraciales le 27 avril 1994 et porté Nelson Mendela au pouvoir. Il s'est réconcilié avec la SADC et affirme sa volonté d'assumer ses responsabilités régionales.

La question est de savoir si l'on va assister à une banalisation progressive des rapports entre l'Afrique du Sud et ses quatre voisins, membres à la fois de la SACU et de la SADC, si les effets en seront une expansion de l'intégration sous-régionale ou une déstructuration accrue, si l'entrée de l'Afrique du Sud dans la SADC, effective depuis août 1994, va ou non accélérer l'intégration économique d'une zone dans laquelle, en 1994, le commerce intrarégional ne représentait que 6 % du commerce total.

Globalement, et malgré un nombre considérable d'organisations interétatiques s'ajoutant à celles qui viennent d'être mentionnées (Union du Maghreb arabe, UMA), Zone d'échanges préférentiels d'Afrique australe et orientale (ZEP), Communauté économique des pays des grands lacs (CEPLG), etc., non seulement les échanges interafricains officiels n'ont pas augmenté, mais ils ont diminué depuis 1965 (voir J. Coussy). Le bilan de ces créations organisationnelles ne peut donc se faire qu'au cas par cas. Il fait alors apparaître quelques résultats spécifiques relevant d'une coopération modeste : organisations techniques et prestations de service permettant par exemple d'améliorer les infrastructures, les transports et télécommunications ; unions monétaires préservant une certaine stabilité. Mais, de façon générale, les tentatives d'intégration africaine fondées sur des modèles qui mettent en avant les États, les administrations et la planification volontariste n'ont pas résolu les graves problèmes de déséquilibres économiques et financiers que connaissent les États africains.

– *Sur le continent américain*

Depuis le XIXe siècle, l'Amérique est un espace privilégié pour la création d'organisations régionales. L'idéal d'un rapprochement de tous les pays latino-américains est un vieux rêve auquel est attaché le nom de Simon Bolivar. Le mot « panaméricanisme » qu'il avait inventé fut récupéré à leur profit par les États-Unis. La première conférence interaméricaine s'est réunie à Washington en 1889. La pratique s'institutionnalisera au lendemain de la Première Guerre mondiale sous forme d'une Union panaméricaine à laquelle succédera l'Organisation des États américains en 1948. Le rôle des États-Unis est déterminant. Il n'a cessé de peser sur toutes les tentatives d'organisation régionale dans cette partie du monde.

Les pays d'Amérique du Sud appartiennent à quantité d'organisations régionales : on en dénombre plus de 150. Les tentatives menées dans les décennies 1960-1970 ont été plus axées sur l'intégration par le marché que les tentatives africaines, mais guère plus concluantes. Jusqu'à une période récente, la dépendance de chacun des pays d'Amérique du Sud à l'égard des États-Unis (et de l'Europe), leurs oppositions politiques et leur hétérogénéité ont rendu illusoires les perspectives de construction d'espaces régionaux de coopération. L'OEA a tenté de donner un contenu économique au panaméricanisme. En 1961, le président Kennedy lançait l'Alliance pour le progrès, vaste entreprise de coopération pour le développement économique et social des pays latino-américains sous l'égide de l'organisation panaméricaine. Malgré l'adoption de la charte de Punta del Este en août 1961, l'Organisation des États américains n'a jamais réussi à mettre en œuvre cette coopération, trop liée à la politique extérieure des États-Unis pour être gérée de façon multilatérale.

Le concept d'Amérique latine est longtemps resté une référence sans contenu, un thème de discours sans réalité, malgré l'existence de deux organisations latino-américaines depuis 1960.

L'Association latino-américaine de libre commerce (ALALC) a été créée en 1960 par le traité de Montevideo à l'initiative de la CEPAL (Commission des Nations unies pour l'Amérique latine). Il ne s'agissait pas d'une union douanière mais de l'établissement progressif d'une zone de libre-échange qui devait constituer la première étape d'un marché commun d'Amérique latine entre les pays d'Amérique du Sud (Argentine, Bolivie, Brésil, Chili, Colombie, Équateur, Mexique, Paraguay, Pérou, Uruguay, Venezuela en faisaient partie). Les négociations étaient bilatérales; produit par produit, chaque pays devait donner son accord pour l'application de réductions tarifaires et l'abolition des barrières douanières. Les résultats furent très modestes. La liste des produits faisant l'objet d'un libre-échange dans la zone n'a porté que sur une faible partie des échanges, l'expansion du commerce est restée limitée. Le Brésil et l'Argentine assuraient à eux seuls plus de la moitié du commerce intrazonal.

La naissance du Groupe andin marqua la volonté de pays à l'économie plus modeste de contourner la pesanteur des « Grands » (Brésil, Argentine, Mexique) et de remédier à la lenteur dans les réalisations de l'ALALC en accélérant le mouvement d'intégration économique. Le Pacte andin, créé par l'accord de Carthagène en mai 1969, est un accord dans l'accord. Il lie entre eux six États membres de l'ALALC (Bolivie, Chili, Colombie, Équateur, Pérou, Venezuela à partir de 1974) et tente de s'organiser sur un modèle inspiré du système communautaire européen : une organisation institutionnelle très poussée, un programme de libéralisation des échanges, un projet de tarif extérieur commun.

Le Groupe andin se présente à ses débuts comme l'un des regroupements régionaux les plus dynamiques et les plus prometteurs dans le monde en développement. Mais trop de différences entre ses membres et trop de divergences politiques empêchent que se mette en marche une véritable logique d'intégration. Le Groupe andin est ébranlé par des crises internes. Il ne parvient pas à respecter un tarif extérieur commun ni à s'entendre sur des programmes sectoriels (à l'exception notable et importante des industries métallurgique, mécanique et pétrochimique). L'élimination des obstacles tarifaires et non tarifaires avance mais reste lente. La zone reste politiquement hétérogène et marquée par les déchirements passés. Le retrait du Chili en 1976 a beaucoup affaibli le Groupe andin et en a réduit la portée.

Le Marché commun d'Amérique centrale, créé en 1960 par le traité de Managua, a d'abord enregistré de meilleurs résultats dans l'intensification des échanges à l'intérieur de la zone (Costa Rica, Guatemala, Honduras, Nicaragua, Salvador). Il se présentait comme une union douanière avec libre-échange pour la quasi-totalité des produits et définition d'un tarif extérieur commun. À partir des années 1970, la multiplication des crises et des guerres civiles dans la région a stoppé son essor. Le retour à la paix dans cette région pourrait lui redonner un nouveau souffle : les échanges intrarégionaux sont passés de 7 % en 1960 à 21 % en 1993. Un nouvel accord de Managua (1992), inspiré de la Communauté économique européenne, prévoit la constitution d'une zone de libre-échange entre les pays de l'isthme (à l'exception de Panama) au 31 décembre 1996. Il devrait favoriser la création d'entreprises multinationales sous-régionales. Il devrait aussi permettre la conclusion d'accords bilatéraux collectifs avec le Mexique : le Guatemala, le Salvador et le Honduras sont engagés dans une négociation en bloc avec leur imposant voisin du Nord.

La création d'une Association latino-américaine d'intégration (ALADI), décidée à Montevideo le 12 août 1980, a marqué un sursaut et une relance de la vieille idée de marché commun sud-américain en une période où les difficultés s'amoncelaient : hyperinflation, endettement catastrophique, dégradation des infrastructures. L'ALADI a remplacé l'ALALC en l'actualisant avec un système de préférences tarifaires régionales minimum et évolutif et un système d'accords d'intégration « de portée régionale » (auxquels tous les États membres doivent participer) ou « de portée partielle » (conclus entre quelques-uns seulement). Ce grand accord-cadre avait surtout une valeur d'incitation. Il a encouragé toute une série de sous-accords se substituant ou se superposant à ceux qui existaient déjà. Le plus important est le Mercosur (Marché commun du cône sud) né d'un accord passé entre l'Argentine, le Brésil, le Paraguay et l'Uruguay, signé à Asuncion (Paraguay) le 26 mars 1991. Il s'agit d'une zone de libre-échange dans laquelle les droits de douane devraient être supprimés d'ici le 31 décembre 1994 et qui doit, à cette date, se doter d'un tarif extérieur commun pour se transformer *de facto* en union douanière. Si ce marché commun du Sud réussissait à se mettre en place, il unirait une population de 190 millions d'habitants représentant un PIB d'environ 420 milliards de dollars. La marche de l'Amérique latine vers l'intégration commerciale serait en bonne voie.

Après des décennies de tentatives infructueuses, la relance des accords de libre-échange bilatéraux et multilatéraux pousse à l'organisation du sous-continent américain. La voie choisie privilégie l'accumulation des accords commerciaux plutôt que le renforcement de zones très hétérogènes par des institutions communes. Seuls la Communauté et le marché commun des Caraïbes n'arrivent pas à décoller. Les échanges entre populations sont importants et font des îles Caraïbes une véritable région, mais les structures officielles restent pour la plupart des coquilles vides (le CARICOM a été créé en 1973 par la Barbade, le Guyana, la Jamaïque, Trinidad et Tobago. Il regroupe également dix petites îles anglophones).

Le multilatéral au service du développement

Puisque la logique d'intégration régionale ne parvenait pas à l'emporter dans les pays du Sud, ceux-là ont d'abord tenté de négocier avec les pays industrialisés un Nouvel Ordre économique international (NOEI) pour se développer et s'insérer dans l'économie mondiale dans de meilleures conditions.

À partir du milieu des années soixante et pendant vingt ans, la diffusion d'une véritable « idéologie du développement » (Michel Virally) a pénétré l'ensemble du système multilatéral. Les organisations internationales ont été les arènes dans lesquelles les PED cherchaient à faire reconnaître leur droit au développement. Elles sont devenues des instances chargées d'organiser une redistribution des ressources des pays riches vers les pays pauvres. Au début des années 1980, l'ONU s'enorgueillissait d'annoncer que 85 % de ses ressources en personnel et en argent étaient au service du développement.

• *Toutes les institutions spécialisées ont mis sur pied des programmes d'assistance aux PED* (y compris les organisations purement techniques, Union postale universelle ou organisation météorologique mondiale), ce pour quoi elles n'avaient pas été conçues.

Dans le domaine alimentaire, en particulier, l'Organisation des Nations unies pour l'alimentation et l'agriculture, plus connue sous son sigle anglais FAO, a multiplié les programmes spéciaux pour aider les PED à améliorer leur productivité agricole, mieux utiliser les engrais, lutter contre les maladies du bétail, et cela sans en avoir toujours les moyens. Cela lui vaut d'être accusée de mégalomanie, de saupoudrage et de gaspillage inconsidéré (l'UNESCO, dans son domaine, essuie les mêmes reproches). La mission qui lui est reconnue est de réunir et de diffuser tous les renseignements relatifs à l'alimentation et à l'agriculture. La FAO fournit des études et des statistiques. Elle publie un rapport annuel sur la situation mondiale en matière d'alimentation et d'agriculture. Un système mondial d'information et d'alerte rapide lui permet de faire le point sur la situation alimentaire dans le monde, par zone et par pays, et de prévoir les risques de pénurie. Elle a cherché à établir un système de sécurité alimentaire destiné à aider les PED à constituer des réserves de produits alimentaires pour faire face aux situations de crise.

Les insuffisances de la FAO dans le domaine opérationnel ont conduit l'ONU à créer deux organes subsidiaires, le PAM (Programme alimentaire mondial) et le CMA (Conseil mondial de l'alimentation), ainsi qu'une nouvelle institution spécialisée, le FIDA (Fonds international de développement agricole).

Le PAM est la principale filière de distribution de l'aide alimentaire multilatérale. Il fournit environ 25 % de l'aide alimentaire mondiale, essentiellement pour faire face à des situations d'urgence, catastrophes naturelles, exodes, sécheresses. L'aide du PAM soutient également des programmes de développement social, de nouveaux projets d'« alimentation à l'école », par exemple. Ce Programme œuvre depuis 1963. Il a été créé conjointement par l'ONU et la FAO et reste une structure mixte, fonctionnant à la fois avec l'ECOSOC et le Conseil de la FAO. En réalité, comme le PNUD, le PAM dispose d'une relative autonomie. Il opère dans une centaine de pays, il dispose de plus de 80 bureaux extérieurs. Ses ressources proviennent des contributions des pays membres de l'ONU et de la FAO. Elles ont la particularité de pouvoir être fournies en nature, en devises ou en services. Les produits en nature représentent 2/3 environ des contributions et sont fournis en majeure partie par les États-Unis, le Canada et la CE. Les États-Unis versent l'intégralité de leur contribution en produits alimentaires. Le PAM a pour mission, en effet, de mobiliser les excédents alimentaires disponibles et d'assurer leur distribution dans les pays qui en ont besoin. Il permet de recycler les excédents agricoles sans déprimer les marchés. La France a toujours été un chaud partisan du système.

En 1993, 47 millions de personnes ont bénéficié directement de l'assistance du PAM. Avec un total de dépenses s'élevant à 1,6 milliard de dollars, le PAM a constitué l'une des principales sources d'assistance pour les pays en développement. La plus grande partie des secours d'urgence distribués est allée aux victimes de « catastrophes d'origine humaine » : 50 % en Afrique, 30 % en ex-Yougoslavie.

Le Conseil mondial de l'alimentation est né de la grande Conférence mondiale sur l'alimentation convoquée par l'ONU en 1974. Il s'agit d'un organe politique établi au rang des ministres et des plénipotentiaires, sorte d'organe tutélaire veillant sur les activités des quelque 35 organisations du système de l'ONU s'occupant des problèmes de la faim dans le monde. Il se compose de 36 membres élus par l'Assemblée générale sur recommandation de l'ECOSOC et se réunit au moins une fois par an. Il n'a pas d'activités opérationnelles, il ne gère pas les projets. Il tente de définir une politique cohérente, de donner les grandes orientations, de guider l'action des différents intervenants. L'une de ses initiatives les plus marquantes a été l'établissement du FIDA, institution spécialisée des Nations unies pour le financement de projets et programmes agricoles et alimentaires dans les PED à faible revenu, l'Afrique essentiellement. La structure du FIDA est originale. Elle comporte trois catégories de membres : les pays industrialisés de l'OCDE, les pays de l'OPEP, les pays en développement non exportateurs de pétrole. Elle incarne une relation triangulaire entre les pays du Nord possédant la technologie, les pays pétroliers possédant les ressources financières et les pays en développement demandeurs d'aide (que V. Giscard d'Estaing avait essayé de promouvoir sous le vocable de « trilogue »). Cette forme de coopération originale devait permettre de mobiliser les ressources en pétrodollars des pays de l'OPEP pour les recycler en direction du tiers monde. Institué par une convention en 1976 et devenu opérationnel en 1978, le FIDA s'est spécialisé dans les grands problèmes du moment : crise alimentaire, désertification, lutte contre l'érosion des sols. Il a procédé en portant une attention particulière à des « groupes cibles ». Il a défini un programme spécial pour les pays d'Afrique subsaharienne touchés par la sécheresse et la désertification. Son travail est apprécié, mais le renouvellement de ses ressources a toujours posé problème. Le fonds initial se montait à plus d'un milliard de dollars. En 1993, la troisième reconstitution n'était plus que de moitié. Les pays de l'OCDE réclament en vain une augmentation de contribution aux pays de l'OPEP, de plus en plus réticents. L'avenir du FIDA est incertain : les États-Unis s'y intéressent moins et les pétrodollars manquent (chute des cours, endettement des pays pétroliers, etc.).

Dans le domaine des échanges, le GATT a reconnu la nécessité de s'adapter pour « permettre aux parties contractantes de s'acquitter de leurs responsabilités dans le domaine de l'expansion des échanges des pays peu développés » (mai 1963). Une « Partie IV » (entrée en vigueur en juin 1966) a été rajoutée à l'Accord général, qui instaure un principe de non-réciprocité au bénéfice des PED, tout à fait dérogatoire aux principes fondateurs du GATT, basé sur la clause de la nation la plus favorisée : « Les parties contractantes des pays développés n'attendent pas de réciprocité pour les engagements pris par elles de réduire ou d'éliminer les droits de douane et autres obstacles au commerce des parties contractantes peu développées. »

En 1971, le GATT donne son accord pour l'établissement d'un Système généralisé de préférences (SPG) recommandé par la CNUCED lors de sa deuxième conférence à New Delhi, deux ans auparavant. Tous les pays développés sont invités à accorder « un traitement tarifaire préférentiel à des produits originaires de pays et territoires en voie de développement ». Le SPG représente une victoire pour les PED, mais il reste non contraignant : les pays développés établissent eux-mêmes la nature et l'étendue des préférences qu'ils entendent accorder. Ils restent libres de modifier leur liste de préférences et de choisir les pays «éligibles».

• *Les organisations regroupant des pays développés sont amenées, elles aussi, à s'adapter aux nouvelles exigences des relations entre pays de développement inégal.*

En succédant à l'OECE en 1961, l'OCDE a élargi sa mission. Selon son texte constitutif, sa tâche n'est plus seulement de développer les relations entre ses membres, mais de contribuer au développement des échanges avec les pays moins développés. Elle a créé pour cela un organe spécifique : le Comité d'aide au développement (CAD). La Communauté européenne est présente dans cet organe intergouvernemental composé de 17 pays et doté d'un imposant secrétariat. Sur la base des données fournies par les États membres, le CAD publie chaque année un rapport très attendu sur l'état de l'aide au développement. Il rend compte des contributions bilatérales et multilatérales, de l'aide publique et de l'aide privée fournies par les États de l'OCDE. Il fait le bilan des problèmes principaux posés par la situation des PED : dette, commerce, agriculture, transferts de technologie, investissements, etc.

L'OCDE est aussi un cadre de concertation dans lequel les pays du Groupe B tentent d'harmoniser leurs positions à l'égard des pays du Sud : sur le SPG, par exemple. Outre le CAD, deux instances spécialisées se consacrent aux questions du développement à l'OCDE : le Comité de coopération technique s'occupe de divers programme de coopération montés par l'OCDE; le Centre de développement suscite des études, rencontres, séminaires de très haut niveau sur les problèmes du développement.

La Communauté européenne a été la première à présenter un schéma de préférences au titre du SPG (juillet 1971). Elle s'est illustrée surtout par une forme de coopération originale avec les pays d'Afrique, des Caraïbes et du Pacifique (pays ACP) commencée avec les conventions de Yaoundé (1963, 1969) et développée dans les quatre conventions de Lomé (1975, 1979, 1984, 1989; l'échéance de Lomé IV a été fixée au mois de février de l'an 2000). Cette coopération a pour caractéristique d'être contractuelle, et donc négociée, d'englober une coopération commerciale, une coopération financière et technique, une coopération industrielle et agricole. Depuis Lomé IV sont aussi prévues : une aide en faveur des actions régionales pour favoriser les processus d'intégration subrégionaux; une aide sociale, notamment pour encourager des politiques de maîtrise de la démographie; une plus grande attention porté aux questions d'environnement — déforestation, désertification, trafics de déchets dangereux.

La grande originalité de la politique de coopération européenne a été le mécanisme de compensation des pertes de recettes d'exportation mis en place sous la forme du STABEX. Le système visait à garantir aux pays ACP (58 en 1979; 69 en 1989) un certain niveau de recettes d'exportation pour certains produits agricoles dont leur économie dépend de façon importante (49 produits sont couverts par Lomé IV). La garantie communautaire jouait à partir d'un

« seuil de déclenchement » à partir duquel le pays ACP était en droit de demander un transfert financier à la Communauté européenne. L'effondrement, non prévu, du cours des matières premières agricoles dans la décennie quatre-vingt a fait peser sur le STABEX des charges telles que ses ressources n'ont pas pu compenser intégralement les pertes en recettes d'exportation subies par les pays ACP. De 1985 à 1989, les transferts ont représenté 1 000 millions d'Écus alors que les besoins étaient évalués à 1 700 millions.

Le financement du STABEX s'opère à partir d'un budget prélevé sur le Fonds européen de développement (FED). Ce Fonds est le principal instrument de la coopération communautaire. Il n'est pas alimenté par le budget de la Communauté, mais par des contributions directes des États membres. Chaque nouvelle convention s'accompagne d'un nouveau FED dont le montant et l'affectation sont âprement négociés entre les membres de la CE. Sous Lomé IV, le FED a été considérablement revalorisé. Sa dotation initiale s'élève à 12 milliards d'Écus (un Écu = environ 6,55 F). L'enveloppe quinquennale pour le STABEX a été augmentée de 62 % par rapport à Lomé III : elle représente 1 500 millions d'Écus. De plus, les pays ACP ne sont plus tenus de rembourser les versements effectués au titre du STABEX lorsque les cours remontent ou que les exportations reprennent. En contrepartie, ils ont dû accepter un contrôle plus rigoureux de l'utilisation des fonds qui leur sont transférés.

Depuis Lomé II, une facilité de financement spéciale existe aussi pour les produits miniers : le Sysmin. Il ne vise pas à compenser les pertes de recettes d'exploitation, mais à financer des actions de diversification économique ou de protection du potentiel de production pour les pays dont l'économie repose en priorité sur le secteur minier et qui doivent faire face à des difficultés conjoncturelles. Les produits couverts sont le cuivre, le cobalt, les phosphates, la bauxite, l'alumine, le manganèse, l'étain, le fer, l'or, l'uranium. Depuis Lomé IV, les versements au titre du Sysmin sont des dons et non plus des prêts.

L'avenir du système de Lomé n'est pas assuré : il n'est pas certain qu'un Lomé V puisse voir le jour et, de toutes façons, le mécanisme ne sera pas reconduit à l'identique. La marginalisation croissante des pays ACP dans l'économie mondiale, la dégradation de leur situation politique, sanitaire, alimentaire posent des défis que l'Europe est incapable de relever et soulèvent la question de l'efficacité des instruments de Lomé. La France est le pays le plus attaché à la coopération ACP-CEE qui profite, pour la plus grande partie, aux pays africains. Ses partenaires sont nombreux à demander une révision en profondeur de cette coopération pour des raisons à la fois idéologiques (qu'il y ait moins d'aide et plus de vertu chez les pays receveurs), politiques (remise en cause de la priorité donnée à l'Afrique) et financières. Il est probable que la nouvelle convention élargira encore la liste des ACP, en direction des pays d'Asie notamment, et introduira un traitement différencié selon les régions et selon les niveaux de développement, ce qui transformera l'esprit et la nature de la coopération européenne.

• *Dans les domaines sectoriels, la question des matières premières a été l'une des plus importantes questions mises sur l'agenda des organisations internationales par les pays du tiers monde.* En 1960 s'est constituée l'OPEP, Organisation des pays producteurs de pétrole, première association de producteurs de produits de base, première manifestation de la volonté d'intervention des États en développement sur le marché des produits de base, premier défi à l'esprit libre-échangiste du GATT.

Pour beaucoup de pays du Sud, notamment en Afrique, l'économie ne repose que sur l'exploitation de quelques richesses naturelles d'où leur souci de faire reconnaître le principe de la souveraineté sur les richesses naturelles et leur revendication de prix «justes et équitables» martelée à l'Assemblée générale de l'ONU et à la CNUCED. L'idée s'installe que l'«organisation» du marché des produits de base pourrait garantir des prix rémunérateurs pour les pays producteurs — et une stabilité des approvisionnements pour les consommateurs. La France fait de ce thème le grand axe de sa politique Nord-Sud et la CNUCED s'en fait l'ardent défenseur dès sa première session, en 1964, sans grands résultats. La crise pétrolière de 1973-1974 relance le débat de façon spectaculaire. Le spectre d'un renchérissement du prix des matières premières, voire d'une pénurie, commence à hanter les pays industrialisés. La décision des pays de l'OPEP de fixer souverainement le prix du pétrole (16 octobre 1973) et le quadruplement des prix qui s'ensuit produit un choc dans un contexte déjà tendu : le système monétaire international s'est effondré depuis la suspension de la convertibilité du dollar et cette première crise de l'énergie se déroule sur fond de crise monétaire internationale. Le succès enregistré par les pays producteurs de pétrole fait craindre une multiplication contagieuse des cartels pour les différents produits de base (cuivre, étain, café, etc.). Pour des raisons différentes, pays du Sud et pays du Nord s'engagent dans des négociations sur les produits de base et leur place dans le commerce international. L'Assemblée générale y consacre deux sessions extraordinaires (avril 1974, septembre 1975). Elle lance l'idée d'un «programme intégré des produits de base» qui sera adopté deux ans plus tard, à l'issue de difficiles négociations dans lesquelles la France a joué un rôle déterminant.

Le 30 mai 1976, la IVe CNUCED adopte la résolution 93 (IV) fixant les modalités du Programme intégré. Dix-huit produits importants pour les PED sont visés : banane, bauxite, bois tropicaux, cacao, café, caoutchouc, coton et filés de coton, cuivre, étain, fibres dures et produits de ces fibres, huiles végétales, y compris l'huile d'olive et les graines oléagineuses, jute et produits du jute, manganèse, minerai de fer, phosphates, sucre, thé, viande. Pour chacun de ces produits, la CNUCED est chargée d'organiser, en consultation avec les organisations internationales intéressées (la FAO, en particulier, mais aussi la CEE), des négociations internationales devant aboutir à des accords par produit entre consommateurs et producteurs. Et surtout, le Programme intégré fonde un mécanisme de défense des prix sur une politique de stockage et d'intervention sur les marchés. À cette fin, il est prévu la mise en place d'un Fonds commun destiné à financer ce dispositif international de stockage. Ce Fonds doit être pourvu de deux comptes («guichets») distincts, gérés de façon séparée, sans possibilité de transfert de l'un vers l'autre. Le premier guichet, le plus important, doit constituer une sorte de banque, alimentée par des contributions obligatoires destinées au financement des stocks régulateurs prévus par les accords de produit présents ou à venir. Le second doit permettre de financer d'« autres opérations », études, projets, commercialisation, diversification, par des dons et des prêts. Il fallut quatre ans pour que l'accord portant création du Fonds commun soit conclu (1980) et encore huit ans pour qu'il entre en vigueur (1988). Le premier guichet n'a pas été créé. Il ne le sera sans doute jamais. Le Fonds commun devait servir de source de financement pour les organisations internationales établies par des accords internationaux par produit, avec chacun un stock régulateur et des moyens financiers d'intervention sur les marchés. Or très peu de produits de base ont fait l'objet d'accords de ce type. Les partenaires ont plutôt cherché des arrangements en dehors des mécanismes de stabilisation prévus par le Programme intégré.

Il existe plusieurs organisations chargées d'administrer des accords de produits : le Conseil oléicole international, l'Organisation internationale du cacao, l'Organisation internationale du sucre, l'Organisation internationale du caoutchouc naturel, le Conseil international de l'étain, l'Organisation internationale du jute, l'Organisation internationale du café. Seul l'organisme de stabilisation mis en place lors de la ratification de l'accord international du caoutchouc connaît une certaine efficacité ; encore se trouve-t-il périodiquement paralysé par les divergences entre fournisseurs et consommateurs. Les organisations internationales de produit s'avèrent, le plus souvent, incapables de réguler les échanges. Elles ont pour utilité principale de maintenir un lien entre les différents partenaires, de fournir des statistiques et des prévisions permettant aux protagonistes d'ajuster leurs stratégies, voire de relancer la concertation lorsqu'ils y trouvent un intérêt commun.

Les associations de producteurs qui naissent régulièrement autour de tel ou tel produit (cuivre, banane, vanille et, depuis septembre 1993, café) arrivent difficilement à se constituer durablement en cartel. Trop de différences entre les situations respectives empêchent l'unification des positions des pays producteurs, d'autant qu'aucun produit n'a une valeur stratégique comparable à celle du pétrole. L'OPEP, elle-même, s'est avérée incapable de gérer ses dissensions internes. Ses 12 pays membres (Algérie, Arabie Saoudite, Émirats arabes unis, Gabon, Koweit, Indonésie, Libye, Qatar, Iran, Irak, Nigeria, Venezuela) sont confrontés à une baisse des prix du pétrole qui, depuis 1986, affecte leurs recettes et a ramené le prix du baril en termes réels à sa valeur de 1973 (moins de 14 $ en mars 1994, 15 $ en novembre 1994). Face à cette dégradation des cours, due à l'excès de l'offre, ils réagissent selon leurs intérêts particuliers, fort divergents, et n'arrivent pas à s'entendre pour réduire la production en limitant leur capacité d'extraction. Chacun accuse l'autre de ne pas respecter ses quotas et l'accord se fait, la plupart du temps, sur… le *statu quo*. Ces querelles intestines ont miné l'influence de l'OPEP, qui peut de moins en moins contrôler les cours, puisqu'elle ne représente que 40 % de la production mondiale et que les « indépendants » (dont le Mexique, la Norvège, le Royaume-Uni) refusent de participer à une stratégie concertée de limitation de la production.

LES REVANCHES DE LA PUISSANCE

La fin du Nord-Sud

Entre 1974 et 1982, les relations Nord-Sud sont passées par des phases paroxystiques : affrontement direct avec la première crise pétrolière, illusion lyrique du Nouvel Ordre économique international entretenue par la comédie d'un dialogue dont le sommet de Cancun marquera le point de non-retour (1981), déception profonde et repli sur le bilatéral dans les pays du Sud écrasés par l'endettement pour la plupart et profondément divisés face aux grands pays occidentaux qui recherchent, entre eux, les moyens d'organiser leur interdépendance mutuelle.

• *Depuis la rupture du système monétaire international en 1971* (suspension de la convertibilité du dollar) et le renversement (très provisoire) du rapport de force entre les pays producteurs de pétrole et les pays industrialisés (1973-1974), le monde occidental se sent exposé à une crise majeure. L'ordre ancien garanti par le *leadership* américain ne fonctionne plus. Les institutions mises en place depuis 1945 s'avèrent incapables d'en proposer un nouveau. Les réactions de défense se produisent partout en ordre dispersé, y compris parmi les membres du Marché commun (malgré la mise en vigueur du système monétaire européen en 1979, la construction européenne n'avance pas et l'on parle d'« Europessimisme ») : adoption des changes flottants et fluctuations « erratiques » des monnaies, accords bilatéraux avec les producteurs de pétrole, tentations protectionnistes. Alors que n'a cessé de se développer un réseau serré d'institutions censées gérer tous les aspects de l'interdépendance, c'est la tentation du bilatéralisme et du chacun pour soi, à peine tempérée par le recours officiel à un très vieux mode de diplomatie multilatérale, la diplomatie de club : le 1er sommet des pays industrialisés se réunit en 1975 et va engendrer le G7.

• *Sur le plan géostratégique, le système international sort de la bipolarité rigide.* Une certaine détente s'est amorcée entre les USA et l'URSS : les deux Grands sont engagés depuis 1969 dans un processus de négociation quasi continu pour contrôler la course aux armements et l'inscrire dans des règles communes (négociations SALT, *Strategic Arms Limitation Talks*, puis START, *Strategic Arms Reduction Talks*). La Chine populaire a remplacé Taiwan à l'ONU en 1971. Tous les conflits éclatant dans les pays du Sud ne sont plus nécessairement absorbés dans la rivalité entre les deux superpuissances, même si chacune est tentée de les récupérer à son profit (Bangladesh, Sahara occidental, Cambodge, Liban, Irak-Iran). On aurait pu penser que cette atténuation de la bipolarité aurait donné à l'ONU de nouvelles possibilités d'action dans le domaine du maintien de la paix. Il n'en est rien. Le relâchement des liens attachant les pays du tiers monde à l'un ou l'autre des deux blocs ouvre plus de possibilité au non-alignement, il ne permet pas aux Nations unies d'être plus efficaces. Les conflits locaux divisent profondément les pays du Sud, qui ne retrouvent une solidarité politique sans faille que sur deux points : pour condamner l'Afrique du Sud en raison de sa politique d'apartheid et de son occupation illégale de la Namibie, et Israël pour sa présence dans les territoires occupés. En dehors d'un débat Nord-Sud qui se déroule de plus en plus en vase clos, il n'y a plus de majorité « automatique » à l'ONU. Les États-Unis ont perdu le contrôle de l'Organisation depuis 1971. Ils se détournent des Nations unies et témoignent à leur égard d'abord un dédain négligent, puis une hostilité agissante. Il n'y a pas non plus de majorité prosoviétique : les votes de l'Assemblée générale condamnant l'intervention de l'URSS en Afghanistan le démontrent en 1979. Les pays du Sud sont trop divisés entre eux et trop absorbés par leurs problèmes économiques et financiers pour exiger une réforme du Conseil de sécurité qui permettrait de relancer la machine. En cette période, l'ONU connaît peu d'avancées pour la paix. Elle semble tourner à vide. Les choses importantes se passent ailleurs, sur le terrain et dans le face à face entre grandes puissances.

• *La crise de la dette survient en 1982*, alors que les relations Est-Ouest connaissent un brusque regain de tension (crise des Pershing, 1980-1983) et qu'une grande vague de libéralisme déferle sur l'Occident, portée par l'Amérique de Ronald Reagan et l'Angleterre de Margaret Thatcher. La conjugaison de ces trois éléments va laisser des traces profondes dans le système de coopération multilatérale.

Jusqu'alors, dans le contexte économique exceptionnellement favorable des « trente glorieuses », les thèmes d'égalité, de justice, de redistribution diffusés par les organisations internationales trouvaient une résonance dans les populations du Nord. Le dialogue Nord-Sud était concédé par les pays industrialisés pour des raisons éthiques. Avec le premier choc pétrolier et la dramatisation de la question des matières premières, ce dialogue parut même quelque temps indispensable. Mais le retournement du contexte international à la fin des années 1970 a modifié complètement les données. Montée du chômage au Nord. Crise de la dette au Sud. L'effondrement du cours des produits de base frappe durement les pays producteurs, l'emballement du système de crédit international et la montée des taux d'intérêt font basculer la plupart des gros débiteurs du tiers monde dans un régime de surendettement. La place du Sud dans l'économie mondiale n'est plus une préoccupation pour le Nord. Le dialogue Nord-Sud n'est plus obligé. Le balancier idéologique part dans l'autre sens. Il est de bon ton, au début des années quatre-vingt, de rejeter tout à la fois l'utilité de l'aide, la notion de tiers monde et même celle de développement et, avec elles, les organisations internationales qui s'en font le héraut. Le système des Nations unies est durement ébranlé : retrait des États-Unis de l'UNESCO, suivis par l'Angleterre et Singapour en 1985 ; baisse unilatérale de la contribution américaine au budget ordinaire des Nations unies en 1985. Les organisations mondiales où le tiers monde exerce son poids collectif sont accusées de faire le malheur des pays du Sud en soutenant des régimes corrompus et en encourageant des politiques économiques dirigistes. Elles sont accusées aussi de servir la propagande soviétique en défendant une vision du monde contraire à la définition occidentale des droits de l'homme et des libertés publiques. Toutes les instances dans lesquelles le Sud existe en tant qu'identité collective sont progressivement discréditées.

Pris à la gorge par une succession de chocs qui déséquilibrent leurs économies, les pays en développement ne sont plus à même de définir des positions communes face aux pays industrialisés. La crise a révélé la diversité de leur situation, la divergences de leurs préoccupations. Ils se divisent. Le Sud éclate et n'est plus une force politique.

La crise de la dette sert de révélateur. Elle transforme les acteurs avec un Sud qui se décompose et un Nord qui se remodèle. Elle opère une hiérarchie dans les organisations internationales avec une paralysie croissante du système onusien, progressivement vidé de sa pertinence, et la montée en puissance des institutions de Bretton Woods.

La montée en puissance des institutions financières internationales

Depuis les années 1960, la fonction redistributive que l'on s'accorde à donner aux organisations internationales conduit à multiplier les sources de financement multilatéral pour fournir aux pays en développement les capitaux indispensables à leur équipement et à leurs paiements internationaux.

• *Les grandes banques continentales de développement* voient le jour à la faveur du grand mouvement pour le développement régional qui accompagne la décolonisation : la Banque interaméricaine de développement (la BID), dont le siège est à Washington, commence ses opérations en octobre 1960. La Banque africaine de développement commence ses opérations en juillet 1966; son siège est à Abidjan. Celui de la Banque asiatique de développement, dont les opérations débutent en décembre 1966, est à Manille. Chaque fois, cette création a été voulue par les pays en développement de la région. Chaque fois elle a été aidée par une organisation régionale : OEA, Commission économique pour l'Afrique des Nations unies, Commission pour l'Asie et l'Extrême-Orient des Nations unies. Les règles de fonctionnement de ces banques régionales sont calquées sur celles de la Banque mondiale. L'influence du FMI y est également très forte. L'acte constitutif de la BID, par exemple, prévoit que parmi les pays n'appartenant pas au continent sud-américain, seuls ceux qui sont membres du FMI peuvent devenir membres de la Banque (lorsque s'est posée la question de la succession de la Yougoslavie en 1993, la répartition des parts des cinq Républiques issues de l'ex-Yougoslavie dans la Banque interaméricaine a été celle qu'avait retenue le FMI). Mais le mode de gestion de ces grandes banques régionales, le montant de leurs ressources et leur capacité d'emprunter les différencient entre elles. Ces institutions financières ont pour vocation officielle de contribuer au développement, au progrès social, à la construction de l'ordre dans la région. Leur évolution respective est largement tributaire de la configuration des forces qui les entourent, de la situation des pays où elles opèrent et des stratégies des grands contributeurs. Toutes n'ont pas le même prestige. Leur signification est souvent politique autant que financière.

Ainsi, les transformations à l'est de l'Europe ont-elles donné naissance à la construction de la Banque européenne pour la reconstruction et le développement, voulue par la France et les pays de l'Est. La BERD a été mise sur pied en 1990 pour financer le passage à la démocratie et à l'économie de marché dans ces pays. Selon ses statuts, l'octroi de ses prêts et garanties est soumis à une double conditionnalité : promotion de l'entreprise privée et individuelle, mise en œuvre des principes de la démocratie pluraliste et de l'économie de marché. Les statuts prévoient également que la BERD ne doit pas consacrer plus de 40 % du montant total de ses engagements au secteur d'État. Elle doit consacrer 60 % du total de ses prêts au financement du secteur privé. Cette règle du 40-60 n'est pas appliquée pays par pays mais globalement. Elle évite que le faible capital de la BERD, 10 milliards d'Écus, ne soit englouti dans de grandes opérations d'infrastructure. Le caractère politique de cette création est évident : alors que les Américains étudiaient la possibilité de créer une nouvelle filiale de la Banque mondiale spécialisée dans les prêts à l'Est de l'Europe, la création d'une banque internationale dirigée par un Français (Jacques Attali, puis Jacques de Larosière) et située à Londres devait symboliquement témoigner de la solidarité européenne (et donner satisfaction à la vanité française). Dans une grande mesure, la BERD fait double emploi avec la Banque européenne d'investissement, créée par le traité de Rome et redéfinie dans le traité de Maastricht. La première mission de la BEI est d'aider à la réalisation du Marché commun en favorisant les investissements dans l'espace communautaire, mais elle doit aussi contribuer à la mise en œuvre de la politique de coopération de la Communauté. Son champ d'action s'est progressivement étendu à des pays tiers (pays ACP, pays méditerranéen) et plus récemment aux pays de l'Est où elle est très active.

Autre exemple de la signification politique d'une banque régionale de développement : la Conférence économique sur le Proche-Orient et l'Afrique du Nord, qui a réuni à Casablanca pour la première fois, en novembre 1994, plusieurs responsables politiques de haut niveau et plus d'un millier d'hommes d'affaires arabes, israéliens et occidentaux, a proposé la création d'une Banque de développement pour le Proche-Orient et l'Afrique du Nord comme élément de construction de la paix dans la région. Cette banque servirait à financer divers investissements encourageant les échanges intrarégionaux et jetant les bases d'une Communauté économique du Proche-Orient et de l'Afrique du Nord.

La limite à ces généreuses aspirations tient au caractère même de ces institutions. Ce sont des banques et elles doivent faire des bénéfices. Cela implique de soutenir des projets rentables favorisés par des économies convenablement gérées. L'essor considérable de la Banque interaméricaine de développement et de la Banque asiatique contraste, par exemple, avec les difficultés de la Banque africaine de développement, accusée de laxisme en matière d'allocation des ressources et dans le traitement de ses arriérés (700 millions de dollars en 1994), et avec la faible ampleur des ressources de la BERD. Les premières opèrent dans des économies qui ont renoué avec la croissance et sont en pleine expansion. On demande aux secondes d'intervenir dans des pays en faillite, dans des secteurs sinistrés, et de retenir la rentabilité des projets comme seul critère d'attribution des prêts. La contradiction est quotidienne et les met dans une situation de grande vulnérabilité.

• *Pour de nombreux pays, le Fonds monétaire et la Banque mondiale* restent les principaux bailleurs de fonds multilatéraux institutionnels. L'arrivée massive de nouveaux membres et l'effondrement économique de beaucoup d'entre eux ont obligé les organisations de Bretton Woods à modifier leurs procédures pour faire face à des besoins de financement spécifiques.

L'une des principales missions du FMI est d'aider les pays membres à résoudre leurs difficultés de balance des paiements en leur accordant des crédits. D'après ses statuts, il s'agit, en principe, de soutiens financiers à court terme devant permettre de surmonter des difficultés temporaires. Les droits de tirage des pays membres sont proportionnels à leurs quotes-parts. L'encours de la dette d'un pays à l'égard du Fonds doit rester inférieur à 300 % de cette quote-part. La procédure de tirage la plus courante est le système des « tranches de crédit » : les crédits sont disponibles en quatre tranches représentant chacune 25 % de la quote-part du pays membre. Pour la première tranche de crédit, les droits de tirage sont peu « conditionnels », le pays doit seulement montrer sa volonté de revenir à l'équilibre. Pour les trois autres tranches, dites « supérieures », la « conditionnalité » va croissant. Le pays doit signer un accord de confirmation (*stand by*) subordonné à la mise en place d'une politique de stabilisation, toujours la même : réduction des dépenses publiques, privatisations, promotion des exportations, diminution du crédit... les classiques « potions amères » du FMI.

Depuis 1979, un mécanisme d'accords élargis a été institué pour les pays rencontrant des difficultés structurelles dans leur balance des paiements. Ces accords permettent d'obtenir l'appui du FMI pour une période plus longue sur la base d'un programme d'ajustement structurel. L'ajustement structurel a été défini comme « l'ajustement durable de la balance des paiements obtenu au moyen d'une adaptation des structures économiques (principalement des structures de production), c'est-à-dire autrement que par une réduction de la croissance économique ou par un recours accru ou excessif aux capitaux extérieurs » (P. Guillaumont). Le programme d'ajustement structurel définit les orientations en matière de monnaie, de taux de change, de budget, de commerce, etc. Il est négocié avec le FMI et fait l'objet d'une « lettre d'intention » déposée par le pays avant de soumettre officiellement sa demande d'achat de devises. Si le pays n'applique pas les mesures de rigueur préconisées, le FMI suspend ses versements.

Pour répondre aux déséquilibres graves et structurels des pays les plus pauvres, le FMI a ajouté à ses mécanismes ordinaires des mécanismes spéciaux appelés « facilités », puis « facilités élargies », en particulier la Facilité d'ajustement structurel (FAS), créée en 1986, et la Facilité d'ajustement structurel renforcée (FASR), créée en 1988. La FASR permet aux pays les plus pauvres d'obtenir des prêts du FMI de longue durée (10 ans) à des taux privilégiés (0,5 %) sur la base de programmes d'ajustement structurel à moyen terme (3 ans). Les conditionnalités sont très rigoureuses et placent les pays sous étroite surveillance. La première FASR est arrivée à échéance en 1993. La seconde est en cours : un fonds de 6,3 milliards de dollars est prévu pour alimenter les prêts ; un autre de 3 milliards pour financer les bonifications d'intérêt. Soixante-dix-huit pays pauvres devraient en bénéficier. Les pays d'Afrique subsaharienne en sont les principaux destinataires, en particulier les pays d'Afrique francophone affectés par la dévaluation du franc CFA.

L'action du FMI était conçue à l'origine comme une opération de stabilisation financière de court terme. Mais les déficits structurels des pays en développement et la crise de l'endettement international (révélée à partir de 1982) ont rendu le retour à l'équilibre de la balance des paiements impossible à court terme dans de nombreux PED. Un nombre croissant de pays ont vu leur politique macro-économique définie dans le cadre d'un programme financier imposé par le Fonds monétaire et soumis à ses conditionnalités. Le FMI a prêté et, comme toute institution financière, il a prêté à nouveau pour être remboursé. Les pays se sont trouvés de plus en plus dépendants, le FMI est devenu de plus en plus directif. Le Fonds monétaire n'est pas seulement un prêteur, il s'est transformé en censeur (les partisans du FMI préfèrent l'euphémisme « catalyseur ») : les autres bailleurs de fonds, bilatéraux ou multilatéraux, ont pris l'habitude de subordonner leur intervention dans un pays au préalable d'un accord de confirmation passé par ce pays avec le Fonds monétaire.

Dans la décennie quatre-vingt le FMI a changé de fonction. Il n'était plus l'institution prévue pour coordonner la politique de change des grands pays industriels et faire respecter un minimum d'ordre monétaire. Il devenait « le gendarme » des pays en développement. La sévérité des programmes accompagnant les accords de confirmation et la multiplicité des critères de réalisation (*performance clause*) imposés à l'État emprunteur l'ont amené à exercer une surveillance étroite jusque dans le détail de la politique économique. Ses conditionnalités sont rigoureuses et appliquent toujours le même schéma : retour aux équilibres fondamentaux par la réduction des dépenses publiques, l'augmentation des recettes fiscales, la vérité des prix, la promotion des exportations.

Au fur et à mesure que le FMI a étendu le temps et le champ de ses interventions il a été conduit à s'intéresser à la capacité productive des économies sous ajustement structurel et non plus seulement au contrôle des grandes masses macro-économiques. Il a élargi sa problématique au domaine de l'investissement et du développement, empiétant ainsi sur les prérogatives de la Banque mondiale. La distinction opérée à Bretton Woods entre les activités du Fonds et celles de la Banque est devenue moins nette.

La Banque mondiale s'est très tôt consacrée au financement du développement, avec une approche à long terme et le souci de la rentabilité micro-économique des investissements. Dès 1956, un premier organisme lui était adjoint : la Société financière internationale, créée pour favoriser le

Le Conseil des gouverneurs

Cette instance suprême est investie de tous les pouvoirs. Chaque État membre y est représenté par un gouverneur (généralement le ministre des Finances ou le gouverneur de la Banque centrale) et un gouverneur suppléant qui se réunissent en assemblée générale une fois par an pour examiner les activités du FMI, faire le point sur les grands problèmes de l'économie mondiale, définir les orientations générales et adopter les grandes décisions.

Ces assemblées générales sont organisées conjointement avec celles de la Banque mondiale et figurent parmi les réunions de politique économique et financière internationale les plus importantes.

Le Comité intérimaire

Cet organe consultatif a été créé en 1974. Il comporte 24 membres, au même niveau que les gouverneurs, qui se réunissent deux fois par an, au printemps et pendant l'assemblée générale des gouverneurs, pour évaluer le système monétaire international et faire des propositions au Conseil des gouverneurs. Il agit par consensus.

La transformation du Comité intérimaire en instance permanente susceptible de faire concurrence au G7, voire de le remplacer, est parfois évoquée.

Le Conseil d'administration

Cette instance permanente conduit les affaires du FMI. Le Conseil des gouverneurs lui délègue la plupart de ses pouvoirs. Il est composé de 24 administrateurs siégeant en permanence à Washington. Cinq d'entre eux sont choisis par les États détenant les quote-parts les plus élevées (États-Unis, Japon, Allemagne, France, Royaume-Uni). La Russie, la Chine et l'Arabie Saoudite ont obtenu de choisir aussi leur propre administrateur. Les seize autres sont élus sur une base géographique : les États membres se rassemblent au sein de groupes de pays dits « circonscriptions » qui élisent un administrateur de leur choix.

Les décisions sont prises à la majorité qualifiée. Le droit de vote est proportionnel aux quotes-parts. Dans la pratique les administrateurs agissent par consensus.

Le directeur général

Il préside le Conseil d'administration et dirige les services. Il est choisi par le Conseil d'administration pour un mandat de cinq ans renouvelables. La tradition veut que le directeur général du FMI soit un Européen et que le président de la Banque mondiale soit un Américain.

Le Comité de développement

Ce second organe consultatif a été créé également en 1974. Il est commun au FMI et à la Banque mondiale. Composé de 24 membres, il est chargé de faire des études et de conseiller les gouverneurs du Fonds et de la Banque sur les mesures favorisant les transferts de ressources vers les pays en développement.

développement d'entreprises du secteur privé dans les PED. La SFI offre des capitaux sous forme de prêts à long terme, peut prendre des participations dans les entreprises, fournit éventuellement de l'assistance technique en liaison avec le PNUD. Elle sert surtout de catalyseur entre les investisseurs des pays développés et leurs partenaires dans les pays en développement. En 1988, a été créée une Agence multilatérale de garantie des investissements afin d'encourager les investissements étrangers directs dans les pays en développement en protégeant les investisseurs contre les risques.

La BIRD accorde des prêts à long terme pour des projets spécifiques : création d'infrastructures (énergie, transports, télécommunications), aide à l'agriculture, aux petites et moyennes entreprises du secteur privé, aux équipements sociaux, etc. Ces prêts sont remboursables entre quinze et vingt ans. Le taux d'intérêt est celui du marché : il est fonction du coût des emprunts de la Banque et varie tous les six mois. Il est évident que ces conditions onéreuses ne pouvaient convenir aux pays les plus démunis accédant à l'indépendance. Aussi, un nouveau fonds, autonome, fut créé en 1960 pour que les pays les plus pauvres puissent recevoir des prêts à long terme et à faible taux d'intérêt afin de financer leur développement. L'Association internationale pour le développement (AID) octroie des crédits à long terme (35 à 50 ans), sans intérêt (les pays versent seulement une commission de service de 0,75 %), avec un différé d'amortissement de dix ans (période pendant laquelle les États ne remboursent pas le principal). Ces conditions très avantageuses ne permettent pas à l'AID d'emprunter sur le marché comme le fait la BIRD. Elle est donc tributaire des contributions fournies par les États : souscriptions des pays membres et contributions volontaires. Depuis le milieu des années 1980, la reconstitution des ressources de l'AID se fait difficilement. L'hostilité de principe des États-Unis à l'égard de tous les organismes de financement multilatéraux et la tendance à la baisse de l'aide publique au développement dans l'ensemble des pays industrialisés se répercutent dans l'AID, obligée de mener une politique plus sélective et de tenir compte davantage des critères de solvabilité. Plus de quarante États, situés pour la plupart en Afrique subsaharienne et en Asie du Sud bénéficient de ses crédits. La neuvième reconstitution pour la période 1990-1992 a porté sur un montant de 15,2 milliards de dollars. La dixième, pour la période 1992-1994, a porté sur un montant de 18,5 milliards de dollars. La négociation sur la onzième reconstitution s'est engagée fin 1994 dans des conditions très difficiles, avec un Congrès américain moins disposé que jamais à utiliser de l'argent public pour des actions de développement multilatérales échappant à son contrôle.

Depuis le début des années 1980, la crise de la dette a conduit la Banque à se lancer, elle aussi, dans l'ajustement structurel. Tout en gardant sa vocation première, le financement de projets déterminés, elle a multiplié les Prêts d'ajustement structurel et les Prêts d'ajustement sectoriel assortis d'une conditionnalité de plus en plus rigoureuse. Les Prêts d'ajustement structurel (PAS) ou sectoriel sont des « prêts accordés dans le but de soutenir une réforme en profondeur des politiques et des institutions des pays en développement pour leur permettre de ramener les déficits de comptes courants à des proportions plus tolérables à moyen terme tout en maintenant le plus grand effort possible pour le développement» (Banque mondiale).

Dans un premier temps, cette politique a certainement favorisé les intérêts organisationnels de la Banque en la situant sur un plan d'égalité avec le FMI. Le bilan de quinze années et l'état catastrophique de la plupart des pays engagés dans les PAS de la Banque mondiale (pays d'Afrique essentiellement) relativisent les avantages de cette stratégie. Bien que souvent plus libérale que le FMI (il lui arrive de continuer de prêter à des pays à qui le FMI a coupé les crédits) et bien que ses «décaissements rapides» soient nettement plus généreux que ceux de tous les autres donneurs, la Banque mondiale se trouve englobée dans la même condamnation que le FMI par tous ceux qui critiquent les effets néfastes des politiques d'ajustement structurel, sans avoir gagné pour autant la faveur des pays les plus riches. Son image s'est brouillée (voir chap. 7, p. 163)

Le retour du «Concert» et des grandes conférences

Les perturbations du système monétaire international, le risque d'effondrement du système financier, les nouveaux défis nés de la mondialisation des échanges et de la globalisation financière ont conduit les pays industrialisés à rechercher entre eux les moyens de gérer une interdépendance croissante. Les «clubs» et les «G» (pour «Groupe») se sont multipliés pour traiter à quelques-uns des questions que les organisations établies avaient pourtant vocation à résoudre à l'échelle universelle :

– Le club des Dix (G10) a été constitué très tôt, dès les années 1960, pour remédier à l'insuffisance des ressources du FMI. Il regroupe en fait onze pays : RFA, Belgique, France, Grande-Bretagne, Suède, Canada, Japon, États-Unis, Pays-Bas, Italie et Suisse. Il joue un rôle important de discussion et de négociation en matière monétaire et financière à l'intérieur du FMI ainsi que dans la Banque des règlements internationaux (BRI) où se tiennent régulièrement des réunions des gouverneurs des banques centrales du G10.

– Le club de Paris regroupe les créanciers publics des pays endettés. Il est présidé par le directeur du Trésor français et se réunit à la demande d'un pays débiteur, généralement pour négocier un rééchelonnement de sa dette. Tous les pays créanciers de ce pays peuvent y participer. Leur nombre varie entre cinq et quinze.

– Un club de Londres réunit les banques commerciales et traite de la dette privée.

– Un autre club de Londres regroupe les 28 principaux fournisseurs en équipement et technologie nucléaires membres du TNP. Il cherche à imposer des règles strictes en matière d'exportation et à lutter contre la prolifération nucléaire.

– Un Groupe australien réunit 25 États plus la Commission européenne pour encadrer et limiter l'exportation de produits susceptibles d'entrer dans la composition d'armes chimiques et bactériologiques.

– Un G24 a été constitué pour aider les pays d'Europe centrale et orientale.

– Les membres permanents du Conseil de sécurité forment le P5 (*Permanent Five*) à l'intérieur duquel les trois membres occidentaux du Conseil se fondent dans le P3 (*Permanent Three*), etc.

Le G7 est l'illustration la plus connue de cet esprit de club prévalant désormais sur les grandes institutions mises en place au lendemain de la guerre. Il avait été conçu, en 1975, comme une structure légère, informelle, répondant au besoin d'une relance de la coopération politique à un moment où les économies occidentales connaissaient un ralentissement de leur activité et souffraient de l'instabilité monétaire. Il a admis la présence du président de la Commission européenne aux côtés des chefs d'État et de gouvernements les plus riches de la planète (États-Unis, Japon, Allemagne, France, Royaume-Uni, Italie, Canada). Il s'est institutionnalisé avec une infrastructure légère assurant la préparation et le suivi des sommets (les fameux *sherpas*). Il tient conseil à la veille de toutes les grandes rencontres internationales : réunions du FMI et de la Banque mondiale, de la BERD, du GATT. Il n'a cessé d'élargir ses thèmes de discussion, débordant les sujets monétaires et économiques pour aborder les grands sujets politiques et sociaux : en mars 1994, le sommet de Détroit a réuni, pour la première fois, les ministres du travail du G7 pour débattre de l'emploi et du chômage. Il est devenu omniprésent et quasi permanent. De façon significative, le G7 n'a pas d'homologue. Il n'existe aucune instance de concertation comparable chez les autres partenaires de la vie internationale avec lesquels il devrait négocier. Mais le G7 n'est, en réalité, que la partie la plus visible et la plus médiatisée du club représenté par les pays de l'OCDE. La « G7 connexion » forme un vaste réseau au sein duquel les hauts fonctionnaires des grandes institutions économiques et financières internationales, les gouverneurs des banques centrales, les *sherpas* et les responsables politiques occidentaux tentent de définir entre eux des codes de conduite entre « gens du même monde », introduisant un peu de discipline dans la course effrénée de la mondialisation. À bien des égards, cette « diplomatie de club » rappelle le Concert européen du XIXe siècle : afin d'assumer leurs responsabilités, les Grands se constituent en Directoire pour établir des règles du jeu par consensus et les étendre au reste du monde.

À l'autre extrême, la multiplication des grandes conférences mondiales depuis les années 1970 est un autre symptôme de l'insuffisance des organisations internationales. Entre 1972 et 1980, l'ONU a connu plus de conférences mondiales que pendant les vingt premières années de son existence et la tendance n'a fait que s'amplifier dans ces dernières années. Chaque nouvelle question sur l'agenda international appelle une grande conférence internationale. Chacune de ces conférences en appelle une autre cinq ou dix ans plus tard. Les plus connues sont les conférences : sur l'environnement en 1972 et 1992 ; la population en 1974, 1984 et 1994 ; l'alimentation en 1974 ; les femmes en 1975, 1980, 1985, 1995 ; les pays les moins avancés en 1981 et 1991 ; les droits de l'homme en 1993 ; le sida en 1994 ; le développement social en 1995.

Par leur succession et leur accumulation, ces grandes conférences esquissent un cadre conceptuel et un programme d'action pour relever les défis de cette fin de siècle. Elles préfigurent aussi ce que pourraient être les nouvelles formes du dialogue international : une gigantesque kermesse dominée par les acteurs non gouvernementaux, préparée et suivie par des commissions *ad hoc* fondées et financées sur une base volontaire, sans continuité ni structure formelle permanente, mais en relation immédiate avec l'évolution sociale.

TROISIÈME PARTIE

Les organisations internationales au tournant du siècle

Cinquante ans après la plus formidable entreprise d'organisation du monde jamais tentée, chacun sent confusément que tout serait à recommencer. Les modes de relations politiques et économiques à l'échelle internationale se sont transformés. Les acteurs se sont diversifiés. Les hiérarchies de puissance se sont modifiées. Les défis à relever ont changé de nature. Beaucoup d'institutions internationales ne sont plus adaptées.

La fin de la guerre froide a été le révélateur, et l'accélérateur, de tensions profondes jusque-là masquées par la rivalité Est/Ouest. L'effondrement politique, économique, moral, qui accompagne la dislocation de l'URSS et de la Yougoslavie dans beaucoup de pays ex-communistes a transposé sur le territoire européen des manifestations d'implosion que l'on connaissait déjà dans maints pays du Sud. Dans de nombreuses régions du monde, la montée des particularismes, des luttes identitaires, des fondamentalismes tend à combler le vide laissé par les États défaillants. Elle fait intervenir sur la scène internationale des acteurs nouveaux, réfractaires au milieu policé, lisse et courtois des organisations internationales. Ces dernières voient les ressources mobilisatrices de l'action politique dans leurs pays membres échapper de plus en plus souvent à la logique de coopération : drogue, contrebande et trafic d'armes pour les ressources financières ; appel à la pureté identitaire, au rejet de la démocratie et des valeurs universelles (assimilées aux valeurs occidentales) pour les ressources idéologiques. Face à ces défis, les principes de l'égalité souveraine et de la non-intervention dans les affaires intérieures des États, sur lesquels sont fondées les organisations intergouvernementales, n'ont plus grand sens. Il leur faut trouver une doctrine de remplacement et les moyens de faire face à ces formes nouvelles d'anarchie. L'urgence est particulièrement pressante pour les Nations unies, censées incarner la communauté internationale et les valeurs universelles.

Dans le même temps, la mondialisation des échanges se poursuit d'une façon apparemment irrésistible. D'ici trente ans, prévoient les experts de l'OCDE, tous les produits et tous les services pourraient circuler librement à l'échelle planétaire. Les conséquences sur les procès de production, l'emploi, l'éducation, les formes d'organisation sociale se font déjà sentir, alors que la société mondiale ne dispose toujours pas des règles du jeu monétaire, financier, commercial qui permettraient d'encadrer ce mouvement planétaire de façon concertée. D'où l'importance des enjeux de l'*Uruguay Round* et de la nouvelle Organisation mondiale du commerce, ainsi que la controverse sur les missions du Fonds monétaire international.

Partout se creuse l'écart entre ceux qui ont les moyens de jouer ce jeu de la globalisation et ceux qui en sont exclus. Il ne sépare pas seulement les pays riches et les pays pauvres, il fissure toutes les sociétés. Les grandes migrations internationales aggravent doublement ces fractures en engendrant un nouveau type de prolétarisation et en faisant coexister sur un même territoire des codes culturels différents et parfois antagonistes. La course vers le marché mondial s'accompagne d'une fragmentation croissante des sociétés internes. La fonction redistributive des organisations internationales en est transformée : on ne leur demande plus seulement d'assurer une distribution de l'aide des pays riches vers les pays pauvres mais de reconstruire des économies, des systèmes politiques, de jeter les bases des compromis sociaux indispensables au fonctionnement de toute collectivité.

Les crises et les situations d'urgence accaparent désormais près de la moitié de l'aide des Nations unies : de 25 % en 1988, la part des ressources de l'ONU consacrée aux situations d'urgence est passée à 45 % en 1992. La part de l'aide d'urgence a également doublé dans l'aide bilatérale.

Les pays du Sud qui avaient imposé la priorité du développement dans les organisations internationales ne maîtrisent plus l'agenda. Ils s'inquiètent de voir les opérations de maintien de la paix supplanter les objectifs de développement dans les activités de l'ONU.

L'accélération des constructions régionales est une première réponse au défi de la mondialisation : élargissement de l'Union européenne, construction de l'ALENA en Amérique, institutionnalisation progressive de l'APEC dans la région Pacifique. Mais cette régionalisation n'est pour l'instant qu'une nouvelle forme d'organisation de la compétition pour la conquête des marchés à l'échelle planétaire. Arriverait-elle à se construire, l'organisation du monde autour de trois grands blocs commerciaux ne pourrait laisser à l'écart d'immenses espaces sociaux rejetés à la périphérie sans multiplier les foyers

LE HAUT-COMMISSARIAT DES NATIONS UNIES POUR LES RÉFUGIÉS (HCR)

Le Haut-Commissariat des Nations unies pour les réfugiés (HCR) a été établi par l'Assemblée générale des Nations unies avec un mandat prévu initialement pour une durée de trois ans, le 1er janvier 1951. Le haut-commissaire pour les réfugiés est élu par l'Assemblée générale des Nations unies, sur proposition du secrétaire général. Le haut-commissaire actuel est Mme Sadako Ogata, du Japon, qui a pris ses fonctions le 1er janvier 1991. Le haut-commissaire agit sous l'autorité de l'Assemblée générale. Il fait rapport au comité exécutif du HCR, actuellement composé de 46 gouvernements, qui exerce un droit de regard sur les budgets que le HCR consacre à l'assistance et donne des conseils sur la protection des réfugiés.

La mission du HCR est humanitaire et strictement apolitique. Elle repose sur deux fonctions principales étroitement liées : la protection des réfugiés et la recherche de solutions durables à leurs problèmes. Le HCR a compétence pour porter secours à : « Toute personne [...] craignant avec raison d'être persécutée du fait de sa race, de sa religion, de sa nationalité ou de ses opinions politiques, qui se trouve hors du pays dont elle a la nationalité, et qui ne peut, du fait de cette crainte ou pour des raisons autres que de convenance personnelle, ou ne veut se réclamer de la protection de ce pays; ou qui, si elle n'a pas de nationalité et se trouve hors du pays dans lequel elle avait sa résidence habituelle, ne peut ou, en raison de ladite crainte ou pour des raisons autres que de convenance personnelle, ne veut y retourner. »

À l'origine, le mandat du HCR était limité à ceux qui se trouvaient en dehors de leur pays d'origine. Depuis lors, le HCR s'est engagé sur la voie d'une assistance et d'une protection fournies aux réfugiés dans leur pays même. De plus, fait récent, l'Assemblée générale et le secrétaire général font de plus en plus fréquemment appel au HCR pour protéger ou assister des groupes spécifiques de personnes déplacées qui n'ont pas franchi une frontière internationale, mais qui se trouvent chez eux dans une situation comparable à celle des réfugiés. Le HCR coordonne la distribution de l'aide matérielle aux réfugiés, aux rapatriés et, dans certaines circonstances particulières, aux personnes déplacées.

Au mois de juin 1993, le HCR employait 3 703 personnes pour accomplir ces tâches; 810 travaillent au siège de Genève et 2 893 sont déployées dans 177 bureaux répartis dans 106 pays. À l'exception d'un budget très limité, couvert par le Budget ordinaire des Nations unies (consacré exclusivement aux frais administratifs), les programmes du HCR sont financés par des contributions volontaires qui émanent des gouvernements, d'organisations gouvernementales ou d'ONG, ainsi que de particuliers. Le montant des contributions destinées au HCR en 1993 était de 1,19 milliard de dollars.

Le nombre des réfugiés s'est considérablement accru dans les dernières années. En 1994, la population relevant de la compétence du HCR s'élevait à 23 millions de personnes. Des millions de personnes ont été déplacées à l'intérieur de leurs propres frontières.

de contestation et d'instabilité, avec leurs cortèges de réfugiés et de personnes déplacées (2,2 millions en Afrique en septembre 1994), leurs trafics illicites et leurs territoires offerts aux terrorismes de toute nature.

L'UNICEF

Le Fonds international de secours à l'enfance (FISE) est connu sous son nom anglais, *United Nations Children's Fund.*

Il a été créé à titre provisoire en 1946 pour venir au secours des enfants dans les pays ravagés par la guerre. Il est devenu permanent en 1953. Son conseil exécutif est composé de 41 membres désignés par l'ECOSOC. Plus des 2/3 de ses ressources proviennent des contributions volontaires des États membres. Le reste provient pour l'essentiel de fonds collectés par les comités nationaux de soutien constitués dans chaque pays. Depuis 1990 les recettes de l'UNICEF se situent entre 800 et 900 millions de dollars par an. La part des associations de soutien privées a pratiquement doublé depuis 1989 et ne cesse d'augmenter (plus de 250 millions de dollars en 1993).

L'action de l'UNICEF s'exerce en priorité dans le domaine de la santé et dans celui de l'éducation primaire.

Sous l'impulsion de son directeur, James P. Grant (1980-1995), l'UNICEF a été très active dans la préparation et l'adoption de la Convention relative aux droits de l'enfant adoptée en 1990 par le Sommet mondial pour les enfants. À l'issue de ce sommet, 91 pays ont mis au point des programmes d'action nationale en faveur des enfants. Leur taux de couverture représente 85 % des enfants des pays en développement (79 % de l'ensemble des enfants du monde). L'UNICEF appuie et accompagne ces programmes. Il encourage leur extension au niveau infranational, à l'échelon provincial ou municipal.

L'UNICEF est très présent sur le terrain. Il travaille en relation étroite avec les ONG du Nord, mais aussi avec les ONG et communautés de base locales. Il a été le premier à publier en 1987 un rapport sur *Les effets sociaux de l'ajustement structurel* qui a eu un grand retentissement.

De nombreuses questions ne peuvent être traitées ni au niveau national ni au niveau régional. Elles se posent au niveau planétaire et requièrent une prise de conscience, une discussion et des décisions globales : la prolifération nucléaire, la préservation de l'environnement et des biens communs, les conditions d'un développement durable, la protection de la personne dans ses divers états (enfant, femme, travailleur migrant, etc.).

Devant l'ampleur de ces défis, la plupart des organisations internationales souffrent d'une crise d'identité. Elles se montrent incapables de répondre aux nouvelles demandes qui leur sont adressées et tout aussi incapables de se réformer. Leurs objectifs ne sont plus clairement définis et les acteurs s'appuient tantôt sur les unes tantôt sur les autres pour atteindre des buts souvent imprécis. Le système multilatéral est à la fois cloisonné et enchevêtré. Chaque nouveau problème a engendré un nouveau forum et l'on se trouve devant une prolifération d'organisations spécifiques et spécialisées. Mais aucune n'est capable de traiter à elle seule une question donnée, car tous les domaines sont désormais liés : la paix, le développement, l'environnement, le commerce, la monnaie, les produits de base, l'alimentation, les mouvements de population, etc. D'où la tentation pour chacune d'augmenter sa légitimité en augmentant son champ de compétence. Ce mauvais calcul a engendré une telle cacophonie que l'ensemble du système multilatéral est en crise. Dans certains cas, les constructions institutionnelles s'emboîtent les unes dans les autres : la Chine participe à l'APEC (Forum économique de l'Asie et du Pacifique), en espérant que cela facilitera ses négociations avec le GATT, ce qui lui permettra de rentrer dans la future OMC (Organisation mondiale du commerce); l'ONU compte sur l'OTAN, qui compte sur la CSCE pour ne pas avoir à inclure les pays de l'Est désireux d'entrer dans l'Union européenne, laquelle veut faire de l'UEO le pilier européen de l'OTAN, lequel, etc. Mais les synergies sont rares et la prolifération engendre plus de confusion et de blocage que de progrès.

Enfin, et le phénomène est d'importance, aucune question n'est plus traitée par les seuls acteurs étatiques. Les « experts », les entreprises, les groupes de pression font partie du jeu multilatéral. Les organisations non gouvernementales, en particulier, sont omniprésentes. Elles interviennent dans les organisations intergouvernementales et agissent, à des degrés divers, à chaque étape du processus : la mise sur agenda, l'élaboration des décisions, l'exécution des programmes.

Au tournant du siècle tout semble donc à repenser : l'organisation de la sécurité internationale, les régulations de l'échange mondial, les mécanismes de décision collective.

6 Repenser l'organisation de la sécurité internationale

LE RENOUVEAU DU CONSEIL DE SÉCURITÉ

Dès la rencontre de R. Reagan et de M. Gorbatchev à Reykjavik, en automne 1986, l'atmosphère a changé dans les relations Est-ouest, et par conséquent aux Nations unies. Au printemps 1987, les cinq membres permanents commencent à travailler ensemble de façon informelle, à se réunir discrètement hors du Conseil, d'abord dans le bureau du secrétaire général J. Perez de Cuellar, puis dans la résidence de l'un ou l'autre selon une rotation bientôt organisée. Dans cette nouvelle ambiance, un article publié le 27 septembre 1987 dans *La Pravda* vient préciser la « nouvelle pensée » de M. Gorbatchev en ce qui concerne l'ONU et les mécanismes de maintien de la paix. Le président soviétique développe longuement son souhait de voir les Nations unies renforcées et mieux à même d'intervenir dans la solution des conflits régionaux. Il avance des propositions concrètes et, dans les mois qui suivent, l'URSS présente des notes et des mémorandums de plus en plus précis demandant la réactivation du Comité d'état-major, l'élargissement des compétences de la Cour internationale de justice, allant jusqu'à proposer une assistance logistique à des troupes qui seraient mises en permanence à la disposition du Conseil de sécurité et spécialement entraînées.

Un désir de coopération sans précédent entre les Grands va replacer le Conseil de sécurité au cœur du dispositif onusien. L'URSS souhaite se désengager des conflits régionaux, à commencer par l'Afghanistan. De leur côté, les USA ne veulent pas rester seuls à porter « le fardeau du monde ». Cette entente nouvelle permet une véritable concertation des cinq membres permanents. Elle offre à l'ONU un certain nombre de succès entre 1988 et 1992 : fin de la guerre entre l'Irak et l'Iran, dans le cadre d'un accord négocié grâce à l'ONU; retrait des troupes soviétiques d'Afghanistan selon des modalités discutées avec les Nations unies; aide au désarmement des *contras* au Nicaragua; présence au Guatemala, au Salvador; et surtout, indépendance de la Namibie organisée par la plus grande opération de maintien de la paix jamais encore lancée par les Nations unies. Lorsque survient la crise du Golfe, les membres permanents ont déjà l'habitude de travailler en étroite concertation depuis près de trois ans. Dans la phase cruciale où furent préparées la plupart des résolutions, entre le 2 août et le 31 octobre 1990, les cinq permanents se sont réunis soixante-dix fois de façon informelle, « le jour, la nuit, à l'aube, au crépuscule, le dimanche, etc. » raconte Pierre Louis-Blanc, alors représentant de la France et responsable de la coordination entre les Cinq.

Ces nouvelles habitudes de travail ont transformé la vie quotidienne aux Nations unies. Le centre de gravité s'est déplacé. Les sessions de l'Assemblée générale sont devenues mornes et sans surprise. Celles de l'ECOSOC, toujours insipides, ne sont animées que lorsque l'on s'affronte sur le point de savoir comment sortir cet organe de sa torpeur. Tous les regards se tournent vers le Conseil de sécurité et le secrétaire général.

Les opérations de maintien de la paix : de la 2e à la 3e génération

Dans un premier temps, le renouveau du Conseil de sécurité a redonné confiance dans les capacités de l'ONU à restaurer la paix. L'Organisation s'est trouvée sollicitée de tous côtés. Elle a monté plus d'opérations de maintien de la paix en six ans qu'elle ne l'avait fait en quarante ans d'existence : 20 opérations entre 1988 et 1994 (13 entre 1946 et 1988). Le nombre total des effectifs — militaires, observateurs et policiers civils — participant à ces opérations a été multiplié plusieurs fois : relativement stable jusqu'en 1991 (10 000 à 15 000 hommes), il atteignait 76 000 en mai 1993 et s'est stabilisé depuis. La complexité croissante des missions de l'ONU a exigé un nombre toujours croissant de personnel civil. On estimait à plus de 85 000 le nombre de personnes, civiles et militaires, participant aux 17 opérations de maintien de la paix en 1994, pour un budget de 3 795 milliards de dollars.

Non seulement ces opérations ont augmenté en nombre et en volume, mais elles ont changé de nature. Inaugurées avec l'opération en Namibie, les opérations de maintien de la paix dites « de la 2e génération » ont innové par rapport à la doctrine forgée par Dag Hammarskjoeld et ses collaborateurs. Il ne s'agit plus d'interposition entre deux États, d'une force tampon chargée de « maintenir la paix ». Il s'agit d'intervenir dans la construction politique interne : aider à la réconciliation nationale par des mesures de confiance rassurant les parties, préparer et contrôler des élections, désarmer les factions, protéger les droits de l'homme, etc. On est passé du « maintien de la paix » (*peacekeeping*) traditionnel au « rétablissement de la paix » (*peacemaking*) et à la reconstruction nationale (*nation building*) en Angola, au Salvador, au Mozambique et, bien sûr, au Cambodge, objet d'une énorme opération qui ne fut qu'un demi-succès.

Avec les opérations en Somalie et en ex-Yougoslavie, l'ONU a franchi une étape supplémentaire. Pour la première fois, des opérations militaires à vocation humanitaire étaient lancées dans un contexte de lutte armée entre des factions (Somalie) et de guerre déclarée (ex-Yougoslavie). Commencées comme des opérations de protection de l'assistance humanitaire, elles ont changé de nature en cours de route lorsque le recours à la force a été autorisé par le Conseil de sécurité, au titre du chapitre VII, pour autre chose que la légitime défense. Ces opérations « de la 3e génération » ne relèvent plus du « maintien de la paix » dont les principes ont été progressivement élaborés depuis 1957. Elles ne sont pas non plus des opérations de sécurité collective telles que les prévoit la Charte. Ce sont des opérations d'« imposition de la paix » (*peace enforcement*), sans qu'il y ait ni les conditions de la paix ni l'intention de l'imposer. Dans le langage inimitable de l'ONU cela s'appelle : « maintien de la paix en temps de guerre ».

La formidable ambiguïté de ces opérations explique en partie leur échec. Leur mandat n'est pas clair. Les mêmes forces sur le même terrain doivent remplir des objectifs qui varient et des missions qui se transforment. Les Casques bleus sont mis dans la position d'être tantôt complices, tantôt otages : complices lorsqu'ils assistent à des exactions et ne peuvent intervenir, otages lorsque leur présence empêche que la force soit utilisée pour faire respecter les décisions de l'ONU. Mais le mandat n'est ambigu que parce que les États ont recours à l'ONU pour voiler leurs hésitations et masquer leur impuissance. L'envoi d'une opération de maintien de la paix permet de donner l'impression que l'on fait quelque chose sans avoir à en payer le prix. Là réside l'ambiguïté majeure. Restaurer la paix là où il y a la guerre, protéger les droits de l'homme là où les assassins font la loi, reconstruire un pays là où le sol est gorgé de mines, là où il n'y a plus ni administration, ni police, ni justice, ni infrastructures… cela demande du temps et cela coûte cher : cher en argent, cher en vies humaines lorsqu'il faut employer la force. La grande illusion entretenue depuis la guerre du Golfe est celle du « zéro mort ». Parce que l'opération est collective et qu'elle se fait au nom de la communauté internationale, le prix du sang pourrait ne pas être payé.

À cette dérobade, qui incombe entièrement aux États et particulièrement au plus puissant d'entre eux, s'ajoutent les défauts bien connus de la machine onusienne. Le siège n'a pas les moyens de suivre efficacement 17 opérations simultanées. La cellule militaire est peu étoffée. La chaîne de commandement est lourde. De multiples carences sont dénoncées par tous ceux qui ont à mener des opérations sur le terrain. Mais ces difficultés techniques pourraient être résolues si l'ONU avait une doctrine cohérente et une vision claire de ce que l'on peut attendre d'elle. Jusqu'à présent, les opérations ont toujours été montées au coup par coup et largement improvisées. Tant qu'il ne s'agissait que de « maintien de la paix », l'expérience des *peacekeepers* chevronnés servait de référence. Lorsque l'ONU s'est trouvée engagée dans des opérations de « maintien de la paix sans paix » (Pierre Hassner), de *peace enforcement without force*, le piège s'est refermé.

Les tribulations de l'ONU en Somalie et en Bosnie, le décalage entre la multiplication des engagements et la faiblesse des ressources dont dispose l'Organisation ont entamé sa crédibilité. Le secrétaire général n'arrive plus à trouver les effectifs nécessaires pour renforcer des opérations en cours ou en mener de nouvelles, qu'il s'agisse de Casques bleus, de Bérets bleus ou de fonctionnaires civils. Il a fallu un an, par exemple, pour que soit déployée la force de 7 600 hommes prévue pour renforcer la FORPRONU dans les « zones de sécurité » décidées par l'ONU en Bosnie-Herzégovine (mai 1993). Au Rwanda, un mois après un premier repli déshonorant de la mission des Nations unies au tout début du génocide (en avril 1994), le Conseil de sécurité avait autorisé l'envoi de 5 500 Casques bleus (mai 1994). Il fallut deux mois pour qu'arrivent les premières troupes et 4 000 hommes seulement furent déployés, bien incapables d'arrêter la tragédie. La MINUAR (Mission des Nations unies d'assistance au Rwanda) n'a été au complet qu'à la fin de l'année 1994. Lorsque s'est posée la question du maintien de l'ordre à l'intérieur des camps de réfugiés et celle de leur retour dans leur lieu d'origine, le secrétaire général n'a pas réussi à rassembler les quelque 150 observateurs censés veiller au respect des droits de l'homme et la MINUAR n'a pas été suffisante pour constituer une véritable force de police.

Les pays contributeurs de troupes disent être arrivés à la limite de leurs possibilités. En 1994, les plus gros contributeurs en hommes étaient la France, le Pakistan, l'Inde et le Bangladesh, puis le Royaume-Uni, l'Italie, le Canada, la Malaisie, l'Égypte, les États-Unis. Par ailleurs, l'ONU n'a plus les moyens de rembourser les sommes dues aux pays fournissant des contingents. La plupart des États membres de l'ONU ne payent pas leurs contributions financières obligatoires et l'Organisation est embourbée dans une crise qui n'en finit pas. Au 15 août 1994, le montant des sommes non acquittées au titre des opérations de maintien de la paix s'élevait à 2,6 milliards de dollars.

L'*Agenda pour la paix*

Le secrétaire général des Nations unies vit toutes ces contradictions au jour le jour. Dans une tentative pour redonner une doctrine et des moyens au système de maintien de la paix de l'Organisation, B. Boutros-Ghali a proposé, en 1992, un *Agenda pour la paix*.

Le document distinguait ainsi les différentes modalités d'action de l'ONU et tentait de leur donner à chacune une définition précise :

– « Diplomatie préventive : éviter que des différends ne surgissent entre les parties, empêcher qu'un différend existant ne se transforme en conflit ouvert et si un conflit éclate, faire en sorte qu'il s'étende le moins possible. »

– « Maintien de la paix : établir une présence des Nations unies sur le terrain, ce qui n'a été fait jusqu'à présent qu'avec l'assentiment de toutes les parties concernées et se traduit par un déploiement d'effectifs des Nations unies. »

– « Rétablissement de la paix : rapprocher des parties hostiles, essentiellement par des moyens pacifiques. »

Le « jusqu'à présent » et l'« essentiellement » laissaient entendre qu'une opération de « maintien de la paix » (*peacekeeping*) pourrait être lancée sans l'autorisation des parties et que la force pourrait être utilisée pour « faire la paix » (*peacemaking*). Le secrétaire général, en conséquence, proposait une formule nouvelle (inspirée de la résolution Acheson de 1950) et invitait les États à tenir en réserve des « unités d'imposition de la paix ». Elles seraient composées de militaires volontaires, plus lourdement armés que les forces de maintien de la paix et bénéficiant d'un entraînement approfondi. Le Conseil pourrait y faire appel « dans des circonstances clairement définies ». Elles seraient placées sous le commandement en chef du secrétaire général. Leur mandat serait « défini à l'avance ».

L'*Agenda pour la paix* fut accueilli avec beaucoup de considération. Il fut l'occasion de beaucoup de discours, d'articles et de colloques, et se trouva rapidement enterré sous les fleurs. Deux ans plus tard, en 1994, 22 États seulement sur 184 membres avaient répondu au secrétaire général. Leur offre représentait... 31 000 hommes (soit moins de la moitié des effectifs déployés en 1994). Tous les membres permanents se sont abstenus, sauf la France.

DU BON USAGE DES NATIONS UNIES

La fin de la guerre froide avait suscité de grands espoirs. Il semblait que le rêve de la sécurité collective, jamais réalisé depuis W. Wilson, pouvait enfin se concrétiser. L'expérience de ces dernières années montre, au contraire, que l'on est arrivé au bout des illusions et qu'il est temps d'en tirer les enseignements.

Sécurité collective : la fin d'un mythe

• *Depuis la fin de la guerre froide et l'écroulement du dernier empire territorial, le monde s'est trouvé dans une situation inédite :* pour la première fois dans l'histoire, les grandes puissances ne se menaçaient plus mutuellement. Elles n'avaient plus de raison de se faire la guerre et avaient tout intérêt à s'entendre pour limiter les conflits régionaux. Cette conjoncture unique (et vraisemblablement provisoire) offrait les meilleures conditions que l'on puisse rêver pour l'exercice de la sécurité collective imaginée par la SDN puis l'ONU : plus rien n'empêchait que les grandes puissances unies par un intérêt commun s'entendent pour faire respecter l'ordre international et les grands principes juridiques sur lesquels il se fonde. En 1991, la guerre du Golfe fut ainsi présentée comme la réponse de la communauté internationale à un acte d'agression intolérable, comme le triomphe du droit sur la force.

La liste des États ayant les quotes-parts les plus importantes dans le financement des opérations de maintien de la paix reflète assez fidèlement les hiérarchies de la puissance sur la scène internationale : États-Unis 31,7 % ; Japon 12,5 % ; Allemagne 9 % ; Russie 8,5 % ; France 7,6 % ; Royaume-Uni 6,6 % (en 1993). Les pays industrialisés financent 98 % du coût des opérations de maintien de la paix. Cela est conforme à l'esprit de la Charte qui donne aux grandes puissances la responsabilité principale dans le domaine du maintien de la paix et de la sécurité internationales.

• *Pourtant, malgré ces signes positifs,* lorsque l'on examine la nature et le déroulement des opérations ayant entraîné l'utilisation de la force depuis la fin de la guerre froide, il apparaît qu'aucune n'a répondu à la définition stricte de la sécurité collective, en dépit de circonstances éminemment favorables. La guerre du Golfe a été conduite par les États-Unis sous commandement américain et non par l'ONU sous commandement international. L'opération aurait probablement été menée de toute façon. Les États-Unis se sont tournés vers l'ONU pour avoir sa caution et son autorisation. À ce moment-là ils n'avaient plus de rivaux au Conseil de sécurité et la légitimation collective jouait en leur faveur. Trois ans plus tard, dans l'affaire bosniaque, lorsque les discussions sont devenues plus difficiles au Conseil de sécurité, ils ont décidé unilatéralement de ne plus surveiller un embargo pourtant décidé par le Conseil et de contourner ainsi l'Organisation (novembre 1994).

Depuis 1992, alors qu'ont disparu les blocages paralysants de la guerre froide et que plus rien n'empêche théoriquement une action concertée des grandes puissances pour faire respecter des principes élémentaires, la « communauté internationale » est restée impuissante devant les violations les plus absolues de ses principes les plus sacrés. Elle a vu s'accomplir le mal absolu : un génocide, au Rwanda. Elle a assisté à des « nettoyages ethniques », en ex-Yougoslavie. Elle a laissé violer des frontières internationalement reconnues et saccager des « zones de sécurité » établies par elle-même, en Bosnie-Herzégovine. Dans aucun de ces cas, la violation de principes fondamentaux n'est apparue comme une menace à la paix et à la sécurité suffisante pour justifier le coût d'une intervention militaire lourde. Dans aucun de ces cas, elle n'a été jugée « intolérable ».

Depuis soixante-quinze ans, toutes les situations en vue desquelles avaient été imaginés les mécanismes de sécurité collective se sont présentées. Or jamais la sécurité collective n'a connu le moindre commencement d'application au niveau mondial. En réalité, le système est impraticable. Il suppose, en effet, que plusieurs conditions soient remplies en même temps :

– que tous les États participants aient la même définition de l'agresseur, qu'ils qualifient de la même façon les actes des unités politiques en conflit (États, Communautés, factions, ethnies, etc.) ;

– que tous les États s'engagent à assumer les charges, les risques, les sacrifices éventuels d'une action commune pour rétablir l'ordre et le maintenir ;

– qu'une instance de décision internationale représentative décide quand et comment une action commune doit être lancée et qu'elle ait à sa disposition, et sous son commandement, les forces nécessaires pour mener à bien cette action ;

– que les forces mises à la disposition de la collectivité soient nettement supérieures à celles de l'agresseur. Comme le signalait Raymond Aron, si l'agresseur est à lui seul aussi fort que la coalition des États défenseurs du droit, l'exercice de la « sécurité collective » risque de transformer une guerre limitée ou localisée en une guerre générale et totale.

L'histoire montre que ces conditions n'ont jamais été remplies simultanément. Elles ne peuvent pas l'être. La sécurité collective suppose des perceptions semblables et des objectifs partagés. Dans la réalité, lorsque survient une crise grave, les perceptions diffèrent et les objectifs ne coïncident pas, l'affaire bosniaque en a été une nouvelle illustration. La sécurité collective suppose que les populations acceptent de recourir à la guerre, et donc de mourir, pour défendre des principes, quand bien même leur survie et leurs intérêts immédiats ne seraient pas menacés. Cela est parfaitement utopique, la récente doctrine du « zéro mort » le démontre bien.

La sécurité collective a eu tout le temps de montrer son inanité depuis 1919. Elle repose sur une vision du monde abstraite et irréaliste qui entretient des illusions dangereuses sur les capacités réelles de l'Organisation des Nations unies.

L'ONU désarmée

Les premières opérations de maintien de la paix avaient été imaginées comme un substitut à la sécurité collective à une époque où l'antagonisme Est-Ouest résumait à lui seul toutes les impossibilités du système. Elles ont plus ou moins réussi. Elles n'ont pas évité que surgissent de nouveaux conflits, mais elles ont souvent permis de gagner du temps, de « geler » la situation de façon à laisser à la diplomatie la possibilité de se mettre en mouvement (Moyen-Orient). Elles maintiennent une présence internationale qui, par sa seule existence, agit comme un modérateur de puissance (Chypre), certes ténu et limité, mais réel, au point que tout retrait d'une force des Nations unies est perçu comme une rupture d'équilibre.

Dans les années récentes, de nouveaux types d'opérations sont intervenues dans la vie interne des États. Elles ont été lancées pour aider au retour à la paix civile et à la réconciliation nationale en Amérique centrale (Guatemala et surtout Salvador) et en Afrique (Angola, Mozambique). Elles œuvrent utilement en rapprochant les parties en présence par des mesures de confiance, en aidant à la démilitarisation, en veillant au respect des droits de l'homme, en faisant de l'assistance électorale. Au Salvador, l'action de l'ONUSAL pour aider à réformer le système judiciaire, favoriser la réinsertion des combattants dans la vie civile, encourager des programmes de transfert des terres est plutôt considérée comme un succès. En Angola, où le processus de réconciliation nationale est moins avancé et reste fragile, la présence de l'ONU est d'abord humanitaire. Le gouvernement angolais souhaiterait qu'elle s'élargisse pour aider à la surveillance des accords de paix et à la reconstruction du pays, toutefois, selon le secrétaire général : « Une opération en règle demanderait non seulement plusieurs milliers d'hommes supplémentaires, mais aussi des centaines d'observateurs militaires et de police des Nations unies. Elle devrait nécessairement s'appuyer sur un mandat clairement défini et un calendrier strict. » Les pays membres de l'ONU ne semblent pas prêts à un tel effort.

• *Après quarante ans d'expérience, les conditions nécessaires pour qu'une opération de maintien de la paix réussisse sont connues.* Il faut d'abord un mandat clair, une mission précise. Les interventions les plus utiles sont celles qui opèrent pour la mise en œuvre d'un accord politique déjà négocié, au moins partiellement, entre les parties : accord pour un cessez-le-feu, désengagement militaire, recherche en commun d'une solution pacifique, organisation d'une consultation démocratique, etc. Sur le plan technique, les opérations réussies sont celles qui maîtrisent la dimension temps, procèdent selon un calendrier par étapes, bénéficient d'une liaison rapide entre le terrain et le siège.

Dans l'après-guerre froide, la nature des conflits dans lesquels l'ONU a été priée de s'engager ajoute aux difficultés intrinsèques de toute opération de maintien de la paix. Il ne s'agit plus de conflit d'État à État à partir de frontières clairement délimitées, comme dans la guerre du Golfe. Celle-là représente un «cas d'école» si parfait qu'elle en est exceptionnelle. Les conflits postguerre froide impliquent des populations mélangées sur le plan ethnique et religieux, vivant à l'intérieur de frontières incertaines, avec des économies souvent en ruine et une absence de société civile organisée. Les crises sont à la fois locales et régionales; elles opposent à la fois des États et des communautés et acteurs mal identifiés; elles mélangent guerre civile et agression extérieure. Aucune organisation de défense et de sécurité n'a été prévue pour ce genre de conflits, d'où la crise simultanée et prévisible de l'ONU et de l'OTAN lorsqu'elles s'y sont trouvées confrontées.

Face à ces conflits protéiformes aucune solution n'est simple. Ils exigent une panoplie étendue de moyens : humanitaires pour secourir immédiatement les populations, militaires pour faire plier les agresseurs, politiques pour définir les bases d'un accord durable, financiers pour aider à la reconstruction, techniques pour suppléer des administrations défaillantes. En principe, l'ONU est la seule organisation capable de mettre en œuvre toute cette panoplie. Sa Charte et son réseau d'institutions spécialisées lui en donnent les moyens. En pratique, elle se heurte à deux obstacles au moins : son manque de ressources et ses faiblesses de commandement.

• *Le traitement des nouveaux conflits nécessite des opérations très vastes, très longues et très coûteuses.* Il reviendrait parfois à mettre le pays sous la tutelle de l'Organisation internationale, avec tout ce que cela suppose en terme de police et de personnel civil. Or l'ONU est à bout de ressources. Elle ne possède ni le financement ni le personnel suffisants. Et quel pays acceptera d'assumer une telle charge si ses intérêts nationaux ne sont pas en jeu? L'exemple du Cambodge est probant à cet égard : après avoir obtenu un certain succès en permettant la tenue d'élections auxquelles personne n'aurait osé croire quelques mois auparavant, l'ONU s'est retirée faute de moyens, en laissant «l'entreprise inachevée» (Raoul Jennar).

L'ONU ne veut pas utiliser la force et ne peut pas faire la guerre. Non seulement elle n'a pas de moyens militaires propres, mais toute sa culture est une culture de négociation, de compromis, de procrastination qui répugne à soigner la violence par la violence. Si le mécanisme de coopération entre l'OTAN et l'ONU en ex-Yougoslavie, instauré à partir de mars 1993, était totalement inadapté à une action militaire d'envergure, cela n'était pas par inadvertance. La mission de la FORPRONU était à mi-chemin entre le «maintien» d'une paix qui n'existait pas et l'«imposition» d'une paix par la force dont elle n'avait pas les moyens.

En Bosnie, l'ONU avait peu de troupes au sol et pas de système de renseignement opérationnel dans les zones dont elle était censée assurer la sécurité. Mais c'est elle qui disposait du commandement militaire. L'OTAN avait une culture militaire, elle disposait de moyens opérationnels, elle donnait son appui aérien lorsque les responsables de l'ONU le demandaient. Mais elle ne pouvait qu'exécuter. Entre les deux organisations, la chaîne de commandement a été lourde, lente et pas toujours cohérente. À chaque étape, la multiplicité des acteurs et des interférences, l'écart des conceptions et de la culture organisationnelle ont compliqué l'action. Tout était flou : les objectifs, les moyens, le commandement.

Si la solution imaginée a été la pire que l'on puisse concevoir pour imposer la paix par la force c'est, précisément, parce que les États membres ne voulaient pas conduire une opération guerrière (les États-Unis, en particulier, ont refusé de déployer des troupes au sol). L'ONU a été utilisée comme alibi, le temps d'essayer de trouver une solution diplomatique. Puis comme bouc émissaire.

Le maintien de la paix dans l'après-guerre froide

Dans la perception des États, la guerre reste une chose trop sérieuse pour être confiée à une organisation mondiale. Les opérations de maintien de la paix impliquant l'utilisation de la force rencontrent les mêmes obstacles que la sécurité collective. Après les échecs de l'ONU en Somalie, au Rwanda, en ex-Yougoslavie, il a fallu se rendre à l'évidence et chercher d'autres moyens pour résoudre des conflits de type nouveau.

Du grand effort de réflexion entrepris dans tous les milieux s'intéressant à la sécurité, deux idées ont émergé : le développement de la diplomatie préventive, la réactivation du chapitre VIII de la Charte et des organisations régionales de sécurité.

• *La diplomatie préventive* n'est pas une idée neuve. Le second secrétaire général, Dag Hammarskjoeld, en avait fait la doctrine et l'avait appliquée dès les années 1950. Ses successeurs s'y sont tous employés avec plus ou moins de succès. Elle repose sur une idée simple : mieux vaut prévenir que guérir, mieux vaut apaiser les tensions avant qu'elles ne provoquent un conflit. Depuis les premières années des Nations unies, il est admis que la diplomatie préventive peut être menée par le secrétaire général (sur la base de l'art. 99), par le Conseil de sécurité ou l'Assemblée générale, par les organisations régionales en coopération avec l'ONU. Depuis 1990, la CSCE s'est ainsi dotée d'un centre de prévention des conflits situé à Vienne dont l'activité essentielle consiste à coordonner la mise en œuvre des Mesures de confiance et de sécurité (MDCS) adoptées dans le cadre de la CSCE.

L'exercice de la diplomatie préventive comprend des moyens multiples : des enquêtes pour établir les faits, des bons offices pour instaurer une communication entre les parties, des médiations pour proposer des bases de négociation, des mesures de confiance pour apprendre aux parties à se connaître mieux et se redouter moins; il peut s'agir, par exemple, de dispositions visant à assurer la libre circulation de l'information, de mécanismes organisant une surveillance mutuelle d'accords de paix ou de désarmement, de l'échange systématique de missions militaires. La diplomatie préventive fait appel à des représentants spéciaux, des envoyés spéciaux, des « groupes de contact » officieux ou officiels.

La technique est ancienne. La nouveauté est d'admettre que la diplomatie préventive puisse s'exercer en cas de crise interne et pour limiter des dangers d'ordre économique et social : risques de famine et d'épidémie, déplacements massifs de population, explosion de violence interne, risque de contagion de conflits limitrophes. L'*Agenda pour la paix* de B. Boutros-Ghali insiste sur cette dimension : « Le déploiement préventif peut aider de diverses manières à soulager les souffrances et à limiter ou contenir la violence. Une assistance humanitaire consentie de façon impartiale peut revêtir la plus grande importance; un appui au maintien de la sécurité apporté par du personnel militaire, policier ou civil peut sauver des vies et contribuer à l'instauration d'un climat de sécurité propice à la tenue de négociations. L'ONU peut aussi apporter son concours aux efforts de conciliation si les parties le souhaitent. »

Dans les années récentes la diplomatie préventive a connu quelques succès : au Burundi, l'envoi d'un représentant spécial du secrétaire général et le lancement d'un important programme d'assistance humanitaire avec le HCR et le PAM ont permis d'éviter le pire en 1993, avant que la tragédie du Rwanda ne vienne bouleverser toute la région. Dans l'ex-république yougoslave de Macédoine, le déploiement préventif d'une force détachée de la FORPRONU à laquelle participent des soldats américains (300 Américains sur 800 observateurs) a eu un effet dissuasif : il signale clairement que les conséquences politiques de toute attaque extérieure contre la Macédoine seraient lourdes.

Mais la liste des échecs est sans commune mesure avec celle des réussites : pour la quasi-totalité des conflits de l'après-guerre froide, la prévention n'a pas eu lieu ou bien a été inopérante.

• *La régionalisation du maintien de la paix* est un palliatif offrant à première vue des avantages : la notion d'intérêt collectif est moins abstraite au niveau régional qu'à l'échelle mondiale; l'existence de perceptions communes et d'objectifs partagés est moins invraisemblable; un minimum de culture commune et une meilleure connaissance du terrain peuvent éviter certaines erreurs grossières dues à la méconnaissance des réalités locales. La régionalisation peut aussi permettre de gérer des conflits sanglants oubliés par le reste du monde. Depuis la fin de la guerre froide, en effet, les conflits internes ne sont plus immédiatement portés sur la scène mondiale. Les risques d'escalade semblent limités, la menace paraît circonscrite, les médias s'en désintéressent et la violence se perpétue dans le silence et l'indifférence.

Pour traiter de ces conflits localisés, l'idée progresse selon laquelle le niveau régional serait le plus approprié. Ainsi, le vieux projet d'une « force interafricaine de la paix » a-t-il été à nouveau relancé par la Grande-Bretagne pendant la 49e assemblée générale et repris par la France au sommet franco-africain de

Biarritz (novembre 1994). La Russie, de son côté, encourage cette tendance à la régionalisation : elle souhaiterait voir reconnues et acceptées comme des opérations de maintien de la paix par les Nations unies ses diverses interventions dans des républiques de l'ex-URSS. Elle a demandé à plusieurs reprises que le groupe des 12 républiques de l'ex-URSS composant la Communauté des États indépendants (CEI) soit reconnu comme une organisation internationale ayant vocation à maintenir la sécurité dans l'ancienne Union soviétique.

Cet appel à la régionalisation du maintien de la paix est beaucoup plus qu'un simple rappel du chapitre VIII de la Charte et de l'article 52 stipulant : « Aucune disposition de la présente Charte ne s'oppose à l'existence d'accords ou d'organismes régionaux destinés à régler les affaires qui, touchant au maintien de la paix et de la sécurité internationales, se prêtent à une action de caractère régional, pourvu que ces accords ou ces organismes et leur activité soient compatibles avec les buts et les principes des Nations unies. » Il vise à confier à un pays ou un groupe de pays particulièrement intéressés la responsabilité du maintien de la paix et de la sécurité civile dans une région.

Outre le fait que les pays voisins ne sont pas nécessairement les mieux placés pour apaiser les conflits au lieu de les attiser, cette approche entérine le retour à la politique de puissance et de zone d'influence à laquelle on assiste depuis quelques années : les États-Unis interviennent en Haïti (et la France au Rwanda) avec l'autorisation du Conseil de sécurité; la Russie intervient en Géorgie avec l'approbation du représentant américain aux Nations unies et du secrétaire général, au Tadjikistan avec la bienveillance de la CSCE et de l'ONU. Le Nigeria intervient au Liberia avec l'autorisation de l'ONU et de l'OUA, financé par les États-Unis et le PNUD.

Le seul progrès significatif par rapport aux époques antérieures est que ces interventions ne se déroulent pas complètement en dehors des instances internationales compétentes pour dire le droit. Tout au long de ces opérations, les puissances sont sous surveillance et doivent faire rapport sur la façon dont elles mènent leur action. Si ce schéma devait se généraliser, l'ONU ne remplirait plus qu'une fonction de légitimation et de contrôle. Elle autoriserait les opérations de maintien ou d'imposition de la paix, mais ne les conduirait pas elle-même. Son intervention se bornerait à des fins limitées : action humanitaire, imposition de sanctions économiques. Le mythe de la sécurité collective aurait bel et bien volé en éclats.

LES NOUVEAUX PARTENARIATS

Dans le réaménagement des dispositifs de sécurité internationale, la recherche de ce qu'il est convenu d'appeler une « nouvelle architecture de la sécurité européenne » a des répercussions mondiales :

– Les processus de fragmentation en cours dans les Balkans et dans l'ex-URSS risquent de déboucher sur une insécurité débordant largement l'Europe ex-communiste. Le continent européen est à nouveau un foyer de crises d'où peuvent jaillir des escalades déstabilisatrices sur de vastes étendues.

– La guerre en ex-Yougoslavie a mis au défi toutes les organisations de sécurité et de défense en Europe et les oblige à une profonde remise en cause.

– Les relations entre l'Europe et les États-Unis sont en jeu.

De la façon dont s'organisera l'hémisphère Nord et du type de partenariat qui sera établi entre les États-Unis, les États européens, et la Russie dépend une partie des futures configurations de la puissance au XXIe siècle. L'autre partie dépend, elle, de l'évolution qui se dessine en Asie où le sens d'une identité régionale commence à apparaître progressivement.

Le choix européen : entre défense commune et sécurité collective

Depuis la fin de la guerre froide, les organisations de sécurité et de défense en Europe occidentale sont confrontées à une double question : dans quelle mesure doivent-elles s'élargir pour accueillir les nouvelles démocraties de l'Est? Jusqu'où peuvent-elles aller dans le processus d'adaptation à un éventuel élargissement sans changer de nature? Au cœur du problème se trouve une interrogation de fond : quelle est la vocation de ces organisations? À quel projet politique correspondent-elles?

La réponse est d'autant plus difficile à fournir qu'aucune d'entre elles ne peut répondre de façon complètement indépendante. Le système institutionnel européen est un grand jeu de construction où s'emboîtent tant bien que mal des organisations qui n'ont ni la même histoire, ni la même composition, ni la même culture, ni les mêmes finalités et qui sont pourtant reliées : l'OTAN, la CSCE (devenue en décembre 1994 OSCE), l'Union européenne, l'UEO et même le couple franco-allemand devenu une institution à lui tout seul par la fréquence, la régularité et l'intensité de ses relations. Depuis 1990, cet ensemble composite est en profond bouleversement. Les divers participants s'y affairent en partant de prémisses différentes et en privilégiant l'une ou l'autre institution selon leurs objectifs propres.

• *L'OTAN a perdu sa raison d'être originelle : la menace soviétique.* Cette organisation de défense et d'assistance mutuelle fondée sur une grande alliance militaire euro-américaine avait pour mission d'assurer la sécurité de ses membres en garantissant leur défense commune contre une agression massive (voir chap. 4, p. 90). La disparition du pacte de Varsovie l'oblige à chercher un nouveau principe de légitimité. L'OTAN doit se trouver une vocation nouvelle et pour cela se transformer.

Deux possibilités sont explorées : une projection des forces de l'OTAN « hors zone » dans le cadre d'activités de maintien de la paix, l'élargissement de l'Alliance atlantique à de nouveaux membres. L'une et l'autre soulèvent de sérieux problèmes car elles mettent en jeu les rapports avec la Russie, la question de l'identité européenne, la nature de l'alliance entre les USA et l'Europe. Malgré les communiqués triomphants qui ponctuent chaque sommet de l'Alliance atlantique depuis la fin de la guerre froide, la réflexion est loin d'être achevée et son issue est incertaine.

Quant aux missions de l'OTAN, la réévaluation a commencé dès 1990. Le sommet de Rome (7-8 novembre 1991) marque une première étape avec l'annonce d'un « nouveau concept stratégique » de l'OTAN. L'Alliance exprime sa continuité en réaffirmant l'existence d'« un lien permanent entre la sécurité de l'Amérique du Nord et la sécurité de l'Europe », mais elle donne de la sécurité et de la stabilité une « vision élargie » qui « englobe les aspects politiques, économiques, sociaux et écologiques comme l'indispensable dimension de la défense ». Elle prend acte du fait que les alliés ne sont « plus exposés à la menace ancienne d'une attaque massive ». En conséquence, elle abandonne la doctrine de la riposte graduée : les armes nucléaires n'ont plus qu'une fonction de dernier recours. Les forces militaires sont restructurées et comportent désormais trois types de forces : les forces de défense principale, composées de corps multinationaux ; des forces d'appoint, composées d'unités américaines stationnées aux USA ; et, grande nouveauté, des forces d'action rapide, très mobiles, pouvant être engagées très vite, qui devraient être opérationnelles en 1995.

L'année suivante, le Conseil atlantique annonce que les alliés sont « prêts à soutenir au cas par cas » et conformément à leurs propres procédures « les activités de maintien de la paix entreprises sous la responsabilité de la CSCE » (Oslo, juin 1992). Puis il étend cette participation au maintien de la paix aux opérations menées sous l'autorité du Conseil de sécurité sur le territoire européen (décembre 1992). Le 12 avril 1993, l'OTAN concrétise cet engagement et commence à faire respecter l'interdiction de survol de la Bosnie décidée par le Conseil de sécurité le 31 mars 1993 (Rés/816) et procède à ses premières frappes aériennes près de Sarajevo. Il s'agit de la première opération militaire de l'OTAN en dehors de la zone d'intervention prévue par le traité de Washington.

En grande partie sous l'impulsion de son secrétaire général d'alors, Manfred Wörner, qui voyait dans l'extension des missions de l'OTAN une nouvelle ressource légitimatrice pour son organisation, l'OTAN s'est donc engagée dans le maintien de la paix *out of area*. Mais le débat entre « hors zone » et « zone OTAN » n'est pas entièrement tranché. La zone d'intervention de l'OTAN pour l'application de l'article 5 (voir chap. 4, p. 90) est définie par l'article 6 du traité de Washington (révisé par le protocole d'accession de la Grèce et de la Turquie). Elle comprend : le territoire des États membres, la Méditerranée, l'espace de l'Atlantique nord au nord du tropique du Cancer. Les engagements de l'OTAN liés aux décisions de l'ONU se déroulent « hors article 5 ». Cela signifie-t-il que l'alliance de défense va se transformer en organisation de sécurité? L'OTAN cesserait alors d'avoir une fonction d'abord défensive, centrée sur les intérêts de ses membres conformément à l'article 5 du traité de Washington. Elle jouerait un rôle plus général de stabilité en Europe, avec l'ONU et l'OSCE.

• *Le précédent de la Bosnie a montré l'OTAN aussi empêtrée que les Nations unies dans le flou conceptuel entourant les notions de « maintien de la paix » et de « rétablissement de la paix ».* La plus grande alliance militaire du monde n'a pas fait mieux que le Conseil de sécurité, et pour les mêmes raisons. Pourtant, cet échec ne décourage pas les anciens membres du pacte de Varsovie, toujours désireux d'adhérer à l'Alliance atlantique et las de faire antichambre. Depuis 1990, toute la politique des 16 pays membres de l'OTAN a été de ne pas laisser aux PECO le sentiment d'être négligés, sans pour autant leur accorder une garantie automatique de défense conventionnelle et nucléaire (voir chap. 2, p. 49). Outre le COCONA et le Partenariat pour la paix, l'OTAN leur propose depuis 1994 un « programme de partenariat individuel » qui assure une relation permanente avec l'OTAN modulée en fonction des demandes et des besoins de chacun. Des programmes de coopération militaire concrets sont prévus, des manœuvres conjointes ont déjà eu lieu, de nombreux séminaires réunissent les partenaires et les alliés et couvrent une large gamme de questions liées à la sécurité.

Ce compromis ne satisfait pas les nouvelles démocraties de l'Est. Pour elles, la menace russe ne s'est pas entièrement dissipée. Leur sécurité exige une adhésion rapide à l'OTAN et l'extension de la garantie offerte par l'article 5. Pour les alliés, le partenariat est la moins mauvaise solution : il tisse un lien permanent avec les PECO et réserve l'avenir. Sur le calendrier de l'élargissement, sur les pays qui pourraient être invités à devenir membres de l'Alliance dans un avenir proche, sur les principes devant régir ce processus, rien n'était encore fixé à la fin de l'année 1994 lors de la réunion du COCONA avec les ministres des affaires étrangères des seize pays membres de l'Alliance atlantique (2 décembre 1994).

• *De toutes les questions en suspens, l'une des plus difficiles est celle de la Russie.* Quels rapports entretenir avec l'ex-superpuissance? 1] Peut-elle être un partenaire et à quelles conditions? La Russie a signé l'accord-cadre de Partenariat pour la paix (le 22 juin 1994), mais elle entend fixer ses conditions pour donner son accord à un « programme de partenariat individuel », en particulier sur la question de l'élargissement aux pays d'Europe centrale à laquelle elle se montre résolument opposée. 2] Pourrait-on fixer, en accord avec elle, les contours d'un nouvel ensemble atlantique élargi — par exemple au pays du groupe de Visegrad (Hongrie, République tchèque, Pologne, Slovaquie) — et s'entendre sur le respect mutuel des zones ainsi délimitées? Mais dans ce cas, quels seraient les contours de ces zones et quels pays du Centre et de l'Est européens seraient « sacrifiés » à une telle doctrine? 3] Compte tenu de ses difficultés économiques et de la fragilité de son système politique, la Russie ne risque-t-elle pas de redevenir la grande puissance nucléaire adversaire, avec des intérêts diamétralement opposés à ceux de l'Europe occidentale?

Devant tant d'incertitudes, « mieux vaut s'en tenir à la composition actuelle de l'OTAN, alliance de défense » estiment nombre d'experts européens : « Si le partenariat pour la paix est peut-être le moins mauvais des compromis, il serait erroné d'encourager une extension des fonctions de l'OTAN en dehors de son avantage comparé principal — qui est de fournir un cadre commun pour la défense du territoire de ses membres et pour les opérations militaires de ces derniers» (François Heisbourg).

• *La CSCE/OSCE (Conférence sur la sécurité et la coopération en Europe) présente l'avantage d'être la seule organisation paneuropéenne où se retrouvent également la Russie et les États-Unis.* Il est régulièrement question de la «relancer» pour en faire une grande organisation de sécurité européenne, mais ses moyens sont minces et les arrière-pensées nombreuses.

Cette vaste conférence diplomatique s'était ouverte pour la première fois à Helsinki, en juillet 1973, pour se terminer le 1er août 1975 avec l'acte final de la conférence d'Helsinki adopté par les 35 États participants (tous les États européens, dont l'URSS, plus les États-Unis et le Canada). Dans le contexte de la guerre froide, il ne s'agissait alors que d'un forum diplomatique sans structures permanentes, appelé vaguement «processus d'Helsinki». Sa fonction était d'organiser la détente en Europe entre l'Est et l'Ouest dans le respect du *statu quo* territorial hérité de la guerre (concession faite à l'URSS) et de promouvoir la protection des droits de l'homme et la libre circulation des idées et des personnes entre les sociétés (exigence des Occidentaux). Longtemps considéré comme un marché de dupes consenti par l'Ouest aux régimes totalitaires de l'Est, le processus d'Helsinki acquit une dimension nouvelle à partir de 1989. Au moment où s'écroulait le communisme et s'ouvraient les frontières, la CSCE avait l'avantage de démontrer que les États d'Europe pouvaient vivre ensemble dans des frontières stables malgré les bouleversements en cours. Elle devint le cadre naturel des premières négociations pour la coopération en matière de sécurité, chargée de promouvoir le désarmement et d'établir des relations confiantes et transparentes dans le domaine militaire au moyen de Mesures de confiance et de sécurité (MCDS).

Son plus grand succès a été d'avoir permis, en novembre 1990, la conclusion d'un important traité sur les Forces armées conventionnelles en Europe (FCE).

Sur l'insistance de Moscou et de Paris, la CSCE fut transformée en véritable institution internationale, le 21 novembre 1990, à l'issue du sommet de Paris, avec l'adoption de la charte de Paris pour une nouvelle Europe. Entre 1990 et 1992, elle s'est dotée de structures permanentes : un Conseil des ministres des Affaires étrangères, réuni au moins une fois par an; un Comité des hauts fonctionnaires, siégeant quatre fois par an à Prague; un secrétariat léger à Prague; un centre de prévention des conflits et deux comités spéciaux permanents à Vienne; un bureau des élections libres à Varsovie, qui deviendra le Bureau des institutions démocratiques et des droits de l'homme et de la dimension humaine en 1992; un haut-commissaire pour les minorités nationales. Le sommet de la CSCE est convoqué tous les deux ans. En décembre 1994, le sommet de Budapest a été le plus conflictuel que la CSCE ait jamais connu depuis 1975. Les États membres n'ont réussi à s'entendre que sur une lettre : la CSCE a été transformée en OSCE («Organisation» au lieu de «Conférence»).

Malgré son institutionnalisation et sa prolifération bureaucratique la CSCE n'a que des ressources limitées : son budget est faible, ses structures sont légères, ses effectifs sont maigres et se trouvent dispersés géographiquement entre divers bureaux et secrétariats de faible envergure.

En 1991, l'Albanie et les trois États baltes ont rejoint la CSCE. En 1992, le nombre de ses membres s'est accru brusquement de 50 % avec l'adhésion de tous les États issus de l'ex-URSS, dont cinq États d'Asie centrale. La CSCE est alors devenue un ensemble américano-euro-asiatique de 53 membres qui s'étend de Vancouver à Vladivostok (la participation de la Serbie-Monténégro a été suspendue en juillet 1992 pour violation de la charte de Paris). Cet ensemble bigarré fonctionne selon la règle du consensus : chacun des membres y dispose d'un pouvoir de blocage. L'accord ne peut donc se faire que sur des principes très généraux.

La CSCE n'a pas cessé d'élargir son mandat. Lors de la 4e conférence sur les suites de la CSCE tenue à Helsinki (24 mars-10 juillet 1992) un document intitulé « Les défis du changement » a été adopté qui prévoit le renforcement des structures existantes pour permettre d'intervenir rapidement là où des situations risquent de dégénérer en conflits armés. Le document d'Helsinki déclare que la CSCE pourrait entreprendre des opérations de maintien de la paix ou mandater pour cela la Communauté européenne, l'OTAN et l'UEO. Dans le même document, la CSCE s'est définie comme un « accord régional au titre du chapitre VIII de la Charte des Nations unies ». Elle a conclu, en 1993, un accord de coopération générale avec l'ONU. En Géorgie, au Tadjikistan, en Macédoine, la CSCE collabore avec l'ONU dans l'exercice de la diplomatie préventive.

• *Avec la charte de Paris, le document d'Helsinki, les multiples structures dont elle s'est dotée, l'OSCE dispose d'un arsenal diplomatico-juridique étendu.* Son mandat est immense : désarmement, MCDS, règlement pacifique des différends, droit des minorités nationales, prévention et gestion des situations d'urgence, flux migratoires, contrôle des transferts d'armements, *peacekeeping*.

L'OSCE est active : envoi de missions d'enquête et de rapporteurs pour « établir les faits » ; négociations dans le domaine militaire ; tentatives de médiation entre parties en conflit ; surveillance de la situation (aux frontières de la Macédoine) ; missions d'assistance pour l'application des sanctions (dans le conflit yougoslave)... Mais ses résultats sont minces. À la fin de 1994, ses efforts pour monter une opération de maintien de la paix au Nagorno-Karabakh (enclave arménienne dans l'Azerbaïdjan) n'avaient toujours pas abouti. Son action en ex-Yougoslavie a été éclipsée par d'autres acteurs : ONU, OTAN, Union européenne, Groupe de contact (USA, Russie, Allemagne, France, Grande-Bretagne). Comme l'ONU, l'OSCE est essentiellement un forum. Elle remplit une fonction de légitimation, d'établissement des faits, d'information, de conciliation, de dialogue, lorsque les parties en présence le veulent bien. Pas plus que l'ONU elle n'a les moyens de mener une guerre et de faire respecter ses principes par la force.

• *La Russie affiche comme objectif de transformer l'OSCE en un vaste système de sécurité collective paneuropéen qui comprendrait deux piliers : l'OTAN d'une part, la CEI d'autre part.* Dans ce schéma, l'OTAN deviendrait une organisation régionale subordonnée à la CSCE, tandis que le droit de maintenir l'ordre serait reconnu à la CEI, sous l'égide de la Russie. Moscou compenserait ainsi la perte de son glacis, éviterait d'être marginalisé par un élargissement de l'OTAN et verrait réaffirmé le statut de grande puissance européenne auquel la Russie est attachée. Les États de l'Ouest européen et les États-Unis souhaitent aussi une relance de l'OSCE mais dans une optique opposée : l'OSCE devrait permettre à la fois de rassurer la Russie et de garder l'OTAN. Elle deviendrait une superstructure à l'intérieur de laquelle se développerait un partenariat entre une OTAN élargie mais inchangée et la Russie.

L'emboîtement des organisations européennes

En 1991, plusieurs communiqués de l'OTAN ont reconnu la nécessaire complémentarité des institutions dans la gestion de la sécurité en Europe (*interlocking institutions*). La guerre en ex-Yougoslavie a plutôt montré la confusion et l'échec d'organisations multiples se chevauchant, voire se bloquant mutuellement (*interblocking* plutôt qu'*interlocking* selon J. Eyal). Elle a rendu plus urgente encore la définition d'une « architecture européenne de sécurité » dans laquelle les différentes institutions aurait un rôle à jouer, chacune selon son mandat et ses moyens.

La question du renforcement du « pilier européen » de sécurité de l'OTAN est plus que jamais à l'ordre du jour. Inquiets de la prolifération de conflits de type nouveaux à l'est et au sud de leur continent, les Européens de l'Ouest souhaiteraient construire un système de sécurité moins dépendant des États-Unis sans pour cela perdre la garantie de défense commune offerte par les Américains. Ces derniers sont partagés entre le désir de ne pas se laisser entraîner dans des conflits qui ne sont pas les leurs et le souci de conserver le *leadership* dans les relations avec la Russie et l'Est européen que leur assure l'OTAN. Un processus est en cours pour trouver un nouvel équilibre par des aménagements progressifs et des formes de coopération nouvelles plutôt que par des réformes spectaculaires.

• *Une politique étrangère et de sécurité commune (PESC)* est l'une des finalités essentielles du traité de Maastricht (traité du 7 février 1992 instituant l'Union européenne). Dans ce domaine sensible et soumis à l'intergouvernemental, le traité innove peu. Il approfondit le dispositif de la coopération politique lancé en 1990 qui prévoit la concertation des États membres de la Communauté sur les dossiers de politique étrangère. Il stipule notamment : « Les États membres qui sont aussi membres du Conseil de sécurité des Nations unies se concerteront et tiendront les autres États membres pleinement informés. Les États membres qui sont membres permanents du Conseil de sécurité veilleront dans l'exercice de leurs fonctions à défendre les positions et l'intérêt de l'Union, sans préjudice des responsabilités qui leur incombent en vertu des dispositions de la Charte des Nations unies. » (Art. J. 5.4.)

La guerre en ex-Yougoslavie a montré les limites de la PESC et les difficultés à adopter une position commune. À la fin de 1994, la PESC n'affichait qu'un seul projet d'envergure : la négociation d'un «pacte de stabilité en Europe» (proposition française connue comme «l'initiative Balladur»).

Le traité a surtout «levé un tabou» (F. de La Serre). Pour la première fois depuis l'échec de la CED, l'objectif d'une défense européenne a été mise officiellement sur agenda. L'Union a le devoir «d'affirmer son identité sur la scène internationale, notamment par la mise en œuvre d'une politique étrangère et de sécurité commune». La PESC «inclut l'ensemble des questions relatives à la sécurité de l'Union européenne, y compris la formulation à terme d'une politique de défense commune, qui pourrait conduire, le moment venu, à une défense commune» (titre V, art. J. 4.1).

Il revient à l'UEO «qui fait partie intégrante du développement de l'Union européenne, d'élaborer et de mettre en œuvre les décisions et les actions de l'Union qui ont des implications dans le domaine de la défense» (art. J. 4.2).

La notion d'«identité européenne de sécurité» a été acceptée par l'Alliance atlantique lors du sommet de Rome en novembre 1991 et plus clairement affirmée encore avec celui de Copenhague en janvier 1994. Il n'en demeure pas moins que la nature des relations entre l'UEO et l'Union européenne d'une part, l'UEO et l'OTAN d'autre part continue de faire l'objet de sérieuses divergences entre les partenaires. Le texte adopté à Maastricht est un compromis. Comme le souligne F. de La Serre : «Il y a claire subordination de l'UEO à l'Union et création, sur le plan opérationnel, d'un début de planification, coopération accrue dans le domaine de la logistique, de la surveillance stratégique, création d'unités relevant de l'UEO... Mais, en même temps, la déclaration sur l'UEO annexée au traité privilégie plutôt le lien UEO-OTAN par rapport au lien UEO-Union européenne. Elle insiste en effet sur le fait que l'Alliance atlantique reste le "forum essentiel de consultation entre les Alliés et l'enceinte où ceux-ci s'accordent sur des politiques touchant à leurs engagements de sécurité et de défense au titre du traité de Washington".»

• *L'UEO (Union de l'Europe occidentale)* lie entre eux ses États membres plus fortement encore que ne le fait l'OTAN. L'article 5 du traité de Bruxelles prévoit une assistance automatique et totale à toute partie victime d'une agression armée en Europe. À la fin de 1994, l'UEO comportait 10 membres : tous les membres de l'Union européenne, à l'exception du Danemark et de l'Irlande. Tous les membres de l'UEO sont aussi membres de l'Alliance atlantique. Tous les membres de l'Union européenne sont aussi membres de l'OTAN, sauf l'Irlande et les trois nouveaux entrants (Autriche, Finlande, Suède). L'imbrication des trois appartenances est donc étroite. Les pays européens membres de l'OTAN, mais non de la Communauté européenne, se sont vu offrir un statut de membres associés en 1992 : l'Islande, la Norvège et la Turquie participent aux activités du Conseil de l'UEO, sans faire partie de l'Alliance. Depuis la disparition du pacte de Varsovie, neuf pays d'Europe centrale sont accueillis dans un «forum de consultation» les associant à la réflexion sur l'organisation de la sécurité collective en Europe.

L'UEO est un traité d'alliance traditionnel qui laisse aux États leur pleine souveraineté en matière militaire. Elle fonctionne sur la base du consensus. Aucun déploiement commun de forces autre que celui mis en œuvre par l'OTAN n'est prévu par le traité.

Pendant des décennies l'UEO n'a eu qu'une activité réduite : le rapprochement des politiques se faisait ailleurs, à l'OTAN ou dans la Communauté. Deux instances seulement avaient quelque activité : l'Agence pour le contrôle des armements, qui contribua à instaurer la confiance entre les pays d'Europe occidentale; l'Assemblée parlementaire, qui a introduit la dimension européenne des problèmes de défense dans les parlements nationaux. Malgré les discours périodiques (en France surtout) sur la nécessité de «réactiver» l'UEO, celle-ci n'est sortie de sa léthargie qu'à la fin des années 1980 à la faveur des bouleversements en Europe et de la réduction de la présence américaine sur le Vieux Continent.

La guerre entre l'Irak et l'Iran l'avait déjà conduite à coordonner une opération de déminage dans le golfe arabo-persique, afin de maintenir ouvertes des voies de circulation maritime essentielles pour le ravitaillement de l'Europe en carburant. Cette première expérience (1987-1988) fut suivie par une opération de plus grande envergure pendant la guerre du Golfe avec la coordination des opérations navales des pays de l'UEO pour mettre en œuvre le blocus contre l'Irak décidé par le Conseil de sécurité. Ces deux interventions ont montré la faiblesse des moyens propres à l'UEO et sa totale dépendance à l'égard de la logistique américaine. En 1993, l'UEO a commencé à se doter d'organes opérationnels : une cellule de planification dans les locaux du secrétariat général transféré à Bruxelles; un centre d'exploitation des images satellitaires implanté à Torrejon, en Espagne, en vue de former du personnel en attendant que l'Europe dispose de satellites militaires. Mais il ne s'agit que d'un embryon. Le temps est encore loin où l'UEO pourra constituer une véritable entité de défense. Le conflit yougoslave, là encore, a servi de test et de révélateur : l'UEO et l'OTAN étaient associées dans une grande opération de surveillance de l'embargo sur les livraisons d'armes et d'équipements militaires décidé par l'ONU. Lorsque les États-Unis décidèrent de façon unilatérale de modifier leur participation à l'opération et de ne plus mettre leurs moyens de surveillance à son service, les Européens ne purent que protester et s'incliner.

La crise yougoslave a posé crûment la question des actions militaires dans le cadre de l'UEO sans participation active des États-Unis. Une des possibilités envisagées serait la création de *Combined Joint Task Forces* (CJTF), groupes de forces interarmées multinationales dont l'idée a été lancée par les USA en janvier 1994 et acceptée par les Européens. Il s'agirait de forces d'intervention conjointes ne mobilisant qu'une partie du potentiel de l'OTAN et n'impliquant que quelques États, au cas par cas. L'idée est en marche, mais les modalités sont encore imprécises.

• *La création de l'Eurocorps,* annoncée conjointement par la France et l'Allemagne en octobre 1991, vise à concrétiser l'identité européenne de défense tout en préservant le lien atlantique. Cette construction militaire à laquelle se sont ralliés la Belgique, l'Espagne et le Luxembourg devrait constituer une unité opérationnelle d'environ 40 000 hommes en 1995. Un accord sur ses modalités d'engagement a été signé en janvier 1993 entre l'Eurocorps et l'OTAN : le principe d'une subordination (*operational command*) à des états-majors de l'OTAN a été admis. L'Eurocorps est ouvert aux autres membres de l'UEO, qui ne se sont pas empressés. En juillet 1994, il ne comptait encore qu'environ 7 000 hommes. La double nature du commandement UEO-OTAN fait douter que l'Eurocorps soit autre chose qu'un symbole. En cas d'engagement, il est vraisemblable que l'UEO n'aurait qu'une compétence subsidiaire et que les choix politiques seraient opérés dans le cadre du Conseil atlantique.

Le renforcement de la coopération militaire entre les pays européens sur une base bilatérale ou multilatérale est pourtant significatif depuis 1993. Les corps multinationaux se multiplient à l'intérieur de l'OTAN. La France et la Grande-Bretagne ont engagé un rapprochement sur le plan militaire. La France, l'Italie et l'Espagne expérimentent une force d'intervention en Méditerranée avec les Pays-Bas, le Portugal et la Grèce au titre de l'UEO, l'Allemagne et la Belgique dans le cadre de l'OTAN. Sans admettre qu'elle soit rentrée dans l'OTAN, la France multiplie les exercices d'état-major avec l'OTAN et l'UEO.

La difficulté fondamentale à laquelle se heurtent les organisations de défense et de sécurité depuis la disparition du pacte de Varsovie est l'impossibilité de définir la notion d'intérêts vitaux communs. Certes, le danger rôde et les tensions se multiplient, mais la menace reste diffuse ; elle ne touche pas tous les partenaires avec le même degré de proximité ; le poids des souvenirs et de l'histoire ne pèse pas de la même façon. Cela explique la tentation pour chaque État d'instrumentaliser les organisations internationales pour prendre dans chacune ce qui peut servir ses intérêts immédiats (ou du moins ce qui est défini comme tel), ce que les experts appellent la « renationalisation » des politiques de sécurité.

L'émergence d'une identité régionale en Asie

L'émergence d'une prise de conscience régionale en Asie est l'un des événements majeurs de cette fin de siècle. Elle se traduit d'abord par une extension considérable des flux privés intrarégionaux à la fois économiques, culturels et migratoires. Elle s'accompagne d'une ambition pour le multilatéralisme jusqu'alors inusitée dans cette partie du monde et dont les conséquences n'ont pas fini de se faire sentir.

• *Jusqu'au début des années quatre-vingt-dix, aucun organisme multilatéral important ne rassemblait l'ensemble des pays de la région.* L'Asie de l'Est avait eu le triste privilège d'être déchirée par les trois conflits majeurs de l'après-guerre : décolonisation, conflit Est/Ouest, schisme sino-soviétique, avec leur cortège de guerres internationales et de violences intérieures (Indonésie, Corée, Viêt-nam, Cambodge...). Aucun arrangement durable n'avait pu se faire entre États, qu'il s'agisse de la sécurité ou de l'économie (l'OTASE a disparu dans les années soixante-dix sans avoir jamais existé vraiment).

En Asie du Sud, une vague tentative pour créer un forum de coopération entre l'Inde, le Pakistan, le Bangladesh, le Sri-lanka, le Népal, le Bhoutan et les Maldives n'a jamais pu se concrétiser. La SAARC (Association de coopération pour l'Asie du Sud, créée au Bangladesh en 1985) a été voulue par les États les plus faibles de la région et concédée par l'Inde avec réticences. À plusieurs reprises, la grande puissance du sous-continent a fait ajourner le sommet annuel de l'Association. Elle a toujours veillé à faire en sorte que les problèmes bilatéraux du sous-continent n'y soient pas abordés. La SAARC se contente d'essayer d'harmoniser les points de vue de ses membres dans les instances internationales et de mettre au point des programmes régionaux très ciblés. Mais les conflits intérieurs et extérieurs opposant les États participants ainsi que la faible complémentarité de leurs économies empêchent toute coopération organisée en Asie du Sud.

• *La seule organisation multilatérale significative en Asie a été et reste encore l'ANSEA* (ASEAN, siège à Djakarta). Créée en 1967 par six pays soucieux de se protéger contre la progression du communisme dans l'Indochine toute proche (Brunei, Indonésie, Malaisie, Philippines, Singapour, Thaïlande), cette organisation remarquablement pragmatique a toujours fonctionné sur le principe du plus petit commun dénominateur. Ses membres sont hétérogènes et divisés. Ils ne se fixent pas de grands objectifs dont la non-réalisation serait source de tension interne et perçue comme un échec pour l'organisation. À l'inverse, ils partent des points d'entente minimum existant entre eux pour présenter un front uni dans les discussions internationales. Cette démarche efficace leur permet de se présenter comme un groupe et leur assure une audience diplomatique. À l'ONU, l'ANSEA a une réalité. Ses positions ont fortement pesé sur la façon dont l'ONU a traité du dossier cambodgien depuis 1970. Ses pays membres ont acquis l'habitude de « vivre ensemble » sur le plan diplomatique. L'Association offre un cadre régulier de discussions. Outre les sommets et conférences ministérielles annuels, elle a engendré de multiples commissions et comités et provoque plus de 200 réunions d'experts par an (ce qui requiert des moyens financiers et un personnel qualifié pour y participer).

Depuis la fin de la guerre froide, les relations entre les pays de l'ANSEA et les autres pays de la région ont commencé à changer de nature dans un nouveau contexte stratégique marqué par l'ascension politique du Japon, la montée en puissance de la Chine et le recul de la présence américaine. À partir de 1991, l'idée d'un forum asiatique inspiré de la CSCE a commencé à faire son chemin. La seule instance de concertation régulière existant en Asie devait tout naturellement en être le noyau. L'ANSEA a élargi progressivement ses discussions. Elle a accueilli trois pays « observateurs » : Papouasie-Nouvelle Guinée (depuis 1989), Viêt-nam et Laos (depuis 1992) et deux pays « invités », la Russie et la Chine (depuis 1991), et s'est reconnu sept « partenaires », États-Unis, Japon, CEE, Corée du Sud, Australie, Nouvelle-Zélande, Canada.

La 26e conférence ministérielle, en juillet 1993, a marqué une étape. Pour la première fois, l'ANSEA a laissé entendre qu'elle pourrait proposer l'instauration d'un organisme de sécurité pour l'Asie sous la forme d'un Forum réunissant officiellement les pays membres de l'Association, ses invités, ses observateurs et ses partenaires sur une base régulière. Un an plus tard, l'idée avait pris corps. Le premier Forum régional de l'ANSEA (FRA) s'est tenu à Bangkok le 25 juillet 1994. Il est trop tôt pour savoir si cette première réunion purement formelle entraînera la création d'une véritable organisation de sécurité. Certains participants le souhaitent de façon à disposer d'un mécanisme de diplomatie préventive évitant que ne dégénèrent les nombreux points de tension existant dans la région, à commencer par le contentieux territorial en mer de Chine du Sud, et permettant aussi de freiner la course aux armements. La Chine y est peu favorable et préfère les relations bilatérales, qui lui donnent l'avantage sur le terrain, aux discussions multilatérales à l'issue toujours incertaine. En toile de fond, pour les pays de l'ANSEA, se profile le souci de prévenir les conséquences d'un affrontement prévisible à terme entre les deux grandes puissances de la région, la Chine et le Japon.

7 Gérer la mondialisation

Sous l'effet conjugué de la dissolution des blocs et de la mondialisation des échanges, le monde a perdu ses repères. Dans le domaine géopolitique, les populations et ceux qui les dirigent ne savent plus très bien où sont leurs alliés et qui sont leurs adversaires, où se trouvent les priorités et comment définir leurs objectifs. Dans le domaine économique, le vaste mouvement de déréglementation et de globalisation de la finance internationale intervenu dans la dernière décennie a introduit une instabilité sans précédent. Les marchés de capitaux se sont unifiés plus rapidement que le comportement des peuples et des États. Chacun a conscience du lien entre les mouvements de capitaux, les relations monétaires, le commerce, l'investissement d'une part, l'emploi, la réduction de la pauvreté, la stabilité sociale, la paix civile, d'autre part. Aucune organisation pourtant n'est en mesure de conduire un dialogue global entre tous les partenaires et sur tous les sujets. Entre la diplomatie de club réservée aux États du G7 et le *happening* des grandes conférences de l'ONU, les institutions de Bretton Woods et la nouvelle Organisation mondiale du commerce sont censées être les instances permanentes et représentatives dont a besoin une économie désormais mondialisée. Encore leur faut-il préciser leur mission et asseoir leur légitimité.

LE RÔLE DES INSTITUTIONS DE BRETTON WOODS

Les institutions de Bretton Woods, que l'on présente souvent comme des citadelles toutes-puissantes, ne sont pas épargnées par la remise en cause générale. Le monde pour lequel elles avaient été créées n'existe plus. Leur finalité n'apparaît plus clairement. Leur mode de fonctionnement est critiqué. Sous le feu croisé des critiques venues à la fois des ultralibéraux « de droite » et des ONG « de gauche », il leur faut redéfinir leur rôle et justifier leur comportement. Le sujet est suffisamment sérieux pour que le G7 ait appelé à la révision et la rénovation de ces institutions (sommet de Naples, 1994) et qu'une commission d'experts ait été constituée, dite « commission de Bretton Woods », présidée par Paul Wolcker (ancien président de la Réserve fédérale américaine).

Quel avenir pour la Banque mondiale?

Celle que l'on dit parfois « la petite sœur mal aimée du FMI » est moins monolithique que le Fonds monétaire. Elle se pose plus de questions sur ses activités et sur le bien-fondé de ses grandes orientations. Elle est aussi plus sensible aux critiques.

• *La Banque avait été créée pour participer à la modernisation des pays pauvres et au financement de la reconstruction des infrastructures en Europe.* Elle devait agir essentiellement comme un intermédiaire financier accordant des prêts à moyen et long terme financés par des emprunts levés sur le marché des capitaux et veiller, par conséquent, à la rentabilité des projets. Il apparut très vite que la Banque (pas plus que le FMI) n'aurait pas les ressources suffisantes pour aider l'Europe à se relever. En lançant le plan Marshall, les États-Unis se substituèrent aux institutions de Bretton Woods en apportant environ 13 milliards de dollars à l'Europe sous forme de dons et de prêts.

Dès 1948, la Banque a dû réorienter son activité. Elle s'est tournée vers le financement des projets de développement dans le tiers monde (voir chap. 5, p. 127). Progressivement son rôle s'est diversifié. La Banque apparaît maintenant à la fois comme un intermédiaire financier, une agence d'aide au développement, un fournisseur d'assistance technique, une agence de garantie contre les risques non commerciaux (nationalisations, troubles civils, guerres), un consultant en développement, un gigantesque bureau d'études dont les données s'imposent au monde entier.

Pendant trois décennies, le groupe de la Banque mondiale a figuré parmi les plus gros fournisseurs de capitaux dans les pays en développement. Son autorité s'appuyait d'abord sur ce statut de prêteur. Depuis la fin des années quatre-vingt, le rôle financier de la Banque a décliné. Les grandes banques régionales de développement lui ont fait concurrence, mais, surtout, le montant des capitaux privés vers les pays en développement a quadruplé entre 1989 et 1994. Depuis qu'a été en partie maîtrisée la crise de la dette et que bon nombre de pays en développement dits «à revenu intermédiaire» ont «décollé» sur le plan économique, les capitaux privés ont afflué sur les marchés porteurs du Sud, en Amérique latine et surtout en Asie. Plusieurs grands pays (l'Inde, par exemple) ont remboursé la Banque.

En 1993, le financement extérieur net des pays en développement se montait à 170 milliards de dollars. Les déboursements net de la BIRD ne représentaient que 2,3 milliards de dollars. Ils ont été négatifs en 1994. Les prêts consentis par l'AID ont représenté 4,6 milliards de dollars net en 1993 et 5,1 en 1994.

La Banque prête moins et, globalement, son apport financier aux pays en développement est devenu marginal, sauf en Afrique où ses engagements sont restés inchangés (2,8 milliards de $ en 1994).

Les coûts sociaux considérables de l'ajustement structurel (délabrement des infrastructures collectives, recul du système éducatif, dégradation de l'alimentation...) et la prise de conscience de ses effets ont amené la Banque à développer un nouveau discours précisant ses objectifs : lutte contre la pauvreté, priorité donnée aux besoins sociaux (santé, éducation), développement du secteur privé de façon à permettre aux populations de prendre une part plus active dans le développement économique. La Banque a lancé des programmes «Dimension sociale de l'ajustement» (DSA). Elle a engagé, par exemple, un programme de soutien aux services sociaux dans les pays d'Afrique francophone touchés par la dévaluation du franc CFA. Elle participe à des programmes intégrés avec d'autres agences des Nations unies (au Pakistan, par exemple). Elle a également augmenté considérablement ses prêts pour la protection de l'environnement. Elle reprend en toute occasion le discours en vogue sur le développement durable.

• *Compte tenu de ces évolutions, la Banque doit-elle se transformer en agence d'aide au développement et concentrer son action sur les pays les plus pauvres et les secteurs non rentables ?* Certains le préconisent, ajoutant que cette grosse bureaucratie (plus de 6 000 fonctionnaires) n'a pas su s'adapter à la globalisation financière, que ses missions sont obsolètes et que son intervention dans des pays où existe un marché émergent n'a plus lieu d'être. Pour la commission Wolcker, par exemple, la Banque ne devrait plus intervenir que pour financer des projets dont le secteur privé ne veut pas prendre la charge. À cette critique libérale accusant la Banque de se substituer au marché et de faire la part trop belle aux organismes d'État, s'ajoute la critique inverse des ONG du Nord accusant la Banque de détruire la société civile. De grandes associations privées ont lancé une campagne « 50 ans, ça suffit » englobant la Banque et le Fonds monétaire dans le même rejet. Les nouvelles stratégies sociales de la Banque ne seraient qu'un filet de sécurité hâtivement tendu pour atténuer les chocs dûs aux politiques imposées par les institutions de Bretton Woods. Ces politiques auraient aggravé les inégalités sociales et augmenté la pauvreté. Dans les pays ayant appliqué les prescriptions du Fonds et de la Banque, la croissance se serait appuyée sur l'érosion des salaires et la limitation des droits des travailleurs, augmentant d'autant l'insécurité économique et les fractures sociales (en Amérique latine notamment).

• *Prise entre ces deux réquisitoires, la Banque doit prouver son efficacité et raffermir son image.* En tant que Banque, elle est un gros emprunteur sur le marché financier et doit inspirer confiance. En tant qu'organisation internationale, elle est tributaire des États, en particulier pour l'AID. Elle s'est donc engagée dans une campagne de séduction sur le thème « Apprendre du passé, s'engager dans le futur », accompagnée d'une double réforme. L'une est purement budgétaire : en septembre 1994, le président de la Banque, Lewis Preston, a annoncé une diminution drastique des frais de fonctionnement (6 % par an pendant trois ans). Après deux réformes traumatisantes (en 1972 et en 1987), le personnel de la Banque se prépare donc à de nouvelles restrictions. L'autre touche les procédures. En effet, l'efficacité des prêts consentis par la Banque et la façon dont elle conduit ses projets ont été gravement critiqués dans un rapport qu'elle avait elle-même commandé (rapport Wapenhans, 1992). Ce que chacun savait sans jamais le dire ouvertement a été publiquement reconnu : la Banque accorde plus d'importance au nombre et au volume des prêts consentis qu'au succès des projets adoptés — ce qui nuance fortement la portée de ses fameuses conditionnalités ! La qualité d'un bon fonctionnaire de la Banque se mesure au nombre de projets qu'il réussit à faire passer à travers tous les niveaux hiérarchiques, jusqu'à l'acceptation par le Conseil d'administration, et non par les résultats de ces projets. La Banque affirme désormais que, dans l'évaluation des agents et leur promotion, la mise en œuvre et le suivi des opérations seront aussi importants que la préparation et le vote des projets. Une révolution culturelle serait donc en cours...

Ces deux réformes visent à désamorcer les critiques les plus virulentes dans les pays industrialisés, notamment au Congrès américain. Mais elles ne répondent pas à la question de fond sur les missions de la Banque et le type de « bien collectif » que la communauté internationale peut en attendre. Pour l'instant la Banque approuve quelque deux cent cinquante projets par an. Elle gère en permanence plus d'un millier d'opérations. Elle n'a pas de problèmes financiers : le taux de retour de ses prêts couvre largement ses frais administratifs et ses déboursements. Sa signature est prestigieuse. Sa réputation d'« expertise » reste grande. Elle cherche à développer son activité de conseil auprès des États, en particulier pour la transition vers l'économie de marché dans les anciens pays communistes. Elle n'est pas disposée à abandonner son rôle d'intermédiaire financier pour devenir essentiellement une agence d'aide, ni à limiter son action à l'Afrique et aux pays les plus pauvres de l'Asie du Sud en négligeant les emprunteurs mieux fortunés. Ses arguments pour cela ne manquent pas de pertinence : d'une part, l'afflux des capitaux privés vers les PED a été favorisé par une diminution des taux d'intérêt dans les pays développés et risque de ne pas durer (la nouvelle crise mexicaine de janvier 1995 et les effets en chaîne qui ont suivi semblent lui donner raison) ; d'autre part, l'essentiel de ces capitaux est absorbé par environ vingt pays seulement et les besoins de financement public restent grands. Enfin, la Banque est un catalyseur : elle donne confiance aux investisseurs dans le tiers monde et dans les anciens pays communistes. Elle a, d'ailleurs, l'intention d'augmenter son activité de couverture des risques politiques au profit des investissements dans le secteur privé.

• *Reste à savoir si la Banque saura désamorcer la critique des ONG.* Sa politique jusqu'à présent a été de les coopter : les ONG de défense de l'environnement ont fait une entrée en force dans la Banque, elles sont associées à quantité de projets sur le terrain. Les ONG de développement participent également à nombre de projets sociaux pilotés par la Banque, dans le domaine de la santé, de l'éducation, de l'agriculture. Mais ce sont essentiellement des ONG du Sud. Les ONG du Nord réclament davantage. Les plus modérées demandent que les mêmes remèdes uniformes ne soient pas appliqués à tous, que la Banque détermine sa politique pays par pays, à partir d'un dialogue avec les organisations privées, les gouvernements et les agences de l'ONU intéressées. Sur tous ces points la Banque a commencé à réviser ses pratiques. Les ONG les plus virulentes (la grande organisation britannique OXFAM notamment) demandent un renversement complet de doctrine : la protection des industries naissantes, l'octroi de subventions à quelques secteurs bien choisis, une vraie réforme foncière, bref, une inversion des conditionnalités habituelles. Et par-dessus tout, un allègement de la dette multilatérale qui pèse sur les pays pauvres, sujet demeuré tabou jusqu'à présent. Tout le problème des conditions du développement est ainsi posé.

Quelle mission pour le Fonds monétaire?

En 1944, la création du FMI répondait à la volonté conjointe de la Grande-Bretagne et des États-Unis d'établir un nouvel ordre monétaire permettant de faire face aux défis de la reconstruction et d'assurer le développement des échanges internationaux. Il s'agissait d'éviter le retour des dévaluations compétitives et des crises économiques et sociales qui avaient marqué les années trente et contribué au déclenchement de la Seconde Guerre mondiale. Le plan déposé par la Grande-Bretagne baptisé « plan Keynes », du nom de son auteur John Maynard Keynes, préconisait un système ambitieux avec la création d'une Banque supranationale, qui aurait émis une monnaie internationale (le « bancor ») en fonction des besoins réels du commerce international, et l'établissement d'un mécanisme de financement quasi automatique des déficits des États. La philosophie était de favoriser la croissance et le plein emploi et de ne pas faire reposer les contraintes du retour à l'équilibre exclusivement sur les pays débiteurs. Ce plan fut écarté au profit du projet de la délégation américaine présidée par un fonctionnaire du Trésor, Harry White. À la place d'une banque supranationale, les États-Unis imposèrent le système d'étalon de change-or, qui faisait du dollar la monnaie internationale, et la création d'un Fonds dépourvu du pouvoir de création monétaire, faiblement doté en liquidités, qui surveillerait les pays débiteurs et ne gênerait en rien la suprématie du dollar dans le système monétaire international.

• *À l'origine, le FMI se voyait investi d'une double mission : surveillance de l'ordre monétaire et octroi de crédits aux pays en situation de difficulté passagère.*

La fixation des taux de change reposait sur un système de parités fixes établies autour du dollar, seule monnaie entièrement convertible en or à un cours fixe (35 $ l'once). Chaque État membre devait définir et communiquer au FMI une parité centrale pour sa monnaie et s'engager à ne laisser fluctuer le cours que de 1 % autour de la parité déclarée. Dans ce système, les autorités monétaires nationales perdaient le pouvoir de modifier unilatéralement la valeur de leur monnaie : tout ajustement de parité devait être approuvé par le Conseil des gouverneurs.

Les mécanismes de crédit fixaient des limites assez strictes aux facultés d'emprunt des États. Chaque pays se voyait attribuer une quote-part calculée, en principe, selon des variables économiques, définie en réalité au terme de négociations difficiles entre le pays et le Fonds. Il devait verser au FMI un quart de son quota en or et le solde en monnaie nationale. Il pouvait obtenir sans conditions un crédit à concurrence de 25 % de sa quote-part. Au-delà, l'allocation de crédits était subordonnée à un examen de sa situation et à l'acceptation de conditions (voir chap. 5, p. 126).

Dans l'esprit des accords de Bretton Woods, l'activité de prêteur du Fonds monétaire était étroitement liée à sa mission de garant de la stabilisation des taux de change. Elle ne devait s'exercer que de façon limitée et seulement pour éviter aux États la tentation de recourir à des dévaluations en les aidant à restaurer l'équilibre de leur balance des paiements (après le lancement du plan Marshall, en 1948, le FMI demanda aux pays européens de ne pas recourir à ses crédits). Lorsque ses concours devinrent plus importants, selon la procédure des « accords de confirmation », le Fonds monétaire se heurta rapidement à une insuffisance de ses ressources. Pour y remédier, les États membres consentirent des augmentations successives de leurs quotes-parts à partir des années soixante et la conclusion d'accords généraux d'emprunts au titre desquels les pays du G10 acceptaient d'accorder des prêts au Fonds en sus de leur quote-part.

Avec l'établissement des Droits de tirage spéciaux (DTS), en 1969 (voir encadré, p. 44), une nouvelle étape a été franchie : le Fonds monétaire a acquis la possibilité de participer directement à l'émission monétaire. Ce pouvoir, comparable à celui d'une banque centrale, lui permet de créer des liquidités internationales si un besoin global se fait sentir dans l'économie mondiale. Le FMI a ainsi distribué 21,4 milliards de DTS aux États membres entre 1971 et 1981.

• *Depuis 1971 et la décision américaine de ne plus lier le dollar à l'or, le Fonds monétaire a perdu sa vocation première.* Il n'existe plus de système monétaire organisé. Le système de changes fixes dont le FMI avait la garde a disparu en 1973. Le Fonds n'a plus qu'un rôle marginal dans les affaires monétaires internationales.

La concertation régulière des responsables politiques et monétaires des grands pays industrialisés au sein du G7 a permis d'enrayer à deux reprises la chute vertigineuse du dollar (septembre 1985, accords du Plaza; février 1987, accords du Louvre) et de limiter l'amplitude des fluctuations entre les grandes monnaies. Mais ces interventions ne sont que des palliatifs, elles ne fondent pas un ordre. L'insécurité monétaire reste entière : plus de 1 000 milliards de dollars d'opérations de change sont traitées chaque jour sur les grandes places financières. Les nouveaux instruments financiers que l'on appelle produits « dérivés » ont atteint en 1994 un volume de 12 000 milliards (un fonds de pension américain ou japonais peut avoir des actifs en dollars qui avoisine les réserves en devise de la Banque de France). D'incessantes permutations passent d'une devise à l'autre et pèsent sur les taux de change. Aucune banque centrale ne peut à elle seule infléchir les attaques spéculatives sur une parité. L'intervention concertée des banques centrales européennes a été incapable de lutter contre les mouvements spéculatifs qui ont fait sortir la lire et la livre du système monétaire européen en 1992. Une telle volatilité n'encourage pas les investissements de long terme qui seuls permettent une croissance soutenue et des emplois durables. Elle fait en outre peser le spectre d'une crise majeure de paiement.

• *La nécessité de construire un nouvel ordre monétaire commence à être partout reconnue.* Plus personne ne revendique le retour à un système de parités fixes administré sur le plan mondial, mais l'idée d'une forme d'accord de stabilisation des changes entre les grandes devises du monde gagne du terrain. Quant aux missions qui seraient dévolues au FMI dans ce domaine, les propositions varient. La commission Wolcker préconise que le FMI abandonne à la Banque mondiale toutes ses activités dans les pays en développement pour revenir à sa mission initiale de garant de l'ordre monétaire. Elle préconise un système de change concerté entre le dollar, le yen et le deutsche Mark. D'autres suggèrent que le FMI cesse de s'occuper de la transition à l'Est pour surveiller le système financier mondial qui s'accroît et circule de façon incontrôlé (ainsi, Jeffrey Sachs, professeur à Harvard connu pour ses activités de conseil à Moscou et ses griefs contre le FMI).

Pour l'instant, aucune volonté politique comparable à celle qui animait les instigateurs de Bretton Woods ne se dessine. Les pays industrialisés s'accommodent de ce « non-système » et cherchent le retour à la stabilité en amont, dans la convergence des politiques économiques et monétaires. Le Fonds monétaire y trouve là une légitimité. Le rôle qu'il revendique, et qui lui est reconnu, est de veiller à la « qualité des politiques macro-économiques » et d'agir comme un « réducteur des incertitudes » en envoyant au marché des signaux clairs : « Les marchés ont besoin de savoir que les politiques macro-économiques menées pour aujourd'hui et pour demain sont rigoureuses » (Michel Camdessus).

• *Ce rôle de surveillance des politiques macro-économiques* s'exerce plus facilement auprès des pays en développement qu'auprès des grands pays industrialisés — et notamment des États-Unis auxquels le FMI serait bien incapable d'imposer une discipline. L'action du FMI dans les pays du Sud est la plus connue et la plus critiquée. Le bilan social désastreux des pays dans lesquels il est intervenu plaide contre lui. L'ajustement structurel est devenu le bouc émissaire de tous les échecs du mal-développement.

• *L'effondrement du communisme et le passage des économies dirigées à l'économie de marché ont ouvert une nouvelle période dans l'histoire des institutions de Bretton Woods.* La Russie, les républiques de l'ex-URSS, les PECO ont tous conclu des arrangements avec le FMI. La plupart se sont engagés dans des programmes de « transition » d'une ampleur considérable sous la responsabilité centrale du Fonds. Celui-ci est à la fois conseiller pour les réformes, contrôleur de leur exécution, financier, catalyseur des efforts d'assistance financière. Une nouvelle Facilité pour la transformation du système économique (FTS) a été créée par le Fonds en avril 1993 afin de permettre aux économies en transition de continuer à fonctionner. Les pays éligibles sont autorisés à y recourir dans la limite de 50 % de leur quote-part. La FTS est tirable en deux tranches : la première n'est soumise qu'à un engagement général de mise en œuvre de mesures cohérentes de stabilisation ; la seconde est assortie de conditions plus rigoureuses.

Depuis 1991, le débat sur l'aide à la Russie et le rééchelonnement de sa dette sont à l'agenda de toutes les rencontres internationales des autorités économiques et financières. Après une première période relativement euphorique (1991-1992), au cours de laquelle les engagements occidentaux d'origine publique ont été annoncés en masse, les difficultés de l'économie soviétique et le peu de progrès dans la stabilisation de l'inflation ont rendu les négociations de plus en plus difficiles entre la Russie et les Occidentaux. Le FMI s'est engagé en 1993 sur une enveloppe de 14 milliards de dollars : 6 pour un fond de stabilisation du rouble ; 5 au titre d'accords de confirmation (*stand by*) ; 3 au titre de la FTS. De premières tranches ont été versées, mais le FMI a conditionné la poursuite de ses versements à de meilleurs résultats en matière d'émission monétaire et d'inflation. La Russie demande un assouplissement des conditionnalités ainsi qu'une augmentation de ses droits à emprunts. Le FMI impose des objectifs qu'elle juge irréalistes. Déjà la controverse est grande entre ceux qui estiment que les exigences et le comportement du FMI sont justifiés et ceux qui l'accusent de prêter trop peu, trop tard et trop maladroitement.

• *La disproportion entre le volume de financement apporté par le FMI et la profondeur de son ingérence politique oppose régulièrement les pays en développement et le G7 au sein du FMI.* Les premiers réclament un élargissement de l'accès aux ressources du Fonds et l'ouverture d'une troisième tranche de la FTS qui leur permettraient d'augmenter leur capacité d'emprunt. Les seconds voient dans la fonction de police du FMI le meilleur de son action et ne jugent pas utile d'augmenter ses ressources. La querelle s'est cristallisée autour des DTS en octobre 1994. Le directeur général du FMI, Michel Camdessus, souhaite que soit émise une nouvelle allocation de DTS de 36 milliards de dollars destinée en priorité aux pays qui ont adhéré au FMI depuis 1981 (date de la dernière allocation), mais aussi aux pays dont les réserves internationales sont si minces que le moindre incident pourrait les mettre en cessation de paiement (à la fin de 1993, plus d'un tiers des PED et des pays en transition avaient en réserve l'équivalent de moins de huit semaines d'importation). Les pays du G7 ont refusé et proposé un contre-projet, soutenu par les États-Unis et la Grande-Bretagne, ramenant le chiffre à 16 milliards, essentiellement destinés aux pays de l'ex-URSS en transition. Coup de théâtre inattendu dans une institution que l'on dit entièrement dominée par le G7 : les représentants des pays d'Asie, d'Amérique latine et d'Afrique ont fait bloc au comité intérimaire pour refuser cette offre minimale.

Là encore le monde a changé. L'incident des DTS démontre que la nouvelle architecture d'un ordre mondial économique et financier ne pourra pas se faire sans tenir compte des nouvelles puissances économiques en gestation auxquelles la réussite de l'Asie de l'Est donne un pouvoir d'entraînement dont elles entendent bien faire usage.

L'ORGANISATION DU COMMERCE INTERNATIONAL

L'*Uruguay Round* et l'Organisation mondiale du commerce

La création d'une nouvelle organisation universelle chargée de fournir un « cadre institutionnel commun pour la conduite des relations commerciales entre ses membres» (art. II des statuts de l'OMC) répond au besoin d'avoir un cadre pour gérer de façon concertée les changements accélérés par la mondialisation des échanges. De façon significative, ni l'ONU ni la CNUCED ne sont mentionnées dans l'acte constitutif de l'OMC. Il est seulement indiqué que le Conseil général conclura des accords de coopération appropriés avec les autres organisations intergouvernementales ainsi qu'avec les organisations non gouvernementales s'occupant de questions en rapport avec celles dont traite l'OMC. La volonté de maintenir la régulation du commerce international en dehors de la démarche onusienne est clairement affichée. Les diverses tentatives du secrétaire général pour que l'OMC devienne une institution spécialisée de l'ONU n'ont trouvé aucun relais chez les États signataires. En revanche, la coopération de l'OMC avec le Fonds monétaire et le groupe de la Banque mondiale est spécifiquement prévue. Elle est même incluse dans les «fonctions» de l'OMC (art. III des statuts).

Le 1er janvier 1995, la première Organisation mondiale du commerce a été officiellement installée à Genève. Sa création avait été décidée par les accords de Marrakech (15 avril 1994) au terme du plus long cycle de négociations commerciales multilatérales jamais conduit au sein du GATT (1986-1993).

• *Le cycle commencé à Punta del Este (dit «Uruguay Round»)* était le huitième d'une série de négociations : Genève (1947), Annecy (1949), Torquay (1951), Genève (1956), *Dillon Round* (1960-1961), *Kennedy Round* (1964-1967), *Tokyo Round* (1973-1979). Son objectif était d'accélérer la libéralisation des échanges dont on escomptait une relance des exportations et, par là, une relance globale de la croissance.

Il faut se rappeler, en effet, que le GATT n'a pas établi le libre-échange. Il a laissé chaque pays signataire libre de choisir les doses de protection et de libre-échange qu'il souhaitait (à la différence du traité de Rome qui impose un libre-échange total entre les États membres de la Communauté européenne et donne à la Commission la responsabilité de gérer les protections intracommunautaires). L'objectif du GATT était modeste : assurer la transparence des politiques commerciales nationales et promouvoir leur coordination de façon à définir un ensemble de principes dont le respect devait assurer un fonctionnement normal du marché dans des conditions de concurrence loyales et prévisibles.

Les États signataires du GATT se sont engagés à respecter deux règles fondamentales : la non-discrimination et la protection conditionnelle. La clause de la nation la plus favorisée oblige tout signataire de l'accord à étendre immédiatement et inconditionnellement à tous ses partenaires commerciaux au sein du GATT tout avantage qu'il pourrait accorder à un pays signataire. Par ailleurs, tout signataire s'engage à ne protéger son économie que par le moyen des droits de douane et à éliminer les autres mesures de protection (restrictions quantitatives, barrières «invisibles», etc). Le GATT définit aussi les conditions dans lesquelles un pays signataire peut prendre des mesures de protection, mesures «de sauvegarde» ou mesures antidumping.

• *Le texte de l'accord était insuffisant pour déclencher un grand mouvement de libéralisation des échanges. C'est la raison pour laquelle furent lancés les cycles de négociation appelés « rounds ».* Leur objectif était d'amener les signataires à baisser les obstacles tarifaires sur une base de réciprocité dans le cadre de négociations multilatérales (et non dans des accords bilatéraux, en tête à tête). La complexité de leur mécanisme explique la longueur des négociations et le poids déterminant qu'y jouent les experts et les *lobbies*. Aucun profane n'est à même de suivre des négociations aussi techniques. La formule est la suivante : chaque pays établit la liste des concessions qu'il est prêt à accorder. Il dresse en même temps la liste des concessions qu'il souhaite obtenir de ses partenaires afin qu'ils ouvrent leur marché à ses propres exportateurs. La négociation s'engage entre tous les participants. Elle est d'autant plus ardue que les pays sont nombreux et que les intérêts sont diversifiés et hétérogènes. Les premiers *rounds* ne portaient que sur des secteurs industriels relativement comparables (on acceptait, par exemple, une baisse des droits de douane dans la sidérurgie pour en obtenir une dans la chimie). À partir du *Tokyo Round*, le plus long et le plus ambitieux jusqu'alors, la plupart des secteurs de l'échange commercial international furent inclus dans la négociation, à l'exception notable de l'agriculture et des services.

À Punta del Este, l'agriculture et les services étaient, pour la première fois, inscrits à l'ordre du jour. Sur le plan commercial, l'*Uruguay Round* avait trois objectifs principaux : réduire les « pics » tarifaires qui avaient réapparu dans l'industrie et remettre en ordre des taux de protection de moins en moins uniformes ; libéraliser les échanges agricoles ; « intégrer au GATT » le commerce international des services en négociant des règles mutuellement acceptables encadrant les interventions gouvernementales dans ce secteur en expansion rapide. Sur le plan institutionnel, il s'agissait de transformer le simple accord d'application provisoire sur lequel fonctionnait le commerce international depuis 1947 en une véritable organisation. Les Européens, en particulier la France, étaient les principaux demandeurs : face aux tentations de bilatéralisme que l'on constatait un peu partout, et notamment aux États-Unis, il était important pour l'Union européenne que le multilatéralisme fût renforcé pour faire contrepoids à la puissance américaine.

• *La structure de l'OMC est peu différente de celle du GATT.* L'Assemblée plénière annuelle se transforme en une Conférence ministérielle qui se réunira au moins une fois tous les deux ans. Le Conseil des représentants devient un Conseil général qui gère les questions courantes et se réunira « selon qu'il sera approprié » pour s'acquitter des fonctions de règlement des différends et d'examen des politiques commerciales. Il sera assisté de trois conseils traitant respectivement du commerce des marchandises, de celui des services et des aspects des droits de propriété intellectuelle qui touchent au commerce. Différents comités et organes subsidiaires sont prévus, dont beaucoup existaient déjà au GATT. Avec ses conseils et comités spécifiques, cette nouvelle structure devrait permettre de négocier en permanence des accords nouveaux, évitant la globalisation des questions inhérente aux *rounds* et la lourdeur des cycles de négociations. Il est établi un secrétariat de l'OMC dirigé par un directeur général nommé par la Conférence. Le nombre de fonctionnaires devrait être peu différent de celui du GATT (quelques centaines) et n'augmenter qu'à peine.

Le système d'un vote pondéré suivant la part de chacun dans le commerce international avait été parfois évoqué. Il n'a pas été retenu. L'OMC fonctionnera sur la base « un membre-une voix ». Les membres peuvent être « tout État ou territoire douanier distinct jouissant d'une entière autonomie dans la conduite de ses relations commerciales extérieures » accédant à l'accord « à des conditions à convenir entre lui et l'OMC » (art. XII). Le système de décision est complexe, l'OMC se distingue à la fois de l'ONU et des institutions de Bretton Woods. En principe le consensus est la règle, comme il en allait au GATT (art. IX), mais quantité d'exceptions sont prévues pour éviter un droit de veto implicite et paralysant. Dans les cas où il ne sera pas possible d'arriver à une décision par consensus, la décision sur la question à l'examen sera prise aux voix. Pour adopter une interprétation ou une dérogation aux accords commerciaux, il faudra une majorité des 3/4 des membres. L'accession des nouveaux membres sera approuvée à la majorité des 2/3 des membres de l'OMC.

• *Beaucoup d'incertitudes demeurent quant à l'autorité de cette nouvelle organisation.* Sa fonction sera de « faciliter la mise en œuvre, l'administration et le fonctionnement » des accords commerciaux multi- et plurilatéraux (art. III). Son action s'appuie sur les engagements spécifiques conclus par les États membres. L'OMC est d'abord un cadre de négociation. Le rôle de son premier secrétaire général sera très important pour veiller à l'efficacité réelle de ses procédures pour le respect du multilatéralisme. Le dispositif comporte, en effet, un certain nombre d'ambiguïtés. D'une part, l'OMC a une compétence très étendue, puisqu'elle couvre non seulement les marchandises mais aussi de nouveaux sujets : les services (le GATS, accord général sur le commerce des services), les aspects des droits de propriété intellectuelle qui touchent au commerce (y compris le commerce des marchandises de contrefaçon), l'agriculture, le textile. Dans ces domaines, les accords sont « multilatéraux », et donc contraignants pour tous les membres, mais chacun comporte de nombreuses exceptions et des régimes particuliers. D'autre part, l'OMC accepte toute une série d'accords « plurilatéraux » (annexe 4) qui ne créent des droits et obligations que pour les parties qui les ont approuvés (aéronefs civils, marchés publics, secteur laitier, viande bovine). Le cadre juridique est donc loin d'être unifié. Il conserve une grande souplesse, avec des accords « à la carte » et de multiples exceptions qui sont autant d'entorses au multilatéralisme. Par ailleurs, le risque est sérieux que les États les plus puissants n'acceptent pas de renoncer à la pratique des sanctions unilatérales. Les États-Unis ont déjà fait savoir qu'ils ne renonceraient pas aux fameuses clauses 301 et super-301 du *Trade Act* américain donnant au président le droit de prendre des mesures de rétorsion unilatérales contre les pays ne respectant pas les accords internationaux sans attendre l'issue des procédures multilatérales. La ratification des accords de

Marrakech par le Congrès américain n'a été obtenue qu'au prix d'une mise sous surveillance de l'OMC : un comité de cinq sages composé d'anciens juges fédéraux devraient examiner les conclusions de l'OMC dans les différends commerciaux intéressant les USA et se prononcer sur leur bien-fondé. Au cas où l'Organisation se comporterait mal plus de trois fois en cinq ans aux yeux de ce comité, il serait conseillé à l'exécutif américain de quitter l'OMC.

• *Dans ces conditions, le mécanisme de règlement des différends prévu dans les accords de Marrakech est un élément capital pour la crédibilité de la nouvelle organisation.* De son autorité et de son bon fonctionnement dépendra l'avenir de toute tentative de régulation concertée. Sa tâche sera d'autant plus délicate que le développement très rapide du commerce international a mis la compétition extérieure au cœur de la vie interne de chaque pays. Les enjeux de cette compétition sont l'emploi, la fixation des salaires, le système de protection sociale. Le mouvement vers la libéralisation de nouveaux secteurs comme l'agriculture, les services, la propriété intellectuelle ne fait qu'augmenter cette sensibilité. Il met en question les traditions, l'équilibre ville-campagne, les codes culturels, les images de référence, tout ce que l'on dit constituer l'« identité nationale ». Ces enjeux sont pris en charge par des *lobbies* d'autant plus puissants qu'ils peuvent aisément jouer sur l'émotion. Sur de tels sujets, en effet, n'importe quel différend mobilise l'opinion publique et peut provoquer des manifestations de rue. Le pari de l'OMC est de faire en sorte que les États acceptent de ne pas sanctionner eux-mêmes ceux qui leur portent tort dans des questions aussi brûlantes.

L'absence d'un dispositif efficace de règlement des différends est une des lacunes du GATT. Le système repose sur un mécanisme de conciliation, souple, non permanent et non obligatoire. En cas de plainte, un État peut demander la convocation d'un « groupe spécial » ou « panel » composé d'experts qui dira le droit et fera des recommandations. La réunion du groupe spécial, puis ses conclusions doivent être acceptées par consensus. Le rapport du groupe spécial doit être approuvé. Il l'est généralement par les parties, mais il n'est pas toujours suivi d'effets. Les petits pays ont eu rarement recours à cette procédure, utilisée surtout par les États-Unis, le Japon, le Canada et la CEE dans le contentieux qui les oppose les uns aux autres. Elle obtient parfois des résultats. Elle permet rarement de régler les différends les plus graves, notamment ceux qui touchent aux subventions dans l'agriculture ou la protection des industries de haute technologie. La lenteur dans l'instruction des dossiers, le caractère non obligatoire des conclusions rendues par les panels sont une limite sérieuse à l'efficacité du mécanisme.

Le dispositif prévu par l'OMC devrait être automatique, plus rapide et plus contraignant (annexe 2 de l'accord de Marrakech). Les délais devant chaque instance sont stricts et fixés de façon détaillée ce qui devrait accélérer la procédure. Lorsqu'un membre demande la convocation d'un panel, les autres membres ne peuvent pas s'y opposer. Les conclusions des experts ne peuvent être refusées que par consensus. Et surtout, il est prévu un organe d'appel permanent composé de sept personnes travaillant pour l'Organisation, désignées pour quatre ans par les membres de l'OMC. À la fin de l'année 1994, la composition et la philosophie générale de cette instance d'appel n'étaient pas encore fixées. L'enjeu est capital et clairement politique : ou bien cet organe permanent tranche avec les habitudes antérieures et se rapproche d'une juridiction (comparable à la Cour de justice européenne par exemple) composée de juristes expérimentés et indépendants de leur gouvernement et l'OMC devient alors l'instance qui dit le droit et décide quand et comment d'éventuelles mesures de sanctions peuvent être prises, ou bien le système antérieur se perpétue et l'OMC reste une instance de conciliation sans grande autorité juridique ni influence morale et sans pouvoir sur les sanctions.

• *L'OMC devrait fonctionner pendant plusieurs mois en parallèle avec le GATT,* ce qui ajoutera à la complexité d'un système fait d'un lacis d'engagements multiples où chacun est lié avec certains sans être lié à d'autres. 124 États ont participé à l'*Uruguay Round*. Une vingtaine d'États non-membres du GATT souhaiteraient accéder à l'OMC, en particulier la Chine avec laquelle les États-Unis sont engagés dans des négociations difficiles. Sa candidature est l'un des premiers gros dossiers dont l'Organisation va devoir traiter.

Les défis que devra surmonter l'OMC pour engendrer un système commercial mondial plus efficace, plus sûr et plus juste sont considérables. Il lui faudra assumer :

– La tendance des États les plus puissants à ne prendre dans ce genre d'accord que les points qui les intéressent.

– La méfiance grandissante dans la population des vieux pays industriels à l'égard d'une libéralisation des échanges destructrice d'emplois dans le court terme et porteuse de profondes transformations politiques et sociales.

– Les revendications des pays les plus pauvres qui ne bénéficieront pas des effets positifs de la libéralisation, notamment parce que les tarifs préférentiels dont ils disposaient sont érodés par l'abaissement généralisé des droits de douane.

– Le débat sur l'introduction éventuelle d'une « clause sociale » dans les accords commerciaux. Cette mesure est demandée par la France et les États-Unis. Elle vise à subordonner l'ouverture des marchés dans les pays industrialisés au respect des conventions de l'OIT sur les conditions du travail, en particulier la prohibition du travail des enfants. Les PED protestent contre ce qu'ils estiment être de la protection déguisée les privant de leur principal avantage comparatif : le bas prix de leur main-d'œuvre.

– Une focalisation exclusive de l'attention sur la seule expansion du commerce, en négligeant les conséquences écologiques et sociales de cette expansion.

– La fragmentation du marché mondial entre des « blocs économiques » engagés dans une compétition à outrance.

Sans un secrétaire général de caractère, un mécanisme de règlement des différends solide, une coopération poussée et quasi organique avec les autres organisations internationales lui permettant de faire face à tous ces défis, l'OMC risque de n'être qu'un nouveau GATT un peu renforcé et non la grande instance de régulation annoncée.

Les nouvelles constructions régionales

La mondialisation des échanges s'accompagne un peu partout d'une relance des tentatives d'organisation régionale.

• *En Europe,* l'adoption de l'Acte unique (février 1986) a entraîné l'achèvement du grand Marché (1er janvier 1993). Le traité de Maastricht (7 février 1992) a institué l'Union européenne et jeté les bases d'une Union économique et monétaire dont l'échéance a été fixée pour 1997 ou 1999. L'Union européenne a accueilli trois nouveaux membres le 1er janvier 1995. Elle a conclu un ensemble d'accords avec les pays d'Europe centrale et orientale. Elle envisage une relance de sa coopération avec les pays méditerranéens et la possibilité d'une zone de libre-échange incluant les pays du Maghreb et du Proche-Orient. Des négociations pour l'adhésion de Chypre et de Malte pourraient être envisagées après la grande conférence intergouvernementale de 1996 au cours de laquelle seront dessinées les nouvelles structures de l'Union. Cette relance de la construction européenne depuis la fin des années 1980 a eu un effet d'entraînement certain en Amérique et dans la région Asie-Pacifique.

• *En Amérique,* l'adhésion du Canada à l'OEA, fin 1989, a réuni tous les États du continent dans une même organisation (à l'exception de Cuba, expulsé depuis 1962). Le 27 juin 1990, G. Bush a relancé l'idée de l'Alliance pour le progrès de J. Kennedy en présentant un vaste plan baptisé « L'initiative pour les Amériques ». Il proposait un allégement de la dette pour l'Amérique latine, une libéralisation des investissements, une vaste zone de libre-échange qui s'étendrait de l'Alaska à la Terre de Feu. Première étape de ce vaste projet : des négociations trilatérales se sont ouvertes au cours de l'été 1991 entre les États-Unis, le Canada et le Mexique pour déboucher en moins de dix-huit mois sur un accord de libre-échange nord-américain : l'ALENA (NAFTA en anglais). Signé le 17 décembre 1992, l'ALENA est entré en vigueur le 1er janvier 1994. Il devrait éliminer progressivement toutes les restrictions sur le commerce et l'investissement entre les trois partenaires d'ici quinze ans. Il s'accompagne d'accords annexes en matière d'environnement et de droit du travail. Un mécanisme très poussé d'amendes et de sanctions est prévu à l'encontre d'un pays qui ne ferait pas respecter ces dispositions.

À la fin de l'année 1994, l'ouverture des négociations pour un premier élargissement en direction du Chili était déjà annoncée. Une telle adhésion aurait une grande portée politique. Elle tendrait à démontrer la force d'attraction de l'ALENA et son poids déterminant dans l'intégration économique latino-américaine.

De nombreux accords de libre-échange sont voie de constitution entre les différents pays d'Amérique du Sud et cette relance témoigne d'une volonté de rapprochement régional (voir chap. 5, p. 115). L'Amérique latine a changé dans les années quatre-vingt. Les régimes militaires ont fait place à des systèmes politiques pluralistes. Les économies sont plus ouvertes et moins protectionnistes. La croissance a repris dans beaucoup de pays. Les échanges entre pays latino-américains ont plus que doublé en cinq ans (de 16,4 milliards de $ en 1988 à 33,2 milliards de $ en 1993). Les pays d'Amérique du Sud cherchent tous à doper leurs exportations en s'insérant dans des zones de libre-échange plus ou moins étendues. Le Pacte andin a repris de la vigueur et l'Union douanière si souvent retardée entre la Colombie, le Venezuela, l'Équateur, le Pérou et la Bolivie a été prévue pour le 1er janvier 1995. Le Brésil se présente comme la grande puissance sous-continentale susceptible d'être au centre d'une future zone sud-américaine de libre-échange (ALESA ou SAFTA en anglais) et fonde beaucoup d'espoirs sur l'Union douanière prévue par le Mercosur pour le 1er janvier 1995. Après un démarrage difficile, le Mercosur commence à être pris au sérieux : depuis l'automne 1994 des négociations ont commencé entre le Mercosur et l'Union européenne pour créer une vaste zone de libre-échange transatlantique.

L'Amérique latine est découpée en une mosaïque d'accords commerciaux qui, mis bout à bout, devraient accélérer l'unification du marché sud-américain. Dans ce contexte, la réunion du « sommet des Amériques » a posé une fois encore la question de la place des États-Unis dans ce processus de régionalisation.

Le sommet des Amériques a réuni 34 pays à Miami (10-11 décembre 1994). Le principe d'une libéralisation du commerce et des investissements à l'échelle du continent a été adopté. Une date a été fixée pour l'établissement de la future zone de libre-échange des Amériques (AFTA) : 2005. Des groupes de travail commencent à se mettre en place. Au nombre des problèmes à régler, celui de la compatibilité des multiples unions douanières et tarifs extérieurs communs sud-américains avec l'accord nord-américain est un des plus difficiles. Sans être une organisation internationale au sens strict, l'ALENA a déjà donné naissance à un vaste réseau institutionnel que les négociations à venir vont encore étoffer. Il se présente déjà comme la pierre angulaire de l'intégration économique de l'hémisphère.

• *En Asie,* la constitution de l'Europe et de l'Amérique en blocs économiques a été perçue comme une menace à laquelle il convenait de réagir, d'autant que les difficultés rencontrées par l'*Uruguay round* inquiétaient les nouveaux pays exportateurs. En 1991, la perspective d'un blocage des négociations en raison de l'affrontement entre l'Europe et les USA était prise très au sérieux dans la région Asie-Pacifique qui, plus que toute autre, a bénéficié de la libéralisation du commerce.

Un premier essai d'organisation économique régionale a été tentée par les six pays de l'ANSEA (voir p. 159). Des mesures visant à l'établissement progressif d'une zone de libre-échange entre les six États membres sont appliquées depuis 1993. Des réductions de taxe sur les catégories de produits susceptibles d'être échangés entre les pays membres sont en cours. L'ambition affichée est la création d'un marché régional intégré (AFTA, *Asean Free*

Trade Area) d'ici 2008, voire, si possible, 2003. Les divergences entre les pays membres sont considérables, mais les négociations progressent. Le volume du commerce intra-ANSEA est faible : moins du quart des exportations de la zone. Si elle se réalise, la mise en place de ce marché commun aura surtout un effet d'entraînement sur les autres forums.

Depuis 1991 la Malaisie plaide pour la constitution d'un « forum économique d'Asie orientale » (EAEC, *East Asian Economic Caucus*), qui regrouperait les pays de l'ANSEA avec d'autres pays d'Asie en excluant tous les pays non asiatiques (USA, Canada, Australie, Nouvelle-Zélande) et dans lequel le Japon jouerait un rôle moteur. Ce projet va directement à l'encontre des objectifs énoncés lors des sommets de l'APEC (Forum de coopération économique Asie-Pacifique) en 1993 et 1994. Lancé à l'initiative de l'Australie en 1989 pour peser sur les travaux de l'*Uruguay Round*, ce forum regroupait à l'origine 12 pays de la zone Asie-Pacifique : les six pays de l'ANSEA, l'Australie, le Canada, la Corée du Sud, les États-Unis, le Japon, la Nouvelle-Zélande. La Chine, Hong Kong, Taiwan s'y sont joints très rapidement ainsi que la Papouasie-Nouvelle Guinée. Les États-Unis ont réussi à y faire admettre le Mexique, puis le Chili. En novembre 1994, le sommet de Bogor (Indonésie) a réuni les dirigeants de dix-huit pays qui se sont tous engagés à libérer totalement leur commerce et leurs investissements d'ici l'an 2020 et même 2010 pour les pays industrialisés de la zone. L'avenir dira si cet engagement est destiné à rester purement verbal ou si le sommet de Bogor a jeté les bases d'une nouvelle organisation liant l'Amérique et l'Asie. À l'issue de la rencontre, le scepticisme était de mise en Asie. Chacun des participant y était soupçonné d'utiliser l'APEC à ses fins propres : les États-Unis pour forcer l'ouverture des marchés d'Asie orientale ; le Japon pour diluer dans le multilatéral les pressions exercées par le partenaire américain ; la Chine pour faciliter son entrée dans l'OMC ; l'Indonésie et Singapour pour encourager les États-Unis à ne pas réduire leur présence dans la région et faire contrepoids à la Chine et au Japon, etc. Les pays de l'ANSEA se sont montrés particulièrement désunis pendant toute la session et leur perplexité sur la nature des rapports qu'il convenait d'entretenir avec l'APEC est apparue en plein jour.

• *La conclusion presque simultanée de l'Uruguay Round et de trois accords régionaux, le traité de Maastricht, l'ALENA et l'ASEAN Free Trade Area n'est pas une coïncidence fortuite.* Les négociations sur le commerce international se répercutent les unes sur les autres, s'entrechoquent et provoquent de nouvelles configurations. Jusqu'à présent elles vont toutes dans le sens de l'élargissement plutôt que du repli, de la libéralisation plutôt que du protectionnisme. La nécessité d'une organisation mondiale du commerce assez forte pour en définir les règles n'en est que plus urgente. La désignation du premier secrétaire général de la nouvelle OMC a déjà fait apparaître la puissance des clivages régionaux : trois candidats étaient en lice, soutenus respectivement par l'Europe, l'Amérique et l'Asie. La querelle durait encore en janvier 1995 et l'OMC a commencé à fonctionner avec le secrétaire général du GATT faisant office de secrétaire général intérimaire… Cela n'est pas de bon augure.

Conclusion

Les organisations internationales font partie d'un vaste processus d'accommodement à l'échelle mondiale. Leur fonction n'est pas de résoudre les problèmes, mais de rendre les politiques mutuellement conciliables. Elles esquissent des programmes, proposent des références collectives, favorisent des compromis, aident à les appliquer. Encore faut-il qu'elles soient légitimes et représentatives. La question de la « démocratisation » est au cœur de la réflexion contemporaine sur le multilatéral.

Le débat sur l'élargissement du Conseil de sécurité illustre bien le dilemme. Chacun sait que sa composition actuelle ne représente plus la réalité de la puissance : le Japon et l'Allemagne devraient logiquement rentrer au Conseil de sécurité. Se pose alors la question de la représentativité d'un Conseil ainsi élargi. Faut-il conserver son caractère aristocratique et réserver la qualité de membre permanent aux grandes puissances au nom de l'efficacité? Faut-il l'étendre pour y représenter de façon équilibrée les différentes régions et les grandes cultures du monde au nom de l'universalité? Les pays d'Asie, d'Amérique latine et d'Afrique pourraient avoir un siège permanent. Mais lesquels d'entre eux et combien? La question est si inextricable que la réforme prévue pour le 50e anniversaire de l'ONU tarde à se faire.

Cette question n'est toutefois qu'un aspect limité du problème autrement plus vaste de la capacité des organisations internationales à mobiliser l'attention des différents partenaires impliqués dans la formulation et la mise en œuvre des politiques.

L'action des organisations internationales se déroule de plus en plus à travers un entrelacs de relations entre organisations publiques et privées, nationales et internationales formant de véritables réseaux internationaux. Cela se manifeste par l'apparition d'acteurs de type nouveau baptisés « commission », « comité » ou « groupe de travail », selon les organisations, au point qu'une nouvelle discipline est apparue récemment pour en étudier les effets : la « comitologie ».

Les grandes commissions internationales se sont multipliées depuis la fin des années soixante-dix : commission Brandt pour les relations Nord-Sud; commission MacBride pour l'information et la communication; commission Palme pour le désarmement et la sécurité; commission Brundtland pour l'environnement; commission Singh pour les rapports Sud-Sud; commission Perez de Cuellar pour la culture et le développement; commission Carlson pour la « gouvernance globale »; commission Pintasilgo pour la population, etc. Elles ont en commun d'être présidées par des personnalités connues, d'être composées d'une vingtaine de personnes de nationalité différente, cooptées pour leur compétence, et d'être financées sur une base volontaire. Leur création est décidée au sein d'une organisation intergouvernementale, souvent sous l'impulsion du secrétaire ou directeur général, lui-même aiguillonné par des ONG. Elles ne remplacent ni les organisations intergouvernementales ni les ONG avec lesquelles elles sont parfois en concurrence pour obtenir leur part de contributions volontaires. Ce sont des instances de réflexion, temporaires, chargées d'étudier une grande question de portée universelle et de présenter des conclusions dans un rapport final. Dans leur fonctionnement et leurs travaux, le pouvoir politique, les structures administratives, les acteurs socio-économiques, les groupes de pression sont enchevêtrés. Au nom de l'intérêt universel, les commissions internationales tentent de tenir compte de tous ces intérêts en présence. Elles visent à redonner une impulsion à des débats enlisés dans la routine diplomatico-bureaucratique. Mme Brundtland expliquait ainsi la création de la commission sur l'environnement et le développement à laquelle son nom est attaché : « Ce que demandait l'Assemblée générale était irréaliste, mais c'était l'expression claire du sentiment de frustration et d'imperfection qui régnait au sein de la communauté internationale quant à sa capacité de traiter les questions globales vitales et à les résoudre efficacement ».

Les organisations internationales ne fonctionnent plus comme des entités formelles et autonomes aux frontières bien identifiées. Elles sont impliquées constamment dans des marchandages « interorganisations » qui forment la trame de la coopération internationale et dans lesquels les organisations non gouvernementales jouent un rôle capital. Qu'il s'agisse des droits de l'homme, de l'environnement, du développement et, plus récemment, de l'« intervention humanitaire », ce sont les ONG qui amènent les gouvernements à s'occuper de certaines questions, à élaborer un discours, à entreprendre une action. Elles tendent à contrôler l'agenda international. Dans un deuxième temps, lorsqu'une stratégie est définie, leur concours sur le terrain est indispensable pour la mise en œuvre, toutes les organisations intergouvernementales le reconnaissent. Malgré la persistance d'une méfiance réciproque, la coopération entre ces deux types d'organisation est maintenant une composante essentielle de l'action multilatérale.

La définition des ONG internationales est floue. On s'accorde pour estimer que cette appellation répond à trois critères au moins : un groupement librement créé de personnes ou de collectivités privées ; la poursuite de buts non lucratifs d'intérêt international ; une activité effective dans au moins deux pays différents. La plupart des ONG internationales ont un statut consultatif auprès des organisations intergouvernementales compétentes dans le domaine qui les intéresse : ECOSOC, Conseil de l'Europe, Commission européenne, etc. Mais des pratiques de coopération informelle se sont développées bien au-delà des arrangements officiels. Les travaux des ONG couvrent tous les domaines d'action des organisations intergouvernementales et constituent l'un des chaînons reliant le niveau local (les « communautés de base »), le niveau national et le niveau mondial.

Leur galaxie est immense et leur profil très divers. Parce qu'elles sont censées représenter la « société civile » face aux États et aux grandes bureaucraties internationales, les ONG sont idéalisées par les uns et décriées par les autres. Dans un monde qui est de plus en plus un monde d'organisations, les ONG ne représentent pourtant qu'un certain type d'arrangement des activités humaines, ni mieux ni pis que d'autres types d'arrangements. Comme toutes les organisations, elles ont leur part de mérite et d'utilité (dévouement, expertise), leur part d'ombre et de faiblesse (tendance au dogmatisme, dépendance à l'égard des médias). Qu'elles le veuillent ou non, elles font aussi partie du processus d'accommodement à l'échelle mondiale.

La dimension sociale de la sécurité et de l'ordre international n'est plus seulement un slogan diffusé par quelques associations et agences humanitaires. Elle est reconnue par tous. Les grandes préoccupations de l'heure sont l'évolution des sociétés ex-communistes, la pauvreté, l'expansion démographique, le lien entre développement et environnement. Sous une forme ou sous une autre, ces thèmes sont sur l'agenda de toutes les réunions internationales. La mise en œuvre de programmes internationaux pour relever pareil défi ne peut se faire sans l'intervention des acteurs privés. Toutes les expériences de coopération le montrent : aucun projet international n'a jamais réussi sans la participation sur place d'un groupe d'acteurs entreprenants et favorables au changement. En définitive, l'avenir et la crédibilité de l'action multilatérale ne dépendent plus seulement des États, mais de l'aptitude des organisations internationales à mobiliser un vaste réseau d'entrepreneurs, d'experts, de fonctionnaires et de bénévoles pour identifier les enjeux, définir les objectifs, soutenir et mettre en œuvre les plans d'action définis en commun.

Bibliographie

Ouvrages généraux

• Sur les organisations internationales

– « Les organisations internationales, Perspectives théoriques et tendances actuelles », *Revue internationale des sciences sociales*, n° 138, novembre 1993.

– ABI-SAAB G. (dir.), *Le Concept d'organisation internationale*, UNESCO, 1980.

– ARCHER C., *International Organization*, Londres, Routledge, 1992.

– COLLIARD C.A., *Institutions des relations internationales*, Paris, Dalloz, 1990.

– COURTEIX S. *et al*, *Organisations internationales à vocation universelle*, Paris, La Documentation française, 1993.

– JEQUIER N. et MUHEIM F. (dir.), *Les Organisations internationales entre l'innovation et la stagnation*, Lausanne, Presses polytechniques romandes, 1985.

– REUTER P., *Institutions internationales*, Paris, PUF, coll. « Thémis », 1962.

– RUGGIE J.G. *et al*, « Symposium : Multilateralism », *International Organization*, vol. 46, n° 3, été 1992.

– SABOURIN L., *Organismes économiques internationaux*, Paris, La Documentation française, 1994.

• Sur la sociologie des organisations

– BALLE C., *Sociologie des organisations*, Paris, PUF, 1990.

– MÉNARD C., *L'Économie des organisations*, Paris, La Découverte, 1990.

– PADOLIEAU J.G., *L'État au concret*, Paris, PUF, 1982.

– ROBBINS S.P., *Organization Theory*, Englewood Cliffs, NJ, Prentice Hall, 1987, 2e éd.

• Sur les acteurs et les institutions

– BADIE B., *L'État importé*, Paris, Fayard, 1993.

– BOUDON R., *La Logique du social*, Paris, Hachette, 1979.

– COX R. « Social forces, States and World Order : beyond International Theory » *in* R. Keohane, *Neorealism and its Critics*, New York, Colombia University Press, 1986.

– EISENSTADT S., *Social Differentiation and Stratification*, Scott, Forresman and Co, Glenview, 1971.

– HOFFMANN S., *Le Dilemme américain : suprématie ou ordre mondial*, Paris, Economica, 1982.

– MANN M., *The Sources of Social Power*, Cambridge University Press, 1986.

– MAUSS M., « Essai sur le don » (1925), *Sociologie et anthropologie*, Paris, PUF, 1960.

La place des organisations dans la vie internationale

– BEIGBEDER Y., *Le Rôle international des organisations non gouvernementales*, Bruxelles, Bruylant, 1992.

– DAUDET Y., *Aspects du système des Nations unies dans le cadre de l'idée d'un nouvel ordre mondial*, Paris, Pédone, 1992.

– HAAS E., *When Knowledge is Power. Three Models of Change In International Organizations*, Berkeley, University of California Press, 1990.

– KRASNER S., *International Regimes*, Ithaca, New York, Cornell, 1983.

– MITRANY D., *A Working Peace System*, Londres, Royal Institute of International Affairs, 1943 ; Chicago, Quadrangle Books, 1966.

– ROSENAU J. et CZEMPIEL O. (dir.), *Governance Without Governement*, Cambridge, Cambridge University Press, 1992.

– SMOUTS M.-C., « L'organisation internationale : nouvel acteur sur la scène mondiale », p. 147-166, *in* Bahgat Korany (dir.), *Analyse des relations internationales*, Montréal, Gaëtan Morin, 1987.

– TAYLOR P. et GROOM A.J.R. (dir.), *International Institutions at Work*, Londres, Pinter Publishers, 1990.

L'évolution des organisations internationales

– BACH D., « L'intégration en Afrique de l'Ouest : crise des institutions et crise des modèles » *in* R. Lavergne (dir.), *L'Intégration économique en Afrique de l'Ouest*, Paris, CRDI-Karthala, 1995.

– BACH D., « Les dynamiques paradoxales de l'intégration en Afrique subsaharienne », rapport présenté au colloque « Politique des territoires », IEP de Bordeaux, 19-22 octobre 1994.

– BERTRAND M., *L'ONU*, Paris, La Découverte, coll. « Repères », 1994.

– CLAUDE I., *The Changing United Nations*, New York, Random House, 1967.

– GERBET P., GHEBALI V.Y., MOUTON M.R., *Les Palais de la paix : Société des nations et Organisation des Nations unies*, Paris, éd. Richelieu, 1973.

– GHEBALI V.Y. (dir.), *L'Organisation internationale du travail*, Institut universitaire de hautes études internationales, Genève, Georg, 1987.

– HOFFMANN S., *Organisations internationales et pouvoirs politiques des États*, Paris, Armand Colin, 1954.

– KEOHANE R, HOFFMANN S. (dir.), *After the Cold War. International Institutions and State Strategies in Europe, 1989-1991*, Harvard, Harvard University Press, 1993.

– KEOHANE R., HOFFMANN S., *The New Community, Decision-Making and Institutional Change*, Colorado, Westview Press, 1991.

– KLEIN J. (dir.), « L'ONU entre le renouveau et la crise », *Politique étrangère*, 3/1993.

– LA SERRE F. de, « Spécial Maastricht », *Regards sur l'actualité*, n° 180, avril 1992.

– MOREAU DEFARGES P., *Les Institutions européennes*, Paris, Armand Colin, coll. « Cursus », 1993.

– SENARCLENS P. de, *La Crise des Nations unies*, Paris, PUF, 1988.

Les organisations internationales au tournant du siècle

– COUSSY J., HUGON P., *Intégration régionale et ajustement structurelle en Afrique subsaharienne*, ministère français de la Coopération et du Développement, 1991.

– DELORME H., CLERC D., *Un nouveau GATT?*, Bruxelles, éd. Complexe, 1994.

– EYAL J., *Europe and Yougoslavia : Lessons from a Failure*, Whitehall Paper series, Londres, 1993.

– FONTANEL J., *Organisations économiques internationales*, Paris, Masson, 1995.

– FORTMAN M., THÉRIEN J.-P., « L'organisation des États américains : un système de coopération régional en transition », *Relations internationales et stratégiques*, n° 14, été 1994.

– GEMDEV, *L'Intégration régionale dans le monde*, Paris, Karthala, 1994.

– GUIBERT G., « L'OMC : continuité, changement et incertitude », *Politique étrangère*, 3/1994.

– GUILLAUMONT P., *Croissance et ajustement : les problèmes d'Afrique de l'Ouest*, Paris, Economica, 1985.

– HEISBOURG F., « Sécurité : l'Europe livrée à elle-même », *Politique étrangère*, 1/1994.

– JOUANNEAU D., *Le GATT*, Paris, PUF, coll. « Que sais-je? », 1980.

– LAÏDI Z., *Enquête sur la Banque mondiale*, Paris, Fayard, 1989.

– LA SERRE F. de, LEQUESNE C., RUPNIK J., *L'Union européenne : ouverture à l'Est?*, Paris, PUF, 1994.

– L'HÉRITEAU M.-F., CHAVAGNEUX C., *Le Fonds monétaire international et les Pays du tiers monde*, Paris, IEDES-PUF, 1990.

– LENAIN P., *Le FMI*, Paris, La Découverte, coll. « Repères », 1993.

– MESSERLIN P., « Rôle du GATT et enjeux de l'Uruguay Round », *Politique étrangère*, 2/1993.

– SMOUTS M.-C. (dir.), DIENER I., HASSNER P., JENNAR R., MARCHAL R., SALAME G., *L'ONU et la Guerre. La diplomatie en kaki*, Bruxelles, éd. Complexe, 1994.

Index

Table des matières

Table des encadrés

Armand Colin Éditeur
5, rue Laromiguière, 75241 Paris Cedex 05
N° 64075
Dépôt légal : avril 1995

SNEL S.A.
Rue Saint-Vincent 12 - 4020 Liège
mars 1995